Marcel Laflamme
et collaborateurs

LE PROJET COOPÉRATIF QUÉBÉCOIS: UN PROJET SOCIAL?

gaëtan morin
éditeur

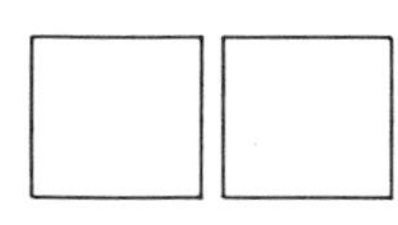

gaëtan morin éditeur
C.P. 965, CHICOUTIMI, QUÉBEC, CANADA
G7H 5E8 TÉL.: (418) 545-3333

ISBN 2-89105-088-6

Imprimerie Le Lac-St-Jean enr.

Dépôt légal 2e trimestre 1982
Bibliothèque nationale du Québec
Bibliothèque nationale du Canada

123456789 L.S.J. 98765432

Pays où l'on peut se procurer cet ouvrage

CANADA
Gaëtan Morin éditeur
C.P. 965, Chicoutimi, P.Q.
Tél.: 1-418-545-3333

Algérie
Société Nationale d'Édition et de Diffusion
3, boulevard Zirout Youcef
Alger
Tél.: 19 (213) 30-19-71

Benelux et pays scandinaves
Bordas-Dunod-Bruxelles S.A.
44, rue Otlet
B. 1070 - Bruxelles (Belgique)
Tél.: 19 (32-2) 523-81-33
Télex: 24899

Brésil
Sodexport-Grem
Avenida Ric Branco 133 GR 807
Rio-de-Janeiro
Tél.: 19 (55-21) 224-32-45

Espagne
D.I.P.S.A.
Francisco Aranda n° 43
Barcelone
Tél.: 19 (34-3) 300-00-08

France
Bordas-Dunod Gauthier-Villars
37, r. Boulard - 75680 Paris
cédex 14 - Tél.: 539-22-08
Télex: 270004

Guadeloupe
Francaribes
Bergevin
Zone des petites industries
97110 Pointe-à-Pitre
Tél.: 19 (33-590) par opératrice 82-38-76

Italie
C.I.D.E.B.
Strada Maggiore, 37
41125 Bologne
Tél.: 19 (39-51) 22-79-06

Japon
Hachette International Japon S.A.
Daini-Kizu Bldg. n° 302
10, Kanda-Ogawacho 2-chrome
Chiyoda-Ku, Tokyo
Tél.: 19 (81-3) 291-92-89

Maroc
Société Atlantique
140, rue Karatchi
Casablanca
Tél.: 19 (212) 30-19-71

Martinique
Francaribes
Boulevard François Reboul
Route de l'Église Sainte-Thérèse
97200 Fort-de-France
Tél.: 19 (33-596) par opératrice 71-03-02

Portugal
LIDEL
Av. Praia de Vitoria 14 A
Lisbonne
Tél.: 19 (351-19) 57-12-88

Suisse
CRISPA
16, avenue de Beaumont
1700 Fribourg
Tél.: 19 (41-37) 24-43-07

Tunisie
Société tunisienne de diffusion
5, avenue de Carthage
Tunisie
Tél.: 19 (216-1) 25-50-00

Le Fonds F.C.A.C. pour l'aide et le soutien à la recherche a accordé une aide financière pour l'édition de cet ouvrage, dans le cadre de sa politique visant à favoriser la publication en langue française de manuels et de traités à l'usage des étudiants de niveau universitaire.

TABLE DES MATIÈRES

AVANT-PROPOS

Le mouvement coopératif québécois face aux défis des années 80

par Raymond Blais *

L'heure est venue pour les coopérateurs du Québec de voir la réalité coopérative telle qu'elle est s'ils veulent réellement l'améliorer. Il faut être conscient que le mouvement coopératif n'existe pas encore au Québec en tant que mouvement. Nous ne savons pas encore comment nous y prendre pour devenir un mouvement cohérent et articulé. Les illustrations abondent. Par exemple, nous n'avons pas été en mesure, en tant que mouvement coopératif, de présenter au gouvernement du Québec un vrai plan de développement des coopératives à l'occasion du sommet de février 1980. Nous n'avons d'ailleurs pas de tradition réelle d'action collective de cette nature. Il faudra, à toutes fins utiles, faire des efforts d'innovation en cette matière. Chaque secteur a formulé ses propres revendications qui, pour la plupart, n'avaient aucune portée structurante en matière de développement du mouvement, parce qu'elles n'étaient pas inscrites dans un plan d'ensemble. Encore un exemple: le monde coopératif québécois s'interroge quant au sort, à la vocation et à l'utilisation du Conseil de la coopération du Québec depuis la création de la Société de développement coopératif. Je crois que l'ensemble de ces questions et plusieurs autres qui ont été, à toutes fins utiles, escamotées lors du sommet de 1980, doivent être analysées attentivement et froidement, discutées objectivement entre les coopérateurs, avant de pouvoir établir clairement si le mouvement coopératif québécois est en mesure de faire face aux défis des années 80. Il est impérieux que ces questions soient abordées d'urgence.

VERS L'AVENIR

Le mouvement coopératif québécois a prouvé par le passé qu'il était capable d'inscrire à son actif des réalisations extraordinaires. Je le

---

* Raymond Blais est président de la Confédération des Caisses populaires et d'économie Desjardins du Québec. Ce texte est extrait d'une conférence qui eut lieu à l'université Laval, le 22 octobre 1981.

crois personnellement capable de relever de très grands défis. Mais il y a des conditions préalables très exigeantes à satisfaire. Quelles sont-elles, en supposant que nous puissions passer le test de la maturité coopérative, c'est-à-dire démocratique, nécessaire à cette discussion qui doit impliquer d'abord le monde coopératif? Ces conditions m'apparaissent fondamentalement les mêmes que celles de ses succès passés. J'en retiens cinq.

LA PREMIÈRE et de loin la plus importante est la capacité du mouvement coopératif de reconnaître ses faiblesses intrinsèques, ses incohérences, ses inconséquences et ses contradictions internes. Si cette volonté et cette capacité d'autocritique introspective sont inexistantes, qu'on ferme alors immédiatement le dossier "mouvement coopératif" et qu'on laisse à chaque secteur structuré le soin de s'organiser lui-même, selon ses propres plans de développement. Il s'agirait en somme de décréter le statu quo et de renoncer à corriger nos lacunes collectives. La situation actuelle du mouvement coopératif québécois invite naturellement à une discussion de fond, à laquelle je souhaiterais personnellement *la participation du milieu universitaire*.

IL DOIT ENSUITE amplifier ses programmes de perfectionnement à l'adresse de tous ceux qui sont impliqués dans son action: ses membres, ses administrateurs, son personnel de gestion, et même les communautés dans lesquelles il poursuit son oeuvre. Il devra réaliser plus complètement son objectif numéro un, c'est-à-dire son objectif humain, s'il veut être en accord avec son temps et surtout avec son principe moteur, car la coopération, ne l'oublions pas, est d'abord une question de foi dans l'homme. À ce titre, le mouvement coopératif devrait en principe être très à l'aise dans une ambiance de perfectionnement humain.

LA TROISIÈME condition de succès futur du mouvement coopératif sera sa capacité d'utiliser ses ressources humaines mieux formées dans le marketing du message coopératif, en faisant de chaque coopérateur un promoteur de la coopération. Là-dessus, il existe une profonde dichotomie entre l'image et la réalité coopératives, considérées sous l'angle des relations entre le mouvement coopératif et le grand public. À bien y réfléchir, au-delà de nos intuitions personnelles ou de certains clichés et lieux communs qui me viendraient spontanément à l'esprit, le mouvement coopératif, il faut l'avouer, possède peu d'informations sur la perception générale qu'a de lui le grand public. Il s'agit quant à moi dorénavant d'une lacune importante qu'il faudra combler avant même d'échafauder des plans et projets concrets de développement coopératif pour le futur.

LA QUATRIÈME condition sera la capacité ou encore la volonté collective des coopérateurs d'utiliser au mieux, dans leurs propres intérêts, les possibilités offertes par l'ensemble des réseaux d'entreprises qui constituent potentiellement le mouvement. C'est par le moyen de leur collaboration que les coopérateurs devront se donner un mouvement. Il est certain que jusqu'à présent les différents secteurs coopératifs n'ont pas toujours utilisé complètement les possibilités que leur offre l'ensemble des réseaux d'entreprises qu'ils ont constituées pour le meilleur service de leurs membres. Je répète que nous ne sommes pas encore un "mouvement" au sens plein du terme. Il nous faut avoir l'humilité et le courage de le reconnaître avant même d'essayer de décider de le devenir.

ENFIN, et je termine là-dessus, qu'il s'agisse de la mise au point d'un projet de perfectionnement humain de marketing, de l'idée coopérative, de l'articulation et de la concertation de certaines actions à l'échelle de tous les secteurs organisés, de la réconciliation dans l'action de ces derniers avec les groupes populaires et les secteurs non structurés, dans toutes ces sphères d'activité, le mouvement coopératif québécois aura besoin de l'apport du milieu universitaire.

INTRODUCTION

BUTS DE L'OUVRAGE

Si les années 60 furent celles des multinationales et que les années 70 favorisèrent l'essor des sociétés d'État et des P.M.E., on peut espérer que la décennie 80 sera celle de la coopération.

Après cent années d'existence au Québec, la coopération a réalisé une grande finalité consistant à la mise sur pied d'un puissant appareil économique constitué de 2 500 coopératives détenant 16 milliards de dollars d'actifs et appartenant en propre à 4 millions de membres.

À l'instar des pionniers qui, au début du siècle, ont fait de la coopération un avant-poste en Amérique dans les domaines financier et agricole, la coopération québécoise doit pouvoir escompter aujourd'hui que des dirigeants éclairés sauront lui apporter un second souffle mobilisateur.

Face aux sociétés marchandes ou étatiques déshumanisées et à l'urgence d'un nouvel ordre économique, la formule coopérative devient le véhicule privilégié pour instaurer une société alternative démocratique. À cette fin, la coopération doit manifester un nouveau front social en retrouvant le sens de son identité et de ses traits distinctifs par rapport aux systèmes capitaliste et socialiste.

Le défi actuel consiste à dynamiser le réseau formé de 2 500 unités coopératives et de 4 millions de membres, et à constituer un véritable mouvement coopératif ayant son propre système de valeurs, ses projets à long terme, son plan de transformation sociale, ses stratégies de développement régional, ses programmes d'implication des membres, bref, une façon originale et spécifique de façonner un système économique par et pour les Québécois.

Pour réaliser sa mission historique de transformation sociale au Québec, la coopération doit préciser nettement ses orientations, ses choix stratégiques et son système de valeurs.

Afin de se distancier des systèmes actuels, la coopération doit s'affirmer contre:

- l'exploitation de l'homme par le capital concentré entre les mains d'un nombre de plus en plus restreint d'individus;
- le développement "mécaniste" de la société industrielle;
- la consommation effrénée;
- l'assujettissement passif des individus par l'État;
- la détérioration de l'environnement, la pollution, le gaspillage...

L'expression d'un leadership coopératif doit aussi se faire valoir par l'énoncé *d'un credo positif* auquel elle adhère. La coopération québécoise devra se différencier nettement en disant quels sont ses valeurs et ses objectifs de développement et prendre parti pour:

- le développement endogène par et pour les Québécois;
- le rapprochement de la coopération et des dynamismes populaires;
- la réappropriation des leviers décisionnels par les communautés de base;
- la collaboration entre les classes;
- l'instauration d'une éthique économique supérieure;
- le remembrement des diverses dimensions de la vie;
- la concertation économique entre les grands agents québécois;
- la démocratie industrielle;
- l'éducation et la participation des membres;
- la canalisation des épargnes vers le développement;
- la conception d'une stratégie de développement régional;
- etc.

La vision de la coopération québécoise doit dépasser celle de la micro-unité coopérative et du secteur coopératif, pour déborder sur la recherche de solutions plus globales reliées au type de développement à privilégier en vue d'une plus grande autodétermination économique et de la restauration sociale.

Le but de cet ouvrage est essentiellement de fournir des matériaux de réflexion et d'action pouvant appuyer l'émergence d'un mouvement coopératif solidaire, dynamique et polarisé vers des objectifs d'édification nationale.

L'ouvrage s'intéresse surtout au nouveau front social de la coopération, et s'inscrit comme une complémentarité des recherches de l'O.P.D.Q. qui avaient plutôt un caractère économique et axé sur le profil du mouvement coopératif québécois.

Les auteurs ont investi leurs énergies en vue d'aider à "recharger" le mouvement coopératif afin de lui permettre de jouer son rôle de réformateur socio-économique. C'est à ce rendez-vous que nous convions le lecteur.

Le projet coopératif québécois

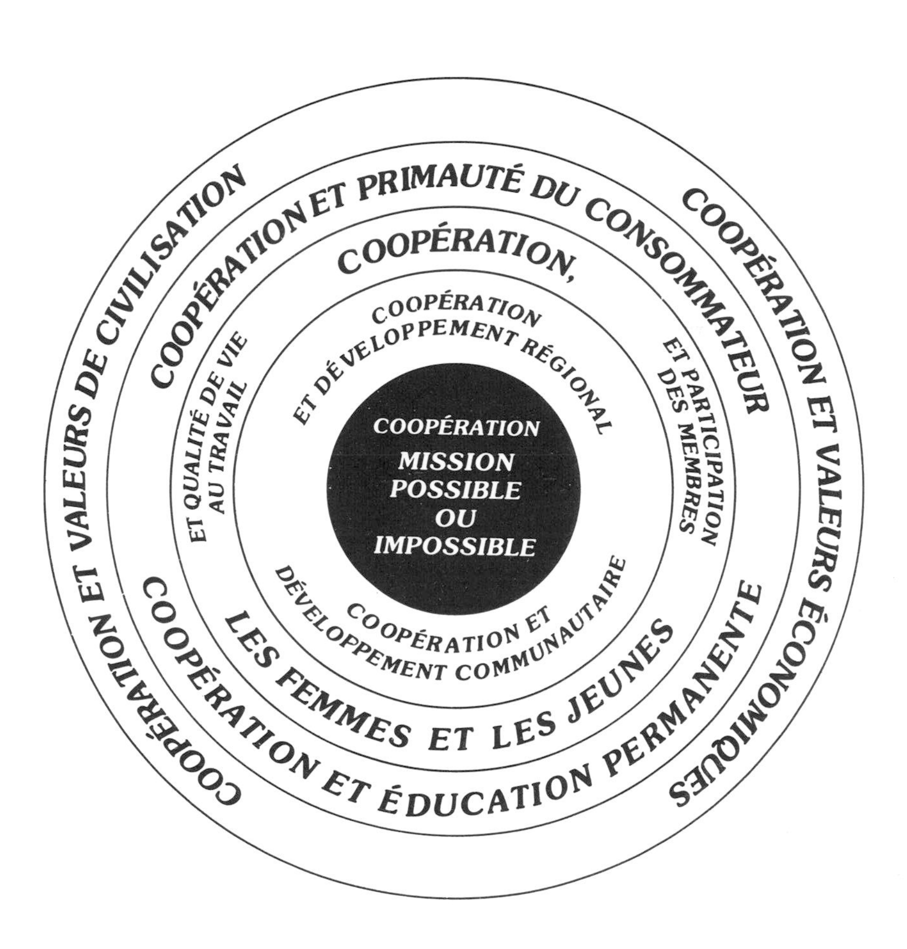

L'ÉQUIPE

Pour relever ce défi de rédaction du *Projet coopératif québécois*, une équipe de dix personnes fut constituée en 1980 grâce à l'initiative de Marcel Laflamme, directeur de l'IRECUS. Il regroupa des spécialistes de différentes disciplines, dont les expériences permettaient d'aborder la formule coopérative suivant une vision multidimensionnelle de sorte que les principales problématiques puissent y être traitées. Voici la liste des membres de l'équipe:

BEAUCHAMP, Claude, spécialiste en sociologie de la coopération;
BERGERON, Jean-Louis, spécialiste en qualité de la vie au travail;
BOISVERT, Jacques, spécialiste en méta-marketing;
HUMÉREZ-COMTOIS, Norah, spécialiste en éducation coopérative et en andragogie;
JACQUES, François, spécialiste en pensée sociale;
LAFLAMME, Marcel, spécialiste en développement organisationnel;
LECLERC, Gilbert, spécialiste en andragogie;
PELLETIER, Gérard, spécialiste en pensée économique;
PRÉVOST, Paul, spécialiste en développement régional;
RIOUX, Adrien, sous-ministre, spécialiste en organisation coopérative.

Réaliser cette production littéraire devenait le premier objectif opérationnel de l'équipe. Mais à la faveur d'une cohésion et d'une complémentarité qui se sont développées entre les membres, l'équipe a décidé de poursuivre d'autres objectifs en matière de concrétisation du projet coopératif québécois. À cette fin, l'équipe est entièrement disponible auprès de groupes, organisations ou individus qui désireraient aller de l'avant dans la compréhension et l'essor de la formule coopérative.

LE CONTENU

La coopération d'ici est en attente d'un nouveau souffle. Dans le premier chapitre, COOPÉRATION ET VALEURS DE CIVILISATION, l'auteur tente d'identifier les assises sur lesquelles reposera ce nouveau départ. L'appartenance collective au patrimoine de l'humanité, le besoin de signification humaine et les perspectives d'autodéveloppement peuvent constituer la trame d'une civilisation en mutation. Les coopératives ne peuvent plus se contenter de s'adapter aux conditions socio-économiques du temps, elles doivent devenir des pôles culturels et des agents de changement. Les coopératives font figure de précurseurs car elles disposent de moyens qui peuvent aider à dénouer l'impasse de la crise de civilisation actuelle. Par une stratégie pro-active, les coopérateurs doivent rassembler leurs énergies, scruter l'avenir, inventer et construire une société en conformité avec leur idéal de libération économique et de transformation sociale.

L'auteur du second chapitre, COOPÉRATION ET VALEURS ÉCONOMIQUES, s'interroge sur les valeurs qui soutiennent le mouvement coopératif québécois: sentiment d'appartenance locale, démocratie et égalité, idéal chrétien, fierté nationale, pragmatisme terre-à-terre nord-américain, socialisme autogestionnaire... Somme toute, on peut postuler que la formule coopérative est supportée par une grande variété de valeurs autres que les strictes valeurs économiques. Si d'autres valeurs n'étaient pas en jeu, la formule coopérative perdrait son caractère original et se rapprocherait du système capitaliste. Considérant que la formule coopérative a connu dans son évolution une grande variété de principes, il appartient aux coopérateurs contemporains de définir les valeurs "non économiques" que doit sous-tendre le projet coopératif québécois. Par la suite, il faudra concrétiser ces valeurs afin que le discours devienne réalité.

Le chapitre trois, COOPÉRATION, MISSION POSSIBLE OU IMPOSSIBLE, situe la réflexion par rapport à la crise économique et sociale actuelle marquée par l'inflation, le chômage, les taux d'intérêt usuriers, la concentration du capital, l'aliénation des consommateurs, l'omniprésence de l'État, etc. La question de fond renvoie au partage des pouvoirs économiques détenus à 90% par des capitalistes. La mission coopérative consiste à concrétiser un régime économique qui améliorera la qualité de la vie et permettra l'épanouissement de chaque être humain. Plus spécifiquement, cette mission vise à aider les citoyens à régler eux-mêmes leurs problèmes d'emploi et de consommation. L'éducation économique, l'adoption d'une nouvelle échelle de valeurs et la transformation des mentalités sont des conditions requises pour intéresser les citoyens à devenir propriétaires de l'économie québécoise.

ÉDUCATION PERMANENTE ET ÉDUCATION COOPÉRATIVE constituent deux mouvements qui sont mis avantageusement en parallèle dans le chapitre quatre. Leur convergence s'explique par la proposition d'une société alternative, favorisant l'égalité, l'autonomie, la participation démocratique, le lien avec le milieu et l'expérience vécue, la maîtrise de sa destinée personnelle et collective. Au sein de la société éducative, l'éducation n'est plus séparée de la vie, la vie tout entière est devenue éducation, et l'éducation est devenue vie. Dans le projet d'éducation permanente, l'unité entre l'éducation et la vie se complète par l'égalisation des chances et la participation autonome de l'individu à sa propre éducation. Les sociétés coopérative et éducative sont appelées à se fondre en un seul mouvement si l'on veut que chaque coopérateur exerce pleinement sa liberté, son autonomie et l'entière responsabilité de sa destinée individuelle aussi bien que collective.

Le cinquième chapitre, COOPÉRATION ET DÉVELOPPEMENT RÉGIONAL, approfondit la façon dont le système coopératif pourrait de façon consciente et cohérente optimiser son rôle de véritable développeur régional. Actuellement, on déplore un manque de pensée économique coopératiste, un manque de conscience coopérative régionale nécessaire à tout leadership. Un système de développement coopératif régional implique la conception d'un modèle d'autodéveloppement régional, l'analyse exhaustive de la situation régionale, l'évaluation des stratégies et des possibilités de développement, la sélection des projets et leur implantation. Moyennant une volonté "politique" et une approche structurée, les coopératives pourraient individuellement et collectivement jouer pleinement leur rôle d'agents de développement régional.

Au chapitre six, COOPÉRATION ET DÉVELOPPEMENT COMMUNAUTAIRE, le point d'ancrage est la réappropriation des leviers décisionnels par les collectivités locales. La coopération doit exercer un leadership suscitant les initiatives populaires et la participation à l'expression sociale, culturelle et politique du milieu. Ainsi elle doit aider les communautés à accroître leur sens d'autonomie et leur capacité de résoudre les problèmes. Les 2 500 coopératives québécoises regroupant plus de 30 000 administrateurs bénévoles constituent un bassin énorme d'agents de changement localisés aux quatre coins du Québec.

Le septième chapitre, COOPÉRATION ET PARTICIPATION DES MEMBRES, pose le problème de la démocratie en général. La participation est devenue un thème à la mode dans les sociétés industrielles avancées qui deviennent de plus en plus réglées, cybernétisées. L'auteur décrit les différents aspects de la participation, ses exigences, ses potentialités et ses limitations. La participation dans les coopératives est proportionnelle à l'idéal coopératif qui y est véhiculé. Une participation intense des membres nécessite des transformations dans le système de valeurs et une remise en question du type de société dans lequel nous vivons.

Le chapitre huit, COOPÉRATION ET QUALITÉ DE LA VIE AU TRAVAIL, présente une réponse aux problèmes de l'intérêt et de la valorisation des employés au sein des coopératives. Dans un contexte contemporain en pleine mutation, les cadres ne peuvent plus diriger par la simple utilisation des méthodes traditionnelles de gestion: centralisation de l'autorité, motivations monétaires, surveillance étroite, communications unidirectionnelles... La grande erreur des théories classiques est d'avoir ignoré la complexité extrême de l'être humain et d'avoir cru que les dirigeants pouvaient se passer d'une richesse inestimable: l'intelligence, la créativité, l'initiative du travailleur. Le programme "Qualité de la vie au travail" est l'application concrète d'une philosophie humaniste, par l'introduction de méthodes participatives visant à créer un environnement plus favorable à la satisfaction des employés et à l'efficacité de l'entreprise.

L'auteur du neuvième chapitre, COOPÉRATION, LES FEMMES ET LES JEUNES, nous fait découvrir l'importance de la participation de ces deux groupes de citoyens dans l'édification de nos projets collectifs. En plus d'examiner la situation actuelle de la participation des femmes et des jeunes au mouvement coopératif québécois, l'auteur présente des propositions, énonce des valeurs et précise un programme d'activités pour faire avancer cette cause. Le point culminant du chapitre consiste à dégager un rôle nouveau du mouvement coopératif québécois, en l'occurrence la formation de "l'homme social".

Enfin, au dernier chapitre, COOPÉRATION ET PRIMAUTÉ DU CONSOMMATEUR, l'auteur propose une approche de prise de décision et de résolution de problèmes qui permettrait de faciliter la mise en place de méthodes d'information, afin d'optimiser la satisfaction des consommateurs membres et de tendre vers la concrétisation de la primauté des consommateurs. Fournir aux membres le maximum d'informations et les meilleurs critères évaluatifs en vue de résoudre un problème de consommation s'inscrit dans un cadre résolutif plutôt que dans un cadre protectionniste. En période cyclique comme celle que nous vivons, des changements continus s'exercent en matière de besoins et, par conséquent, les producteurs doivent réajuster constamment l'offre des biens et services afin de s'adapter à une demande dynamique.

Marcel Laflamme
Mars 1982

Chapitre 1

Coopération et valeurs de civilisation

par François Jacques

INTRODUCTION

C'est au début du XXe siècle qu'apparut un mouvement coopératif structuré au Québec: coopératives d'épargne et de crédit, coopératives agricoles et coopératives de pêcheurs. Les objectifs particuliers de ces institutions se résumaient en un objectif général qui s'exprime ainsi: regrouper les forces en vue de permettre aux membres de prendre en main leur destin. Les Québécois avaient à cette époque d'importants défis à relever: prendre leur place dans une économie dominée par les anglophones, rendre le crédit accessible, transformer une agriculture autarcique en agriculture de marché, enrayer l'émigration massive des jeunes, améliorer leurs conditions de vie, compenser l'absence de mesures d'aide sociale, etc. Ne pouvant compter que sur leurs propres moyens, ils ont su trouver dans la coopérative la formule qui a permis de mobiliser les énergies populaires vers la recherche d'un mieux-être.

Un peu plus tard, la crise des années 30 mit en évidence les limites du libéralisme économique. Pour plusieurs, elle constitua l'occasion de rechercher une solution alternative à un type d'économie basé uniquement sur la liberté d'entreprise. Le fait que la plupart des coopératives traversèrent cette crise avec succès, tout en sachant demeurer au service des membres, suscita des espoirs et provoqua le second souffle de la coopération. Des coopératives continuèrent de s'implanter; la formule s'étendit aux domaines de la consommation et des assurances. Ce qui frappa davantage, c'est l'intérêt manifesté par les universitaires: certains d'entre eux espéraient préparer la voie à une économie largement coopératiste. Au fond, l'objectif de base demeurait le même: il s'agissait de mettre à la portée des Québécois des instruments collectifs nécessaires à la réalisation de leur avenir économique.

La Révolution tranquille modifia les perspectives. Avec le slogan "Maîtres chez nous", le gouvernement du Québec mit sur pied une foule de sociétés d'État chargées d'exercer un rôle de leadership, et parfois de contrôle, dans la plupart des secteurs économiques d'importance. De plus, il s'engagea résolument sur le plan de l'aide sociale: il prit la direction de nombreuses oeuvres, et ajusta le montant des diverses prestations pour subvenir le mieux possible aux besoins minima des bénéficiaires. L'intervention gouvernementale se créa ainsi une image d'État-providence. Beaucoup de citoyens se mirent à penser que les efforts de prise en charge n'étaient plus nécessaires. L'État pourvoirait à tout: à l'économie et à l'aide sociale.

Sans pour autant perdre de leur crédibilité, les institutions coopératives existantes ont vu depuis lors diminuer l'importance de leur raison d'être aux yeux de nombreux citoyens. L'élan coopératif marque aujourd'hui un ralentissement: la participation populaire aux assemblées est faible et le nombre de nouvelles fondations est minime.

La coopération est en attente d'un troisième souffle. Tout en poursuivant sa présence dans les secteurs où elle a apporté des réponses aux besoins, il lui faut identifier de nouveaux défis à relever, principalement là où l'État s'avère impuissant à le faire.

Il n'est pas possible d'indiquer ici de façon précise un projet neuf à partir duquel la formule coopérative pourrait déployer une vigueur nouvelle. Il est peut-être encore trop tôt pour percevoir une ligne d'action où ni l'entreprise ni l'État ne se sentiraient en mesure d'agir efficacement, mais où la prise en charge collective serait pertinente.

Cependant, la problématique véhicule un autre volet: la coopérative s'inscrit dans une société en pleine mutation. De société traditionnelle, le Québec entre de plain-pied dans l'ère postindustrielle. Par l'expansion des moyens de communication sociale, les Québécois se sont ouverts à des horizons planétaires et partagent de nouvelles aspirations. Tout en conservant ses valeurs spécifiques, la culture québécoise cherche désormais à s'exprimer à travers des comportements différents. Ainsi en est-il des coopératives d'ici qui veulent aussi découvrir une nouvelle façon d'être qui soit significative dans le contexte actuel.

Est-il possible d'identifier, en fonction des valeurs, les assises sur lesquelles peut reposer un nouvel élan coopératif? Sommes-nous déjà en mesure de percevoir si les valeurs coopératives peuvent faire face, de façon originale et constructive, à ce qui s'offre comme défis d'avenir dans ce Québec renouvelé? Plus encore, comment la coopérative est-elle perméable à de nouvelles valeurs, les laisse-t-elle émerger en son sein, les véhicule-t-elle, les propage-t-elle tout en demeurant fidèle à elle-même? Voilà ce que ce chapitre se propose d'examiner. L'étude sera la plus actualisée possible; au préalable, il faudra jeter un coup d'oeil sur la dynamique propre aux valeurs. Pour ce faire, un retour à l'histoire nous fournira un éclairage intéressant.

1.1 UNIVERS DES VALEURS ET COOPÉRATIVES

1.1.1 Observations sur le cheminement des valeurs; application historique aux coopératives québécoises

1.1.1.1 Caractéristiques propres aux valeurs

Vouloir définir ce qu'est une "valeur" constitue une tâche ardue. Une valeur est une réalité qu'on ne peut camper avec des données quantifiables hors des subjectivités et des cultures. De plus, toutes les valeurs n'ont pas la même importance; c'est pourquoi on parle souvent d'échelle de valeurs. L'histoire nous apprend aussi que les valeurs sont toutes sujettes aux fluctuations selon les diverses époques. Chacune a son cheminement particulier: en certains temps elle est valorisée, tandis qu'en d'autres périodes, sans disparaître, elle se fait plus discrète dans la vie des individus et des collectivités. L'importance accordée à une même valeur varie souvent d'un pays à un autre. Liée aux individus, à leur liberté et à leurs choix, liée aux peuples et à leur histoire, une valeur se fixe difficilement dans le marbre. Elle est un champ mouvant. Elle a un parcours imprévisible et parfois déroutant.

Afin de caractériser de façon vivante ce qu'est une valeur, le texte sera limité à la mise en relief de quelques points de repère basés sur des constatations tirées de l'expérience humaine. Renouant avec l'origine des coopératives du Québec, l'auteur a choisi d'illustrer ce propos par un bref rappel des moments clés du long cheminement d'Alphonse Desjardins: son point de départ fut la recherche d'une solution au grave problème de l'usure, et son point d'arrivée, la création de coopératives d'épargne et de crédit nommées caisses populaires.

A Caractéristiques d'origine

Il est impossible d'apporter tous les détails relatifs à la naissance d'une valeur; disons seulement que le processus de "valorisation" débute de diverses manières, mais toujours par (A) la *rencontre entre un être hu-*

main et un objet désirable. Avant la rencontre, l'objet est lui-même, ni plus ni moins; mais établi dans une relation avec l'homme, il connaît une signification et une portée qui le dépassent infiniment.

Chaque jour l'individu est confronté à des dizaines de valeurs et de possibilités de valeurs. Ce qui aura été à la source d'une rencontre féconde, c'est l'état de recherche chez un individu éprouvant un besoin qu'il a identifié et qu'il veut satisfaire. Un jour, souvent par hasard, il entre en contact avec un objet qui semble orienté vers la satisfaction désirée. L'objet devient donc (B) *digne d'intérêt* aux yeux de l'individu concerné. Bien entendu, certaines prédispositions joueront un rôle dans le choix d'une telle valeur plutôt qu'une autre: l'héritage culturel, les convictions religieuses, l'éducation familiale, certaines formes de conditionnement psychique, une conjoncture particulière, etc.

Ce qu'il faut retenir, c'est qu'on ne peut parler de la naissance d'une valeur que si est mis en branle (C) un *dynamisme chez l'homme*. Il est à remarquer qu'au départ une valeur n'a rien qui appartient au monde des concepts de bien ou de perfection. Elle est réellement issue de l'élan de la personne.

Le dynamisme suscité suffit à mettre en marche un projet. La valeur admirée engendre un comportement concret visant à la satisfaction du besoin; elle se définit alors comme une réalité qu'on cherche à obtenir, elle constitue (D) une *motivation à l'action*.

Ainsi en fut-il chez Alphonse Desjardins, cet homme qui eut de si lourdes responsabilités. Issu d'une famille pauvre, il dut abandonner les études à seize ans; à l'exemple de ses frères, il opta pour le marché du travail afin d'augmenter le faible revenu d'un père sans emploi fixe et d'une mère qui, en plus d'avoir soin de sa dizaine d'enfants, devait louer ses services auprès de familles plus fortunées. Desjardins s'interrogea longtemps sur la façon de venir en aide aux familles dont le père était décédé, malade ou en chômage. Il se souvenait de son enfance, mais il se souciait également des nombreuses familles d'ouvriers et de cultivateurs qui connaissaient le même sort.

Devenu rapporteur officiel des débats à la Chambre des communes à Ottawa et se trouvant loin de son foyer, il disposait de loisirs et de l'accès à la bibliothèque parlementaire. Son frère, François-Xavier, citoyen résident d'Ottawa, oeuvrait dans le domaine de l'assurance; ses contacts avec Alphonse étaient fréquents et eurent pour effet d'éveiller la curiosité de ce dernier. Les réservoirs de capitaux accumulés par les sociétés d'assurance-vie l'amenèrent à s'interroger: Pourraient-ils être utiles dans le soulagement des misères populaires? Or ne pouvaient se procurer des polices d'assurance que les familles aisées: accepteraient-elles de partager et à quelles conditions? Possibilité de solution encore insatisfaisante pour Desjardins, car les pauvres demeureraient ainsi à la merci de la générosité des riches. Serait-il possible d'imaginer un système populaire d'assurance qui s'adresserait aux familles non fortunées?

Au fil de lectures et de recherches, Alphonse Desjardins découvrit l'existence de caisses mutuelles de maladie et d'incendie. Celles-ci n'intervenaient qu'en des circonstances précises de la vie; il souhaitait un instrument plus souple, dont les retombées pourraient s'échelonner selon les besoins courants des familles.

Voici qu'en 1896, un débat de la Chambre des communes sur le problème de l'usure retint l'attention de Desjardins. Voulant approfondir cette question, il mit la main sur des propositions et des projets de lois antérieurs. Parmi les propositions, pour combattre l'usure pratiquée en milieu rural, était envisagée la création de banques agricoles gérées par les agriculteurs eux-mêmes.

L'étincelle jaillit alors chez Desjardins: l'homme devait d'abord compter sur ses propres moyens, et une action collective nourrie de solidarité constituait la base d'une solution appropriée à ses difficultés[1]. Sur une piste neuve et attrayante, il intensifia ses recherches car, s'il avait identifié la valeur désirée, il n'avait pas encore trouvé le moyen concret de la mettre en application.

B *Une valeur se situe, dans l'ordre de l'être, entre le besoin et la réponse concrète*

Présenter une valeur à partir de la dynamique "besoin ressenti-réponse recherchée" peut être ambigu. Par exemple, si j'ai faim et que je mange une pomme, la pomme se rapporte-t-elle à une valeur ou non? En certains cas oui, en d'autres non. Ce qui crée la valeur, c'est le motif du désir entre le besoin et la satisfaction: le motif doit se situer dans la poursuite d'un "plus-être". Ainsi, je puis choisir une pomme parmi d'autres fruits par simple goût personnel: absence de valeur spéciale. Par contre, si un médecin me prescrit d'en manger une par jour afin d'équilibrer mon régime alimentaire, la pomme se rapporte à un "plus-être", donc une valeur reconnue: une bonne santé.

Pour qu'on puisse parler de valeur, le besoin doit se situer dans l'or-

---

(1) Voir:
LAMARCHE, J. ***Alphonse Desjardins, un homme au service des autres***. Montréal: Éd. du Jour, 1977, 173 p.

dre de l'être et la réponse, dans l'ordre d'un plus-être. C'est dans la mesure où l'objet estimé, dont il était question au début, est signifiant pour l'amélioration de la vie d'une personne ou d'une collectivité qu'il prend force de valeur. En ce sens, la valeur devient un idéal car elle s'appuie sur un fondement et est généralement recherchée de façon durable.

En fonction d'un plus-être, une valeur authentique atteint toute la personne: corps, intelligence, affectivité et volonté. Elle oriente les façons de penser et d'agir, et en cela elle sert de norme de comportement.

Alphonse Desjardins n'était pas disposé à s'accommoder de la première solution venue. Il cherchait une réponse qui fût durable et respectueuse de la dignité des démunis. Il lui fallut du temps avant d'identifier les valeurs précises sur lesquelles baser son action: le "self-help" et la solidarité. La vision de Desjardins était orientée dans le sens d'une amélioration qualitative du sort des familles qu'il espérait secourir. Plus tard, dans ses discours et ses écrits, il souligna que ces valeurs sont une école d'apprentissage économique et de confiance en soi, qu'elles ont des répercussions sur toute la vie quotidienne: elles aident la cause de la lutte contre l'alcoolisme, elles amènent les familles à se prémunir contre les mauvais jours, elles développent le sens de l'initiative, etc.

C *Une valeur doit être partagée, incarnée et transmissible*

C'est sous l'angle expérientiel que la naissance d'une valeur a été examinée: un individu prend contact avec un objet désirable. Pour qu'il s'agisse d'une véritable valeur, deux conditions sont nécessaires: la première est que la valeur doit se situer dans l'ordre de la croissance de l'être; la seconde est que l'appréciation personnelle d'un objet, pour devenir valeur, doit être partagée par d'autres êtres[2]. Il n'est pas nécessaire qu'elle soit partagée par toute la société, mais au moins par un ensemble très grand de personnes.

En accordant beaucoup d'importance à un objet ou à une attitude, un individu ou un groupe voudra naturellement le communiquer à d'autres au cours d'échanges personnels. Cette communication n'est pas nécessairement une campagne de sensibilisation pour se gagner des adeptes. Elle se situe d'abord sur le simple plan de la relation humaine gratuite qui est un lieu d'inévitables interinfluences. Les interlocuteurs feront un accueil à la valeur communiquée. Dans le cas d'un accueil favorable, elle prend d'abord la forme d'une opinion partagée qui éveille progressivement la prise de conscience de l'émergence d'une nouvelle valeur. La valeur est

---

(2) DUMONT, F. ***Revue Notre-Dame***. Décembre 1975, p. 22.

officialisée à partir du (A) *consensus* produit par le lien de solidarité issu de l'estimation généralisée de l'objet. Ce consensus exercera une pression sociale et deviendra le moteur de nouveaux comportements et de projets communs[3].

Voilà comment aujourd'hui progressent socialement depuis vingt ans des valeurs comme la promotion de la femme et la protection de l'environnement, pour ne citer que ces exemples.

À cette étape-ci, la nouvelle valeur est insérée par de plus en plus d'individus dans leur échelle de valeur (parfois elle modifie sensiblement l'échelle), et prend lentement mais progressivement la forme de (B) *modèles comportementaux*.

Comme groupe, et petit à petit comme société, les individus adoptent certaines façons de faire qui permettent à des valeurs de s'incarner et d'avoir des répercussions dans la vie quotidienne. Il arrive que des (C) *institutions* en naissent: ce fut le cas des coopératives.

Loin d'être un nivellement, le processus d'institutionnalisation, tout en assurant la satisfaction des besoins humains essentiels, réduit et rend moins onéreuses la démarche des choix et la pratique des jugements de valeurs qu'il faudrait refaire sans cesse. Il permet aux sociétés d'acquérir une certaine stabilité et d'éviter les continuels recommencements de valeurs identiques. Les générations successives n'ont pas à tout reprendre à zéro.

Bien qu'il n'existe aucun document écrit, tout porte à croire qu'Alphonse Desjardins dut sensibiliser informellement ses concitoyens de Lévis à la nécessité de promouvoir la solidarité et le self-help, car il sut les convaincre dès la première réunion qu'il eut avec eux à propos d'un projet précis. Mais avant tout, il s'attacha à préciser les traits d'une institution concrète qui véhiculerait les valeurs qu'il avait découvertes. En continuant ses recherches, Desjardins prit connaissance d'un livre écrit par Henry W. Wolff, intitulé *People's banks*, où l'auteur effectuait une synthèse à partir des expériences européennes de crédit populaire. Il fut enthousiasmé. Il avait enfin trouvé le modèle qui répondait à ses attentes. Il entreprit une volumineuse correspondance avec Wolff et d'autres coopérateurs européens; peu à peu, dans son esprit, se clarifiera le modèle de coopérative d'épargne et de crédit qui convenait à ce pays. Ce n'est que par la suite qu'il invita quelques Lévisiens à étudier la question plus en détail et à fonder la première caisse populaire.

---

(3) GRAND'MAISON, J. ***Stratégies sociales et nouvelles idéologies***. Montréal: Hurtubise HMH, 1970, p. 91.

Incarnée, la valeur appelle (D) des *normes de comportements* ou une *éthique* qui, dans une institution, se traduisent en *règles*. En effet, ceux qui ont promu une valeur doivent s'entendre sur le cadre et les exigences à s'imposer pour lui permettre de s'épanouir. Si la valeur est véhiculée dans une institution concrète, on parlera de règles d'organisation: celles-ci ont simplement comme rôle de fournir un terrain propice à la manifestation quotidienne des attitudes inspirées par les valeurs privilégiées.

Lorsque Alphonse Desjardins réunit quelques personnes pour lancer son projet à Lévis, il forma d'abord un comité d'étude pour rédiger et recommander des statuts et des règlements. Ce qui s'annonçait, c'était une caisse coopérative, une quasi-banque; il fallait donc être précis dans le fonctionnement.

Enfin, comme nous l'avons vu, puisqu'une valeur ne peut exister objectivement que si elle est partagée, l'attitude normale d'une institution qui concrétise des valeurs sera de vouloir se multiplier et de transmettre ce qui la fait vivre. La viabilité d'une institution née d'une ou de valeurs se traduit incontestablement par l'intérêt réel des membres à transmettre ces valeurs; chacun accepte d'entrer dans un processus de transmission de valeurs dans la mesure où il se reconnaît dans celles-ci.

Par ailleurs, il faut admettre que si une valeur appartient à un système de valeurs auquel adhère la majorité d'une population, elle se transmettra automatiquement. En effet, tout individu emprunte la plupart de ses valeurs à son milieu d'appartenance. Les milieux de vie apparaissent comme les principales matrices du monde des valeurs; on y privilégie l'une ou l'autre, et parfois une hiérarchie s'impose contre laquelle l'individu s'élèvera difficilement. C'est ainsi qu'un système d'éducation, comme un système de promotion et de sanctions sociales, n'existe qu'en fonction d'un système de valeurs devenu critère de vie en société. Voilà la raison pour laquelle l'éducation est le domaine dans lequel investit toute société qui veut se construire dans une certaine stabilité.

L'éducation coopérative sera aussi de la partie; le "catéchisme des caisses populaires" n'a-t-il pas vu le jour moins de dix ans après la fondation de la caisse populaire de Lévis? Il avait un but de propagande certes, mais avant tout il était adressé aux premiers membres afin qu'ils puissent bien saisir toutes les implications de leur appartenance à une coopérative d'épargne et de crédit.

1.1.1.2 Valeurs caractéristiques des coopératives

A *Les valeurs de base*

Ces valeurs se répartissent en trois ordres: celles qui se rapportent au self-help de l'individu, celles qui sont relatives à la collaboration collective, et celles qui concernent le service aux membres. Chacune des valeurs appartenant à ces divers types sera maintenant mentionnée et soulignée d'un trait.

- Le mobile de l'action coopérative, c'est la satisfaction de besoins d'individus. L'individu est au point de départ de l'action coopérative; celle-ci existe à partir de la prise en charge (self-help) d'une situation par un groupe d'individus. La décision d'y appartenir appelle donc le sens des responsabilités et le goût de relever un défi. Cette adhésion provient de la volonté libre de chaque membre. Le fait de compter sur soi-même et de devenir son propre responsable économique incite un individu à être partie prenante du développement de son environnement local et régional, et suscite de la motivation. En conséquence, de nouvelles attitudes seront mises en relief et valorisées; ce sera pour plusieurs l'occasion de donner de leur temps à la collectivité. Sans acquérir de nouveau statut social, ils en retirent la satisfaction propre à ceux qui participent ensemble à bâtir la destinée commune. Certains en retirent davantage parce que, peu habitués à la gestion, ils y gagnent en expérience et en assurance.

À ce niveau, l'action coopérative facilite une prise de conscience graduelle et croissante du pouvoir dont dispose chaque être humain en matière de créativité.

L'efficacité de la coopération ne se mesure pas uniquement par le rendement, mais aussi par l'implication directe et valorisante des citoyens à un domaine que d'autres systèmes économiques réservent à une classe privilégiée ou initiée. Il est à remarquer que les études concernant les répercussions psychologiques du self-help sur la personnalité n'ont pas été poussées en profondeur, pas plus qu'on en a clarifié l'impact social. Une fois complétées, de semblables recherches seraient très utiles à la compréhension de la richesse de l'apport spécifique de la coopération à une civilisation: une civilisation faite pour l'homme.

- La coopération est une action collective. C'est par un regroupement des forces qu'il est possible de répondre aux besoins qu'un individu ne peut satisfaire par ses seuls moyens. Ce regroupement est spécifique en ce qu'il est une prise en charge collective dont l'entraide est la base (self-help devient self-reliance) et en ce qu'il vise à améliorer les rapports humains en solidifiant les tissus sociaux dans la solidarité.

Si le souci de l'égalité et de la démocratie permet à tous de prendre part aux décisions, la réussite coopérative se mesure davantage à l'excellence des relations interpersonnelles qui s'y édifient: plusieurs coopérateurs se fixent comme objectif de se donner une institution qui soit un réel milieu de vie. Unis dans la poursuite d'intérêts communs, les hommes sont invités à s'accepter mutuellement, avec leurs différences, par une mentalité d'écoute et d'attention à l'autre. Habitués à ne pas tenir compte des barrières qui les divisent, ils élargissent leurs horizons à des dimensions universalistes.

La pratique communautaire au sein d'une intervention économique appelée coopération provoque une prise de conscience à un second niveau. Des hommes qui jusqu'alors n'avaient aucune prise sur leur destin économique, parce que contrôlé au-dessus de leurs têtes, sont amenés à croire possibles la démocratie, l'égalité, le progrès au profit de tous et une plus grande justice sociale.

- L'objectif de la coopérative est d'offrir un ou des services à ses membres. On n'appartient pas à une coopérative dans le but de réaliser un profit à partir d'un investissement quelconque. On y vient pour obtenir un service à de meilleures conditions, ou simplement pour mettre sur pied un service inexistant. La rentabilité minimale de l'entreprise étant assurée, toute initiative vise à la meilleure qualité possible. Cette qualité des produits et des services est l'objet de la surveillance des membres et peut être étudiée en assemblée générale. En général, la satisfaction des membres ne crée pas de difficultés, puisque ces derniers sont copropriétaires de l'entreprise.

Une vive préoccupation de l'information concernant les services ou les produits offerts fait partie intégrante de la mentalité coopérative. Grâce à une information pertinente, chacun est en mesure d'effectuer les choix correspondant à ses besoins réels. L'information se distingue avantageusement de la publicité.

Enfin, dans ce troisième type de valeurs on peut classer l'utilisation des surplus d'opération. Ils seront soit versés à un fonds de réserve aux fins de l'entreprise, soit offerts en dons à une oeuvre d'utilité publique, ou redistribués sous forme de trop-perçus. Une telle redistribution n'a rien d'un intérêt versé au capital investi; elle est au contraire une remise des surplus d'opération aux membres, en proportion de l'utilisation des services. La valeur qui se dessine derrière cette philosophie de redistribution est le souci d'effectuer un pas de plus vers la justice.

B L'éducation coopérative

L'éducation coopérative joue un rôle qui dépasse la simple compréhension du fonctionnement de la coopérative comme de ce qui la distingue d'une autre entreprise. Elle est un domaine de transmission des valeurs avec ce que cela implique de connaissances. Indispensable à l'animation coopérative, elle aide tout membre, et surtout les nouveaux, à refaire en bref le cheminement concret qui a amené les initiateurs à choisir cette formule pour répondre à leurs besoins. Il importe que chaque membre s'approprie ce même cheminement. L'éducation coopérative accompagne les membres dans l'éveil de leur conscience des défis socio-économiques et dans les prises de conscience du potentiel de l'homme qui se prend en charge et de la force de l'action communautaire. Permanente, cette éducation garde vivante le dynamisme coopératif.

1.1.2 Crise de valeurs et coopératives

1.1.2.1 Valeurs et crise

A L'état de crise: partie intégrante de l'univers des valeurs

Liées à la liberté des individus et à leur désir d'épanouissement personnel, les valeurs appartiennent à un univers fluctuant. Un projet communautaire d'ordre social, économique, politique ou religieux peut favoriser la symbiose des intérêts particuliers; mais comme tout projet a ses limites, on peut s'attendre à ce que l'entente soit "renégociable" périodiquement. Nous allons examiner brièvement comment peut se modifier l'équilibre social atteint par un certain nombre de valeurs à un moment précis.

De nouveaux défis apparaissent continuellement, appelant des solutions inédites. Des réalités telles l'innovation technologique et les migrations exigent imagination et adaptation des comportements.

Bien sûr, une stabilité socio-psychologique minimale demande à s'édifier sur un certain acquis; sans quoi la vie serait impossible.

Cependant, il est des valeurs héritées de l'histoire qui, constituant un bagage sans cesse repris par des générations successives, sont de plus en plus raffinées au fil des siècles et auxquelles chaque génération accorde un degré d'importance différent.

L'état de crise vient de la remise en question de comportements acquis. La crise revêt plus ou moins d'acuité 1) selon le degré d'importance des comportements et des valeurs concernés (plus le niveau de changement envisagé est profond, plus le changement est difficile à accepter et à réaliser), 2) selon la proportion du choc entre le désir de changement et la résistance au changement chez les individus et dans les groupes. (Deux facteurs jouent fortement ici: a) les attitudes acquises dans une perspective d'autorité et de pouvoir résisteront davantage, elles sont portées à protéger l'acquis et l'établi; b) les attitudes formant un système sont plus difficiles à modifier car, interreliées, tout contrevenant devient une menace pour l'ensemble.)

B Le rôle particulier du leadership

Pôle d'attraction. L'institutionnalisation des valeurs dont il a été question ci-dessus ne se réalise vraiment que par l'émergence d'un leadership. Le brassage populaire des valeurs ne peut produire un tout cohérent que si des pôles d'attraction surgissent. Parfois, des conflits se produisent. Le leadership est fonction de différents facteurs: regroupement d'intérêts, diffusion d'idées et de valeurs, influence entraînante ou résistance de certains comportements, interaction ou chocs de pouvoirs, apparition de groupes meneurs dominants, etc.

Autant le leadership sert à la sélection et à la hiérarchisation de valeurs, autant faudra-t-il compter avec lui pour maintenir l'équilibre ainsi obtenu. Le leadership est catalyseur des énergies et agit comme point de repère pour juger de l'évolution du cadre des valeurs et de la pertinence de le modifier au fil des événements. Or, il arrive que le leadership se transforme en domination. De l'un à l'autre, il n'y a qu'un pas.

C Difficultés inhérentes au leadership

Les définisseurs de situation. Ceux qui tirent profit d'une situation donnée ont tendance à défendre leurs intérêts jusqu'à vouloir, consciemment ou non, empêcher l'évolution normale: ils amènent la sclérose des institutions. Celle-ci se reconnaît au manque de dynamisme des membres, mais plus souvent au fait que de l'indispensable leadership émerge un groupe dominant qui s'érige en définisseur de situation[4]. Outrepassant son rôle de départ, il résiste mal à la tentation de prendre le contrôle de ce qui est devenu un "système" et de le justifier dans une forme d'autodéfense face au changement possible, comme si une échelle de valeurs devait se cristalliser à tout jamais et neutraliser la dynamique de la liberté et de l'évolution.

L'idéologie. Les définisseurs de situation transforment un système dynamique de valeurs en idéologie. Ils inversent la perspective. L'idéologie est un ensemble plus ou moins cohérent d'idées et de croyances qui meuvent tel ou tel groupe et légitiment ses modes d'action. Derrière l'idéologie, on discerne habituellement l'importance démesurée que prend une valeur particulière en regard des autres[5]; au déséquilibre engendré se trouvent liés les intérêts personnels ou de groupe des définisseurs de situation.

Les tenants d'une idéologie font la lecture de toute situation à partir de convictions préalables, tandis que la démarche des valeurs analyse toute situation avec désintéressement et objectivité, telle qu'elle se présente. L'unique certitude qui anime la démarche des valeurs est la suivante: orientées vers la croissance des personnes, toutes les valeurs sont appelées à s'harmoniser dans un équilibre de complémentarité, nulle n'est supérieure aux autres.

1.1.2.2 Éléments de la crise de la coopérative québécoise

A *Crise de leadership et de participation*

Après avoir scruté le rôle du leadership dans la promotion des valeurs et observé comment il pouvait ralentir leur évolution, on peut reconnaître que plusieurs coopératives locales souffrent d'une certaine crise de leadership. Mais celle-ci ne va pas sans une crise de participation.

Que de coopératives se préoccupent essentiellement d'offrir des services rapides et sophistiqués! Combien d'entre elles négligent de porter attention aux nouveaux défis collectifs que les membres rencontrent

---

(4) LUCIER, P. "La crise des valeurs au Québec". ***Relations***. Mars 1976, p. 70-74.

(5) Deux convictions sous-jacentes complètent ce tableau: 1) la preuve que telle valeur est supérieure aux autres peut être faite; 2) tout individu confronté à cette preuve n'a d'autre choix que de l'accepter et de faire sienne l'échelle qui en découle.

aujourd'hui! Pourtant, les valeurs qu'elles véhiculent n'ont pas été mises à profit au maximum: des dimensions nouvelles pourraient voir le jour. La technologie de pointe retient l'attention et la conscience collective des membres a beaucoup diminué.

Faut-il trouver des coupables? Non, mais le fait que les coopératives québécoises ont généralement toutes atteint leurs objectifs de fondation constitue une raison majeure au fait que les membres se sentent moins pressés par la vigilance qu'implique toute participation active et sérieuse. De même, en raison de la rareté de besoins urgents, les dirigeants et les administrateurs s'inquiètent d'abord de perfectionner les services techniques. Malheureusement, l'expérience nous apprend que certains d'entre eux écartent la possibilité de se pencher en assemblée générale sur de nouveaux défis; ils agissent alors en définisseurs de situation.

Il semble que les coopératives au Québec soient à la recherche d'un nouveau souffle. L'hypothèse que retient la majorité de la population est la suivante: si les valeurs mises de l'avant par la formule coopérative ont été si fécondes dans le passé, pourquoi ne le seraient-elles pas dans un contexte socio-économique différent mais qui procure d'autres défis, tout aussi redoutables qu'exaltants?

Comment s'y prendre? Quelle partie aura le courage d'éveiller l'autre? Les responsables voudront-ils animer les membres afin de leur faire prendre conscience que certaines difficultés actuelles peuvent être affrontées collectivement? Les responsables ne sont pas sans savoir qu'une telle animation, menée jusqu'au bout, dérangera la routine quotidienne.

Certains membres interpelleront-ils les responsables et l'assemblée générale à propos des nouveaux besoins qu'ils rencontrent et auxquels l'action coopérative peut apporter une réponse? Telle action est engageante: il faudra donner de soi, être patient et tenace.

Certes, il s'agit pour les membres de réintégrer leur rôle de propriétaires, mais plus encore. Ils ont à recréer la dynamique évolutive des valeurs et à rester éveillés aux appels d'une civilisation qui progresse et qui amène des défis neufs. Nul ne doit perdre de vue que la coopérative est agent de changement. Les valeurs qu'elle incarne peuvent encore produire beaucoup, même dans des contextes différents. Elle est une institution perméable aux nouvelles et diverses valeurs qui s'accordent avec ses valeurs de base. La preuve réside en ce qu'elle a été adoptée avec succès par des sociétés et des cultures variées en moins d'un siècle et demi.

B Crise de croissance et d'identité

L'état de crise d'une institution peut être alimenté par la conjoncture extérieure. Il arrive donc que certains facteurs externes invitent des valeurs à se concrétiser autrement qu'elles le faisaient jusqu'alors. Si les transformations qu'elles appellent sont importantes, l'institution visée connaîtra plus que des changements de moyens: pour être signifiante et continuer à vivre, elle devra se modifier en profondeur. Cela exige du temps et de la clairvoyance.

Tel est précisément le scénario que vivent les coopératives québécoises depuis 1960. Une irréversible accélération du développement économique, scientifique et technique a suivi la Seconde Guerre mondiale. Les coopératives n'y ont pas échappé: leur chiffre d'affaire s'est considérablement élevé, elles offrent une multitude de services et leurs opérations se complexifient. Elles pénètrent sur le marché des investissements. Leur importance s'est accrue au point qu'elles sont appelées à participer à l'économie nationale, et qu'elles entrent en concurrence immédiate avec les autres types d'entreprises qui partagent les mêmes champs d'activité.

Le passage rapide de la coopérative microéconomique du début du siècle à l'ensemble macroéconomique a pu emballer les membres. Mais il a suscité de nombreuses questions relatives à la vocation propre de la coopérative et à la façon concrète d'y être fidèle dans une société postindustrielle. Ayant atteint la taille des moyennes et grandes entreprises, leur caractère distinctif est devenu moins perceptible.

Le phénomène de crise serait moindre si les divers secteurs de l'activité coopérative s'étaient articulés, et s'ils avaient élaboré une stratégie commune et spécifique de développement en conformité avec leur vocation. Qu'est-ce qui empêche les valeurs coopératives de base, telle la solidarité, de se vivre à un niveau supérieur, en intercoopération?

D'autres facteurs externes peuvent empêcher une valeur de s'épanouir pleinement, par exemple l'étouffement que provoque un contexte ambiant axé sur d'autres valeurs. Enserrées dans une économie capitaliste, la plupart des coopératives ne parviennent pas à développer une façon d'être qui soit absolument originale.

Au moment de leur fondation, les coopératives de distribution (agro-alimentaires, pêcheries, etc.) constituaient un moyen au service des producteurs pour se soustraire aux commerçants qui les exploitaient. Elles permettaient aux producteurs-membres de s'assurer un revenu légitime en éliminant l'intermédiaire commercial. Cependant, depuis quelques années, l'expansion de ces coopératives, le regroupement de plusieurs d'entre elles, l'acquisition d'usines de transformation et d'emballage ont amené une présence forte et rentable des coopératives de distribution dans l'économie de marché. À leurs revenus, les producteurs ajoutent les "profits commerciaux" de leur coopérative. Ils sont devenus un néo-patronat.

Pour leur part, les coopératives d'épargne et de crédit se sont rapprochées du modèle capitaliste par les investissements qu'elles effectuent. Pour survivre, elles sont tenues d'offrir autant de services que les banques, entre autres des possibilités de placements avec intérêts concurrentiels. À cette fin, les coopératives se sont donné des organismes communs, spécialisés et centralisés, dont le contrôle échappe aux membres. Ce que regrettent les membres, c'est que la majorité des investissements ne sont pas effectués d'abord pour favoriser le développement coopératif, mais plutôt pour obtenir un gain redistribué en intérêts aux épargnants.

La crise d'identité coopérative se résume donc en deux constatations majeures: il apparaît évident que la formule coopérative éprouve de la difficulté à demeurer elle-même dans la présente conjoncture, et elle ne se sent pas capable, dans son fonctionnement actuel, de s'offrir comme solution de rechange efficace aux difficultés économiques du début des années 1980. A-t-elle perdu l'audace des pionniers? Peut-être.

Avant tout, les coopérateurs ont comme tâche de se rassembler et d'étudier quels objectifs ils doivent se fixer et quels moyens prendre pour utiliser le potentiel de renouvellement économique dont ils disposent. Au fil du temps, les réflexes coopératifs sont devenus institutionnels, ceux de grands organismes publics qui réagissent lentement; ils se sont éloignés des dynamismes populaires qu'ils semblent moins en mesure d'assumer et de guider. La réappropriation de valeurs mobilisatrices reste à faire.

Dans cet esprit, les efforts infructueux pour établir une véritable intercoopération ajoutent à l'affaiblissement de la crédibilité des institutions coopératives. L'absence d'une stratégie commune de développement coopératif articulant les divers secteurs démontre à quel point les coopératives sont imprégnées par l'atmosphère individualiste d'une société de libre entreprise. Chaque coopérative fonctionne pour elle-même. Existe-t-il une volonté populaire pro-coopérative?

La formule coopérative fournit donc une pauvre image de sa vocation, puisqu'elle n'a plus assez d'imagination ni de détermination pour que son action ait un impact salutaire et séduisant. Manquent à l'appel des penseurs et des initiateurs qui aideraient à franchir un seuil.

Admettons finalement un autre facteur qui saute aux yeux: la crise des institutions coopératives s'inscrit dans une crise plus large, une crise de civilisation. En essayant de jeter un peu de lumière sur ce phénomène, notre compréhension de la problématique d'ensemble se complétera et peut-être notre recherche de pistes nouvelles progressera-t-elle.

Nées dans un contexte stable et traditionnel, les coopératives font face à des conditions socio-économiques différentes qui provoquent la recherche de nouvelles façons d'être. Les valeurs et les convictions d'hier ne suffisent plus à donner sa pleine signification au modèle coopératif tel qu'il s'est transmis jusqu'ici.

Chaque Québécois a l'intuition que la formule coopérative, créée en réaction au libéralisme économique du XIXe siècle et du début du XXe possède en elle-même les éléments et les valeurs qui la feront survivre au néo-capitalisme contemporain et à l'étatisme, parce que ces éléments et ces valeurs entrent en contradiction directe avec le rôle prédominant et envahissant que ces deux systèmes économiques ont fait jouer à la technologie.

1.2 UNE CRISE DE CIVILISATION

Pour un individu, appartenir à un groupe suppose interrelation et interinfluence: apporter et recevoir. Il en est de même pour toute institution au sein d'une société et d'une civilisation.

Quel rôle les coopératives peuvent-elles jouer dans une civilisation? Promouvoir leurs valeurs spécifiques, dira-t-on. Bien sûr, mais comment le réaliser concrètement à ce tournant du siècle? Afin de bien situer l'apport de la formule coopérative aujourd'hui, il nous faut scruter de près la crise de civilisation que nous traversons, examiner quelles voies d'avenir semblent se dégager et analyser comment, dans ce contexte, peut être mis à profit le potentiel coopératif.

Qu'est-ce qu'une civilisation? Une civilisation est une vaste société caractérisée par un certain degré d'évolution matérielle et culturelle, et par le développement de techniques et de connaissances, mais avant tout par la cohérence de sa vie sociale, politique, juridique, économique, morale et religieuse, qui lui procure une âme, un idéal de vie transmissible d'une génération à une autre. La réunion de ces divers facteurs donne à son influence un caractère extensif, c'est-à-dire étendu à de nombreux peuples.

Les assises de la civilisation occidentale sont ébranlées en profondeur, puisque la cohérence de ses valeurs et de ses institutions est remise en question. Elle arrive à un cul-de-sac: l'idéal qui l'animait s'évanouit progressivement. Où trouvera-t-elle une nouvelle âme? Mieux encore, n'y a-t-il pas une autre civilisation en train de naître?

Comment les dynamismes coopératifs faciliteront-ils l'émergence de cette civilisation à venir?

1.2.1 Crise d'âme

1.2.1.1 Technologie porteuse de valeurs et destructrice de valeurs

S'il est vrai d'affirmer que l'homme invente les époques où il vit, il n'est pas moins vrai de dire que les instruments qu'il se donne l'encadrent et le conditionnent jusque dans l'idée qu'il se fait de lui-même. Au cours de son histoire, l'homme a cherché à se donner les moyens de maîtriser la nature. Les découvertes techniques qu'il a effectuées, la roue, le contrôle du feu, les différents outils créés par les artisans, ont eu un effet révolutionnaire en ce sens qu'elles ont engendré de nouvelles conditions de vie. Or, au siècle dernier la découverte de nouvelles sources d'énergie et l'apparition d'une multitude d'inventions techniques provoquèrent une révolution d'envergure. Appelée révolution industrielle, elle mit à la disposition des habitants des pays occidentaux une quantité quasi infinie de produits manufacturés. Ces bienfaits furent si nombreux en si peu de temps que les pays bénéficiaires, dans un changement de mentalité, 1) adoptèrent la croissance de la production comme critère de la santé économique (produit national brut), et 2) créèrent la technologie pour assurer le progrès constant des méthodes de production.

Grâce à la technologie, les pays occidentaux sont entrés récemment dans ce qu'il convient d'appeler l'ère postindustrielle. Le développement technologique, auquel appartient l'informatique, y devient une entreprise systématique.

- Valeurs mises de l'avant par la technologie. Sur quelles valeurs s'appuient les promoteurs de la technologie? Quelles valeurs transmettent-ils par son intermédiaire?

  Premièrement, soulignons que la technologie s'intéresse à la vérification et au contrôle de tout phénomène. L'attitude qu'elle adopte est strictement rationnelle. Peu lui importe la recherche de la vérité: elle cherche uniquement à diviser tout phénomène, à le rassembler et à le vérifier. Elle ne peut reconnaître l'existence du symbole ou du mythe, parce qu'ils n'entrent pas sous son contrôle.

En second lieu, la technologie s'inspire du culte de l'efficacité ou, en termes industriels, de la productivité. Si la production vise un produit final, la productivité s'inscrit dans une relation: elle établit un rapport entre le produit qui est fonction du poids, du volume, et de la valeur, et l'investissement qui est fonction du temps, du travail, du capital et de l'équipement. La technologie a pour but de réduire au minimum l'investissement: le travail de l'homme s'en trouve chosifié puisqu'il est de cet ordre (salaire).

Enfin, une troisième valeur associée à la technologie occidentale est la prédilection pour la solution de problèmes. Ici règne l'expert qui prend du recul face à la réalité, l'analyse en ses composantes et invente des moyens pour résoudre les difficultés; il apparaît comme un spectateur de l'extérieur qui pose son diagnostic et dicte la ligne de conduite sans s'impliquer. Dans cette perspective, la réalité se réduit à un ensemble de difficultés à résoudre, alors qu'en fait elle se présente comme un lieu d'interactions vivantes entre dynamismes humains, forces sociales et éléments naturels.

Confrontation entre technologie et systèmes de valeurs préexistants. Les technologistes n'ont pas l'intention explicite de détruire les valeurs, ni d'en implanter de nouvelles. Comme il est énoncé ci-dessus, leur but est de résoudre des problèmes le plus efficacement possible et d'améliorer la productivité par une qualité et une quantité plus grandes des procédés. Or, ce faisant ils n'établissent pas de lien entre les propriétés opératives et normatives de ces procédés, et la signification du travail et de la vie. Ils sont à l'aise dans un pluralisme de valeurs sans vision unificatrice. Les seuls buts qu'ils suggèrent sont à l'image de la productivité: gagner plus d'argent, posséder et consommer davantage de biens, obtenir plus de liberté pour les vacances et les voyages.

Chacun est laissé à lui-même pour découvrir le sens de son travail, de ses efforts, de sa vie quotidienne, des rapports sociaux à établir, etc. La question qui se pose alors à nos contemporains est la suivante: Comment tenir ferme aux significations de la société prétechnologique, même si elles sont en contradiction avec le vécu? Émerge alors un sérieux problème de fragmentation culturelle, d'identité sociale, de quête de signification, bref un problème d'âme.

1.2.1.2 Technologie et scolarité

L'accroissement général du niveau de scolarisation en Occident a provoqué une importante prise de conscience: il a fourni aux populations, et d'abord aux jeunes, suffisamment de connaissances pour constater les bienfaits et les failles de leur société, pour les analyser et y porter un jugement critique. Cette capacité d'évaluation s'est doublée du goût d'influencer la dynamique socio-économique selon leurs moyens propres.

Si, à cause de l'ignorance des intérêts réels qui étaient en cause dans l'économie et la vie politique, les populations vivaient autrefois dans "l'acceptation sociale", il en est autrement aujourd'hui: la base, comme on la nomme, pose ses questions sur le fonctionnement d'entreprises, demande qu'on lui rende des comptes lors de fermetures d'usines, désire pouvoir s'exprimer dans le domaine de l'économique sans quoi, dit-elle avec raison, sa contribution par le travail n'a pas de sens.

Nul n'est disposé à fournir d'effort sans savoir à qui profite son travail. Est-ce à la communauté? à une poignée de puissants? L'esprit de suspicion perçu ici et là chez les travailleurs s'explique par la crainte généralisée, non sans fondement, de voir les énergies qu'ils dépensent exploitées par une minorité de riches.

En arrivant sur le marché du travail, les jeunes, scolarisés, se rendent vite compte que le travail n'a pas évolué au rythme du progrès technique. D'année en année, ils perçoivent avec une acuité grandissante l'absurdité d'un travail qui est demeuré aussi ennuyeux, répétitif et morcelé qu'auparavant, alors qu'ils ont en main la formation et les connaissances voulues pour le prendre en charge. Préparés pour la créativité, peu de jeunes trouveront un emploi qui saura les motiver en leur permettant de mettre à profit leur pouvoir d'invention.

1.2.1.3 Le défi technologique

La société québécoise entre dans l'ère postindustrielle sans avoir connu une industrialisation massive jusque-là. Elle en est à sa première expérience avec la technologie. Lui est-il possible de développer une nouvelle synthèse des valeurs et une signification de la vie personnelle et collective qui intègre la technologie? La difficulté est de taille, car d'autres nations occidentales se sont avérées impuissantes à formuler une nouvelle sagesse après deux siècles de contact avec la science et la technique[6].

---

(6) GOULET, D. ***Le Monde du sous-développement: une crise de valeurs***. Allocution présentée au XIe Congrès international du Québec. Québec: université Laval, Centre québécois des relations internationales, 27-29 septembre, 1979.

Peut-être est-ce dans un effort commun que des peuples divers réussiront à relever le défi? La nouvelle conscience socio-économique et politique qui a vu le jour au niveau international chez les citoyens du monde aura sans doute un effet constructif en ce sens à plus ou moins long terme.

1.2.2 Un nouveau seuil à franchir

1.2.2.1 Crise du pouvoir

La technologie, particulièrement la technologie de pointe, n'est pas accessible à tous. Elle n'a été acquise qu'à grand prix par l'Occident dont la prospérité camoufle la crise alimentaire mondiale, l'enlisement des pays de l'hémisphère sud dans le sous-développement, l'inflation appauvrissante à laquelle sont confrontées les populations du nord, et la menace d'éclatement de la planète.

Loin de se diffuser par effet d'entraînement, le progrès technique a tendance à se concentrer chez les individus qui disposent à la fois des capacités physiques et intellectuelles ainsi que des ressources monétaires indispensables pour y avoir accès. Tandis qu'une minorité bénéficie des progrès, la majorité croissante de l'humanité est de plus en plus aux prises avec les problèmes insolubles de la satisfaction des besoins élémentaires: se nourrir, se vêtir, se loger, etc.

Ce n'est pas sans raison que se répand, à travers la planète, la vive conscience de la faillite du capitalisme comme du régime d'économie étatique dirigée. Cette conscience se fonde sur la conviction que l'inégalité entre les hommes et les pays ne s'est établie et renforcée que là où une composante sociale a réussi à imposer ses conditions aux autres: *tout se ramène à un jeu de pouvoir*. Cette même inégalité ne pourra être modifiée que si l'action ou le pouvoir de ladite composante est annulé par un renversement de situation, ou lorsque les circuits qui la maintiennent seront contournés.

1.2.2.2 Maîtrise de l'organisation des rapports sociaux

La tâche qui s'offre à l'homme dès le moment où il décide de se libérer de toute structure d'inégalité et d'injustice consiste à se doter, jour après jour, pièce par pièce, d'un système de rapports où la distribution des ressources, des activités productives, du pouvoir et de l'imagination créatrice est plus équitable.

Ayant à se construire à partir de ce qui lui est donné dans la nature et dans la mémoire collective où s'accumule la très longue expérience de son humanisation progressive, l'homme du XXe siècle se trouve devant un seuil à franchir: de la cueillette, de la transformation et de l'utilisation des ressources terrestres disponibles et non inépuisables, il lui faut passer à la gestion et à l'organisation de ses conditions d'existence qu'il ne veut plus voir dictées par d'autres[7].

Au-delà de la maîtrise de la nature, relative et toujours à continuer, les hommes sont désormais conscients qu'il leur faut assumer la maîtrise des organisations qu'ils se donnent pour faire collectivement l'histoire. Ce nouveau seuil appelle une révolution d'envergure sur le plan des rapports humains et des valeurs privilégiées, et ne peut être franchi que dans le risque calculé de la confrontation des attentes et des résistances.

Conclusion

Deux constats, deux défis! Voilà ce à quoi nous a amenés cette trop brève réflexion sur les perspectives élargies de la crise actuelle. La crise de civilisation contemporaine manifeste clairement que les jours de systèmes structurés dans l'inégalité et l'injustice sont comptés, et annonce des temps nouveaux.

Besoin de signification au coeur de l'activité humaine pour utiliser la science et la technologie, mais non être asservi par elles; désir de se donner des organisations sur lesquelles chaque être humain aura une prise directe et où le type de rapports sociaux sera l'expression d'une réelle démocratie: voilà deux perspectives d'avenir qui constituent deux orientations complémentaires dont la réalisation est à viser pour la promotion de l'homme contemporain.

Sans être nécessairement réformiste, on peut admettre que le vide de signification et le besoin de justes rapports sociaux mis en évidence par cette crise font rechercher aux hommes de ce temps une modification aux institutions économiques qu'ils ont connues jusqu'à maintenant.

Est-il possible que la conjoncture soit profitable à la formule coopérative en ce sens que les contemporains essaieront de l'utiliser davantage? C'est à souhaiter.

Cependant, cela ne se réalisera qu'à certaines conditions. En premier lieu, il est indispensable que les valeurs sur lesquelles les contemporains vont fixer leur choix pour la construction de l'avenir soient semblables à celles qui sont propres à la coopérative. Sans quoi cette dernière ne

---

(7) COSMAO, V. ***Changer le monde***. Centre Lebret. Paris: Cerf, 1979, 189 p.

disposera pas d'assises suffisantes pour s'implanter et affermir sa contribution. Deuxièmement, il faut que chacune des coopératives rende concrète la signification de son projet coopératif et rende pertinente sa contribution socio-économique. Les lignes qui terminent ce premier chapitre s'attachent à développer ces deux conditions.

1.3 VALEURS D'AVENIR ET PROJET COOPÉRATIF

Un moment de crise est exaltant parce qu'il permet à la liberté fondamentale d'entrer en action: on y fait le choix du type d'homme qu'on veut être et du type de société dans laquelle on veut vivre. Un moment de crise est aussi insécurisant parce qu'il s'ouvre tout autant aux utopies les plus farfelues qu'aux considérations plus réalistes, mais surtout parce qu'il donne au fonctionnement de la société l'allure d'un dérèglement. L'enjeu est de taille: redéfinition sociale de l'homme et de la vie, sélection entre l'essentiel et l'accessoire. Rien de cela ne se réalise sans danger, car toute nouvelle institutionnalisation de valeurs prête le flanc à des luttes de pouvoir qui déterminent au fil des décennies ceux qui exercent le leadership réel.

On remarque actuellement chez les jeunes une double attitude: un retour au passé par une mode rétro ou par la collection d'antiquités, et une réflexion sur les problèmes nouveaux auxquels l'humanité est confrontée. Ne serait-on pas porté à découvrir derrière ces deux attitudes un double sentiment: l'admiration de la débrouillardise avec laquelle leurs ancêtres ont affronté les défis de leur époque, et l'espérance secrète d'être capable d'en faire autant?

1.3.1 Orientations et valeurs privilégiées pour la construction de l'avenir

Nous nous trouvons devant une impasse. La crise économique dans laquelle s'enlisent les pays industrialisés ainsi que la misère et la famine auxquelles font face les pays sous-développés ne peuvent être surmontées qu'au prix d'une restructuration totale des sociétés et des modes de vie. C'est pourquoi l'urgence de la mise en place d'un nouvel ordre économique et de nouveaux rapports sociaux ne fait plus de doute.

À ce moment-ci, nous en venons à nous interroger sur les moyens à mettre de l'avant pour participer aux changements nécessaires. De plus, où trouver le goût de travailler à cette tâche?

Depuis une vingtaine d'années, une série d'initiatives et de recherches sont en cours à l'échelle internationale en vue d'identifier des voies d'avenir. La troisième décennie du développement (1981-1991), patronnée par l'Organisation des Nations Unies, ouvre des perspectives fort intéressantes à ce sujet.

Deux thèmes retiennent particulièrement l'attention: l'appartenance collective du patrimoine de l'humanité (nommée par certains "destination universelle des biens") et la "self-reliance". Le lecteur sera probablement frappé par le fait que les valeurs sous-jacentes à ces deux thèmes sont très rapprochées de celles qui fondent la formule coopérative.

1.3.1.1 L'appartenance collective du patrimoine de l'humanité

Les ressources de la planète apparaissent comme l'apanage exclusif des puissants qui possèdent les moyens financiers et technologiques pour les exploiter. L'économie occidentale en est arrivée à cette situation car elle a privilégié la liberté d'entreprise à titre de valeur dominante. Au lieu de chercher à conjuguer les énergies, elle a laissé les multiples libres initiatives s'entrechoquer et se concurrencer au point de se livrer une bataille pour la survie. Dans ce contexte, aucun partage des ressources n'a été planifié; celles-ci ont été ou conquises et pillées par des colonisateurs ou des transnationales, ou encore soumises à la spéculation. Tel est le règne des plus forts.

La crise du pétrole, datant d'au plus dix ans, a éveillé les populations quant à la possibilité d'une pénurie des sources d'énergie et des matières premières. Parmi les moins fortunés ou les moins outillés, ceux qui croyaient qu'avec les années et un peu d'aide au chapitre du développement ils réussiraient à opérer un rattrapage économique, ceux-là perdent toute illusion.

Ce qui est concentré en quelques mains doit être partagé rapidement entre tous, ou bien tout s'épuisera très vite par le gaspillage inconscient des riches.

La récente Conférence sur le droit de la mer organisée en 1977 fut l'occasion de stimuler la recherche à ce sujet. Les valeurs promues par cette nouvelle conscience de l'appartenance collective du patrimoine de l'humanité sont, bien entendu, l'accessibilité aux ressources pour l'ensemble des populations de l'humanité, le partage équitable de ces ressources et la dignité offerte à tous de pouvoir subvenir à ses propres besoins.

Si la terre est destinée à fournir à tous les hommes les biens qui leur sont nécessaires, il importe de l'organiser pour qu'il en soit ainsi. L'humanité ne peut se refuser à la tâche qui l'attend. Au risque de se briser dans son élan et de retourner à la barbarie, elle ne peut tarder à entrer dans un processus de redistribution des biens.

1.3.1.2 Le développement "self-reliant"(8)

Le second thème vient compléter le tableau en incitant les peuples à compter sur eux-mêmes en vue de leur développement. Le terme self-reliance associe en un seul mot deux valeurs fondamentales propres à la coopérative: le self-help et l'action collective dans la solidarité. La self-reliance s'apparente au self-help, mais elle en est différente car elle connote l'aspect collectif de la prise en charge.

La self-reliance signifie qu'un groupe de personnes, réunies dans un but commun, porte en lui-même le principe vital de la réponse à ses besoins. S'il s'agit d'un peuple, il porte en lui-même les énergies nécessaires à son développement. La self-reliance est à la fois source de dynamisme, régulateur interne qui intègre et assimile les apports extérieurs selon sa loi spécifique de croissance, et ouverture à une solidarité avec d'autres groupes qui poursuivent des objectifs similaires.

La self-reliance s'appuie sur le principe suivant: quelles que soient les influences qui s'exercent, chaque personne, chaque groupe ou chaque peuple demeure l'artisan principal de sa réussite ou de son échec. Chacun est responsable de son développement, et il lui revient d'identifier, d'accueillir, d'intégrer ou non les diverses influences extérieures. Le développement authentique ne se réalise que s'il vient de l'intérieur d'un homme, d'une tradition, d'un peuple.

L'économie de self-reliance sera autocentrée, c'est-à-dire, en termes qualitatifs, que le dynamisme communautaire devra trouver et fortifier sa cohérence et sa croissance au coeur des activités qui servent le développement.

La self-reliance commence à l'échelle des communautés humaines élémentaires. Elle y trouve souffle et orientation. À ce niveau, apparaissent son caractère éminemment social et participatif, et son lien interne à la solidarité entre les hommes. La participation au niveau local est une condition préalable pour faire surgir des citoyens actifs et conscients. Il s'agit donc d'un processus de décentralisation en vue de promouvoir

---

(8) Expression issue du Troisième rapport au Club de Rome: ***Nord-Sud: du défi au dialogue?*** Propositions pour un nouvel ordre international, Sned, Dunod, Bordas, 1978.

l'autodétermination collective et la solidification du tissu social (rue, quartier, ensembles plus larges) dans lesquels l'être humain pourra épanouir les besoins de sa personnalité.

Parmi les qualités du développement self-reliant, voici celles qu'exprime le Troisième rapport au Club de Rome:

> *«Le développement autonome, parce qu'il fait confiance aux institutions et aux techniques locales plutôt qu'à celles de l'extérieur, est un des moyens par lesquels une nation peut réduire sa vulnérabilité aux décisions et aux événements qui échappent à son contrôle. Une communauté habituée à se fier à elle-même se rétablira mieux en période de crise. De plus, un développement de cette forme s'appuie sur la prise de conscience des diversités culturelles, et s'inscrit donc dans la lutte contre l'uniformisation excessive des cultures.»* [9]

À tous les niveaux où elle s'affirme, la self-reliance doit être rendue attentive aux exigences actuelles de la solidarité avec tous. En soi, l'esprit de solidarité s'enrichit d'échanges de tous ordres et dépasse les regroupements particuliers et exclusifs.

1.3.1.3 L'esprit de négociation, chemin de la transformation des structures mentales

Les deux orientations envisagées ci-dessus pour l'édification d'une humanité dont l'avenir ne sera pas bloqué auront du mal à s'imposer, si une transformation des mentalités n'intervient pas. Ceux qui possèdent les biens ainsi que ceux qui contrôlent la marche de l'économie ne sont certes pas disposés à abdiquer leur pouvoir. Un sain réalisme nous oblige à constater qu'il y a un abîme entre les attentes des populations et l'intérêt qu'ont les minorités dominantes à se maintenir en place.

Le changement qui s'avère de plus en plus urgent s'effectuera-t-il par la force, voire par la violence? Il est à souhaiter que non. Il ne suffit pas d'inverser les rapports de forces: d'autres dominants prendraient la relève, et il serait dangereux que les pouvoirs actuels soient remplacés par d'autres pouvoirs qui pourraient être encore plus tyranniques.

Le recours aux moyens militaires et aux armes sophistiquées n'est pas exclu chez les dominants actuels pour freiner les initiatives de tout

---

(9) ***Idem.*** p. 76.

groupe empressé de réaliser un changement socio-économique d'envergure. Devant l'impasse, les contemporains n'ont qu'une solution: user de temps et de patience pour négocier l'établissement d'une répartition équitable des biens et d'une appropriation de l'économie par les populations. Cela n'est que justice mais, en pratique, la justice ne se conquiert que lentement. La négociation semble être le moyen à promouvoir.

Parler de négociation dans un univers qui s'est structuré dans le conflit, soit de "concurrence de libre entreprise (lutte pour la survie)", soit de "lutte des classes", c'est risquer d'être rangé parmi les réformistes. Tant que les sociétés vont se structurer en maintenant leurs contradictions et que ces mêmes contradictions vont se durcir dans les mentalités, les dynamiques sociales ne seront ni intelligibles ni gouvernables. Rien ne peut plus désormais se construire que dans la négociation, qui s'accompagne d'une nouvelle échelle de valeurs.

L'appel à la négociation revient en définitive à un premier appel à la prise en charge par les hommes de la conduite de l'histoire. Il suppose une rupture avec les principes du libéralisme et du marxisme; il exige le choix de moyens qui permettront de mettre en oeuvre les nouveaux rapports sociaux souhaités. Ensuite viendront les pourparlers avec les puissants; en effet, après avoir regroupé leurs forces et s'être donné des instruments pour commencer la révolutionnaire prise en charge égalitaire de leur destin, les populations disposeront du pouvoir et de la crédibilité nécessaires pour négocier les changements désirés.

Comment cela s'amorcera-t-il? De quelles pistes concrètes disposent les populations pour ouvrir les chemins de cette négociation et de la transformation des mentalités?

1.3.2 La coopérative: annonciatrice de l'avenir par ses valeurs propres

Il est inhabituel que l'humanité invente en quelques années des moyens tout à fait neufs pour solutionner ses difficultés. Comme les situations problématiques se préparent de longue date avant d'atteindre leur paroxisme, de même les hommes qui y sont confrontés détectent petit à petit des pistes possibles de solution. Il leur arrive parfois d'utiliser des moyens qui ont déjà fait leurs preuves: ils les réorientent et les revitalisent pour les adapter aux besoins du moment.

La révolution actuelle est inédite dans l'histoire de l'humanité. Les aspirations qui s'y manifestent ne sont cependant pas neuves: elles étaient présentes lors de la Révolution française et de la révolution américaine, elles avaient aussi présidé à la lente mais réelle évolution du parlementarisme anglais. La révolution industrielle et le développement scientifique n'ont fait qu'accroître l'intensité et la conscience de ces aspirations. Il n'est pas exclu que des moyens qui existent depuis le siècle dernier en fonction de ces mêmes aspirations soient utiles pour dénouer la crise actuelle. Ces moyens font figure de précurseur; aux yeux de plusieurs contemporains, la coopérative est de ceux-là. En effet, cette institution porte en elle des valeurs passablement rapprochées de celles préconisées par les promoteurs de l'appartenance collective du patrimoine, du développement self-reliant et de l'esprit de négociation. Organisme collectif, elle est apte à entrer dans les nouvelles significations qui s'élaborent, à la condition d'avoir été réappropriée par ses membres.

La coopérative a son fonctionnement propre et des fonctions spécifiques selon qu'elle s'inscrit dans la consommation, la production, les questions financières, la distribution, l'habitation, etc. En tous les cas, elle se révèle un lieu de négociation des besoins et des services, de propriété collective et d'autodétermination; la solidarité d'hommes et de femmes dans une communauté d'idées et d'intérêts facilite l'émergence d'une mentalité d'écoute et d'accueil mutuels dans la collaboration active. La formule coopérative fournit un cadre approprié à un mode organisationnel à naître.

Reconnues comme instrument de libération, répandues à travers le monde, les coopératives ont accumulé une expérience riche et variée qui leur vaut d'être des pionniers sur la voie de l'avenir, et grâce à laquelle elles ont en main des points de repère pour baliser la route. Dans la mesure où les coopérateurs de partout se sentiront concernés, ils pourront conduire d'innombrables populations vers l'assurance nécessaire pour se prendre en charge et se préparer courageusement à négocier avec les puissants.

Là où elle est implantée, la formule coopérative ne sera prise au sérieux que si elle est fidèle à l'espoir de renouvellement qu'elle représente.

Plus qu'une entreprise, elle dispose de certaines clés qui peuvent aider à dénouer l'impasse de la crise de civilisation. Elle a fait la preuve de sa rentabilité; il lui reste à démontrer de façon concrète que ses valeurs propres véhiculent un potentiel régénérateur de l'humanité.

1.3.3 Comment la coopérative peut-elle aider à dénouer l'impasse dans laquelle elle se trouve, et partant, celle de la société globale?

Aux yeux de plusieurs Québécois, les coopératives ont à reconquérir l'image dynamique qu'elles avaient à leurs débuts. Devant les défis actuels, il apparaît essentiel que chaque coopérative se donne les moyens d'être une institution pleinement significative, progressiste et séduisante.

Deux mesures sauront favoriser la revitalisation des coopératives en leur permettant de jouer leur rôle dans la conquête d'une place prépondérante à accorder au nouvel ordre de valeurs socio-économiques: la revalorisation de l'association coopérative et la précision du projet coopératif.

1.3.3.1 Revaloriser l'association coopérative des membres

Une coopérative est une institution originale qui se différencie nettement de toute autre forme d'organisme économique. Pour mieux saisir la dynamique qui l'anime, il est de plus en plus courant de distinguer les deux dimensions qui la composent: l'entreprise économique et l'association des membres qui possèdent l'entreprise.

L'entreprise est l'ensemble des services offerts aux membres en termes économiques. La gestion courante de ces services est confiée par le conseil d'administration à un gérant assisté de spécialistes et de technocrates. Les décisions concernant les questions spéciales reviennent soit au conseil d'administration, soit à l'assemblée générale des membres.

L'association des membres est ce regroupement de personnes qui, poursuivant un but commun, se donnent des services et choisissent ensemble la façon de se les donner. C'est elle qui imprime sa couleur propre à l'entreprise concernée.

Après la mise sur pied et la bonne marche des services requis par les membres, l'association a un second rôle: maintenir vivant le goût de la coopération chez ses membres, et développer ce goût chez d'éventuels nouveaux membres. Cette tâche ne peut être accomplie que par une animation continuelle des membres, permettant de discerner les leaders qui existent parmi eux.

Le personnel engagé pour voir au bon fonctionnement de l'entreprise doit se préoccuper du dynamisme de l'association. Pourtant, cela est moins son rôle que celui des administrateurs élus. En effet, il entre dans le mandat des élus de tout mettre en oeuvre pour accroître les relations et la concertation entre les membres au sein de la coopérative. Cette dimension relationnelle est au coeur de la vie coopérative. C'est par elle que se mobilisent les énergies créatrices et que se forment puis évoluent des systèmes de valeurs. Sans elle, il est inutile de songer à une lutte efficace de la coopérative contre la pauvreté, l'aliénation économique et la frustration sociale.

Dans cet esprit, l'effort d'éducation coopérative appartient à la mission de l'association. L'éducation coopérative s'assimile à une prise de conscience des besoins, à une découverte de valeurs neuves pour l'individu, à la recherche de solutions pratiques et à l'éveil du désir de participation active. En ce sens, l'éducation est aussi indispensable pour la coopérative que la respiration l'est pour le corps humain. Elle permet à des hommes d'aborder la vie sous une toute nouvelle approche: comprendre qu'on ne peut accéder au bonheur isolément, dans la lutte constante et en redoutant son entourage et ses collègues; découvrir que seule une société de collaboration et de relations humaines peut atteindre le mieux-être dans un avenir bâti en toute quiétude; croire que la liberté, le progrès dans la justice sociale et l'avènement de changements structurels dans la démocratie réelle sont des aspirations réalistes et possibles.

Présentement au Québec, la très grande majorité des associations coopératives sont silencieuses, parfois camouflées derrière l'entreprise qu'elles possèdent, ayant peine à suivre son rythme. Tout se passe comme si l'entreprise avait acquis la première place ou était plus dynamique que l'association. Ou bien les aspirations des membres sont totalement satisfaites, ce qui apparaît faux si on en juge par les nombreuses critiques et attentes exprimées ça et là. Ou bien trop vive est la déception face à une institution qui ne semble plus appartenir aux membres, parce qu'elle peut presque fonctionner sans eux. Ou encore est née une apathie face à un instrument qui a cessé de nourrir ses valeurs de base en les confrontant à de nouveaux défis et de nouveaux besoins et qui ne revêt plus toute sa signification.

Il sera difficile pour les coopératives d'envisager une participation active et audacieuse au renouvellement de notre société si l'association des membres ne se reprend pas en charge et si elle ne se réapproprie pas consciemment son projet coopératif.

1.3.3.2 Se réapproprier et revitaliser le projet coopératif

A Le projet coopératif

La conscience commune des besoins et la décision des moyens à prendre pour y répondre collectivement est le point de départ de toute coopérative. Comment une association coopérative pourra-t-elle se réapproprier et revitaliser son projet coopératif sans refaire la même démarche? Elle le fera bien sûr à partir de l'évaluation de la qualité des services que son entreprise dispense déjà, de l'identification des nouveaux défis qu'elle rencontre, et de l'attention à de nouveaux besoins socio-économiques dont la satisfaction nécessiterait sa contribution.

Pour être vivante et rayonnante, une association doit impliquer périodiquement ses membres dans un processus de recherche de concertation, de décision et d'action. Elle le fera en assemblée générale, en atelier de travail ou en commission d'étude, mais elle ne se soustraira pas à cette tâche.

Parmi les questions qui retiendront l'attention de la relance du projet coopératif, on ajoutera aussi: 1) l'étude des conditions concrètes par lesquelles une association peut s'animer et réaliser une véritable communion des personnes au sein de la poursuite de ses buts; 2) l'étude du degré d'ouverture à l'intercoopération que se proposent les membres. Ce dernier degré d'intervention ne peut être négligé sans risquer la crédibilité même de la coopérative. À ce propos, il importe de préciser les intentions et de mettre de l'avant quelques projets concrets pour inciter les coopérateurs à se donner une vision prospective du renouvellement de la société, à identifier comment ils entendent travailler à son avènement et, pour ce faire, à se rendre compte de la nécessité de collaborer concrètement avec toute autre instance coopérative.

L'élaboration du "projet coopératif" devient essentielle à la vitalité d'une association qui désire jouer pleinement son rôle auprès des membres, et exercer un leadership quant à l'entreprise qu'elle se donne. L'élaboration d'un tel projet est à réaliser plus particulièrement si la fondation de la coopérative visée remonte à douze ou quinze ans, ou davantage. Elle permettra aux coopérateurs associés de reprendre conscience de leur force collective.

B *Principaux jalons d'élaboration du projet coopératif*

En suggérant aux coopératives de reprendre en main leur projet coopératif, afin de se familiariser avec lui, de se le réapproprier et de le relancer, il est bon de suggérer brièvement une marche à suivre. Elle facilitera une perception plus claire de l'allure que peut adopter le "projet coopératif 1982" dans telle ou telle coopérative. Le projet s'élabore par étapes.

Étape recherche

Le conseil d'administration, après avoir consulté l'assemblée générale des membres, met sur pied un (ou des) comité(s) qui se chargera de recueillir des informations concernant les attentes des membres en matière de besoins, de fonctionnement administratif et d'amélioration des services. Le comité peut aussi s'adresser à des non-membres pour leur permettre d'exprimer leurs opinions sur le principe coopératiste et son insertion dans le milieu.

Le comité prépare son rapport à l'assemblée générale:

- en mesurant le réalisme des demandes qui lui ont été faites;
- en dégageant les valeurs qui sous-tendent chacune des demandes et en les mettant en rapport avec les valeurs de base véhiculées par la formule coopérative (finalités) et les valeurs propres au milieu;
- en classifiant les besoins exprimés;
- en préparant quelques suggestions de solution.

Étape consensus-décision

L'assemblée générale des membres reçoit le rapport du (des) comité(s) qui a (ont) travaillé à la recherche et l'étudie.

Des échanges doivent être prévus entre les membres à partir du rapport, en le confrontant aux orientations en vigueur dans la coopérative. Les échanges, qui portent sur les demandes faites, les valeurs en jeu, le rôle de la coopérative, les solutions proposées, durent jusqu'à ce qu'un consensus se dégage sur les orientations à prendre ou les nouveaux services à offrir, ce qui peut signifier plusieurs séances. L'assemblée générale est amenée à établir une échelle de priorités dans son action. Enfin, elle décide des moyens à prendre pour répondre aux besoins et aux attentes retenus.

Étape opérationnalisation

L'assemblée générale, conformément à la volonté d'agir des membres, nomme et mandate des responsables pour assurer la réalisation des décisions. Elle fixe également des échéances.

Suivi

Habituellement, l'assemblée générale prévoie des modalités d'évaluation et nomme un comité ayant la responsabilité de s'assurer que les décisions sont exécutées, et d'évaluer si elles le sont conformément à l'esprit du projet coopératif.

Après tous ces efforts, il est souhaitable que le comité d'évaluation se charge de rédiger un document qui résume l'ensemble de la démarche, qui présente les conclusions, les décisions et les solutions envisagées, et qui fasse état des principaux voeux émis par les participants tout au long de l'élaboration du projet coopératif.

Les jalons suggérés ci-dessus sont volontairement brefs. Ce premier chapitre n'a pas comme objectif de développer de façon exhaustive ce que devrait être la relance du projet coopératif dans chaque cas précis, mais plutôt de suggérer au monde coopératif de concevoir son projet de développement.

CONCLUSION: Participer à la mutation socio-économique

Une attitude d'inertie devant la façon dont les sociétés se sont structurées jusqu'à maintenant, particulièrement en termes socio-économiques, revient à laisser régner la loi du plus fort. En effet, la nature condamne à l'inégalité, et les tendances naturelles, à la jungle. L'homme démontre sa transcendance lorsqu'il se construit à contre-courant de la nature.

L'hominisation d'une société suppose une prise en charge volontariste des rapports qui la constituent: si les rapports humains ne s'articulent pas d'eux-mêmes dans la justice, la nécessité s'impose de mettre intentionnellement de l'avant des projets humanisants et collectifs.

Pour promouvoir l'être-homme dans leur société, les citoyens sont contraints de s'entendre sur les valeurs humaines qu'ils souhaitent développer et doivent aligner leurs projets sur ces valeurs. C'est la seule voie par laquelle ils réussiront à transformer les mentalités et à changer progressivement les structures.

S'inscrire dans un projet, c'est se situer à la jonction de l'éthique et du politique; le politique structure la société et les rapports interhumains, l'éthique fait reposer le tout sur un consensus autour de valeurs partagées et vécues.

La coopérative s'avère un mécanisme efficace par lequel il est possible à des populations de participer à la croissance socio-économique de leur société et d'orienter cette croissance en fonction des valeurs qu'elles privilégient. Elle permet à des hommes de se prendre en charge collectivement.

Il apparaît essentiel que la coopérative se donne un projet coopératif pour: 1) prendre une vive et réelle conscience de sa vocation propre et de toutes les potentialités dont elle dispose face aux défis actuels et à venir; 2) faire servir l'expérience de ses 80 ans d'existence au Québec comme référence à tout autre projet communautaire ayant pour but la libération de l'homme; 3) participer de plain-pied à la mutation sociale en train de se produire à la grandeur de la planète.

Aucun organisme qui se veut signifiant ne peut plus désormais se contenter de s'adapter aux conditions socio-économiques de son temps. Il s'essouffle alors et accuse un retard constant. Au contraire, il lui faut rassembler ses énergies, scruter l'avenir, aller au devant de l'histoire dans la fidélité à sa spécificité: c'est le seul moyen pour lui d'influencer cette histoire et de faire en sorte que les valeurs qu'il porte soient civilisatrices.

Chapitre 2

Coopération et valeurs économiques

par Gérard Pelletier

INTRODUCTION

Il n'est pas facile de faire la part des diverses valeurs qui soutiennent actuellement le mouvement coopératif au Québec. Trois courants différents alimentent la poussée coopératiste, laquelle est d'ailleurs menacée.

Traditionnellement, c'était le sentiment d'appartenance à une communauté paroissiale et nationale qui venait s'ajouter aux valeurs économiques, et qui parfois les dominait. Ce sentiment d'appartenance locale est encore aujourd'hui fort dans les campagnes et les petits centres urbains. Le pluralisme des croyances en matière religieuse et en philosophie de la vie dans tous les milieux a cependant fortement sapé ce sentiment.

La remontée autonomiste québécoise dans les années 60 ainsi que la fierté nationale ont donné un regain de vigueur à l'élan coopératif chez les francophones. Mais récemment Montréal et Québec, et par la suite Sherbrooke, Trois-Rivières, Chicoutimi, Rimouski et, progressivement, tous les petits centres urbains du Québec ont vu se développer d'immenses places commerciales dont les centres de direction ne sont même plus au Québec. La poussée nationaliste des dix dernières années se sera donc fait sentir davantage au niveau politique qu'au niveau économique? Les Québécois participent d'ailleurs de plus en plus aux valeurs économiques et au pragmatisme terre-à-terre nord-américains.

Le nationalisme lui-même a été progressivement battu en brèche par des socialismes plus radicaux et plus totalitaires. Plus radicaux, car ces socialismes ne craignent pas de rompre avec le coopératisme et le nationalisme régnants qu'ils trouvent trop embourgeoisés. Plus totalitaires aussi, car plusieurs condamnent carrément le nationalisme en le taxant d'idéologie bourgeoise dépassée, et n'y souscrivent parfois qu'en apparence, de façon tactique, après avoir laborieusement dépouillé les textes de Marx, Engels et Lénine sur le sujet. Il en est de même pour le mouvement coopératif québécois, étape avortée selon eux de l'autogestion, à cause de la mainmise d'une bureaucratie bourgeoise traditionnelle sur le mouvement et de l'idéologie conservatrice qu'elle contribue à maintenir. C'est là une nouvelle révolution depuis la Révolution tranquille des années 60, mais elle est moins visible car elle est surtout l'oeuvre d'intellectuels dont l'infiltration dans un parti est davantage le moyen d'action que la formation d'un parti politique ouvert. On pourrait la décrire sous le nom de "Révolution rampante" des années 70. Préparation à la révolution ou révolution silencieuse, comme on voudra, elle a envahi le journalisme, le gouvernement, le syndicalisme, les universités et les écoles. En effet, que de chemin parcouru depuis vingt ans sur le plan idéologique! De 1920 à 1960, le socialisme était une idéologie de l'Ouest où dominaient presque uniquement les Anglo-Saxons. Forts de leur statut de minoritaires inconnus, quelques Québécois communistes et quelques socialistes qu'on rencontrait dans le Parti social-démocratique, aile québécoise du CCF, se ménagèrent une entrée remarquée avec la *Revue socialiste* et leur Ligue pour l'indépendance d'un Québec socialiste. *Parti-Pris* assura bientôt la relève (de 1963 à 1968), et la Révolution tranquille s'acheva dans les brèves secousses violentes du Front de libération du Québec, ou FLQ, qui mena le mouvement à son paroxysme. Mais c'est en 1970 que la revue *Socialisme*, concurrent puis successeur de *Parti-Pris*, devint le *Socialisme québécois* et s'annonça ouvertement marxiste-léniniste, tout en attaquant le Parti québécois. Dès 1972, *Socialisme québécois* déclarait son marxisme incompatible avec toutes les idéologies nationalistes imaginables, et invitait à une critique de l'économie politique bourgeoise pour en déjouer les ruses nationalistes. Pour les uns, seul le dirigisme par un État fort, infiltré de l'intérieur et influencé par le syndicalisme, la Révolution; pour les autres, c'était la marche pas à pas vers l'autogestion qu'il fallait encourager par une fusion du syndicalisme et du coopératisme. Certains se sont détachés de ces grosses machines pour expérimenter l'autogestion dans des coopératives indépendantes, de consommation ou de production. Voilà d'autres facteurs qui expliquent le regain d'intérêt pour la formule coopérative.

Comment vont se répercuter toutes ces influences? Il est difficile de le prévoir. Répétons que la mise en doute des valeurs traditionnelles semble se traduire par un pragmatisme et un amour du confort matériel bien nord-américains. Un certain scepticisme fait qu'on n'encourage pas le coopératisme les yeux fermés. On considère que l'effort fourni en ce sens doit aussi transparaître dans les sacrifices matériels que sont prêts à supporter les dirigeants: s'ils sont aussi avides de gains personnels et de bien-être que les capitalistes, quelle différence entre les deux?

Cela pose toute la question des valeurs qui sous-tendent le mouvement coopératif.

Peut-on passer par-dessus l'étude de ces questions? On l'a parfois tenté pour éviter de diviser les membres. Les valeurs, pour simplifier, sont les choses auxquelles on croit; et nous savons combien nous sommes divisés actuellement sur nos valeurs! Cependant, tous les chercheurs s'accordent à reconnaître que toute action réfléchie doit avoir des motifs. Lorsque quelqu'un cache ses motifs ou qu'ils ne nous apparaissent pas évidents, nous flairons la tromperie.

Le prix Nobel de science économique, Gunnar Myrdal, a mené le grand combat de sa vie pour dire à ses collègues, chercheurs sociaux et économistes, qu'ils ne gagnaient pas en rigueur en prétendant ne pas se préoccuper des valeurs car ce n'était que la science qui les intéressait. S'ils conseillaient, s'ils le faisaient en vue de l'action, comment donc pouvaient-ils échapper à des valeurs? En fait, ne mettaient-ils pas de l'avant les seules valeurs économiques?

Nous savons en effet que la science économique s'est en partie développée par l'examen des conséquences de jugements de valeur égoïstes et de préférences marquées pour les biens matériels. Adam Smith fit remarquer au XVIIIe siècle qu'il valait mieux attendre son bifteck et son pain quotidien en comptant sur l'égoïsme du boucher et du boulanger que sur leur bienveillance! Au XIXe siècle, David Ricardo, génial précurseur de la théorie moderne trouva plusieurs grands mécanismes économiques en supposant que les différents groupes sociaux — noblesse terrienne, entrepreneurs industriels, ouvriers agricoles — travaillaient dans leur seul intérêt.

Les économistes modernes construisent encore de ces modèles qui font parfois frémir. Certains modèles peuvent servir à attaquer les motifs intéressés des coopérateurs, mais ils peuvent aussi être utiles pour rationaliser la poursuite des intérêts économiques des coopérateurs, si telles sont leurs motivations. Nous croyons cependant que les valeurs économiques ne sont pas les seules valeurs de la coopération, et que cette formule est susceptible d'inclure une grande variété de valeurs.

Dans une première partie, nous allons poser la problématique économique des valeurs de la coopération en opposant les partisans des valeurs économiques à ceux d'autres valeurs. Cela nous amènera à conclure que les partisans des seules valeurs économiques ne peuvent favoriser la formule coopérative que si c'est la formule généralement la plus efficace du point de vue économique, sans quoi ils agissent dans leur intérêt personnel. Pour ne pas alourdir l'argumentation, nous remettrons à la deuxième partie le soin de définir plus précisément les valeurs économiques et de montrer l'intérêt des modèles économiques d'apparence cynique que nous développons. Nous nous y emploierons dans la deuxième partie pour ne pas que les coopérateurs croient que nous portons une charge contre eux ou que nous pensons, au contraire, qu'ils devraient se conduire selon le cynisme de ces modèles.

Dans cette deuxième partie, nous définirons certains niveaux d'intérêt économique, et nous conclurons que les règles acceptées par l'Alliance coopérative internationale ne sont pas nécessairement les plus efficaces en général. Si d'autres valeurs n'entrent pas en jeu, ou les propagandistes des valeurs économiques de la coopération travaillent dans des intérêts purement personnels, ou bien ils tentent d'améliorer l'efficacité économique de la formule coopérative, mais alors ils le font en défigurant le caractère original de cette institution et en la rapprochant de la formule capitaliste. Nous finirons cette partie en nous demandant s'il est inévitable que ceux qui recherchent dans la coopération leur seul avantage économique ne finissent par épouser les valeurs économiques bourgeoises.

Dans la troisième partie, enfin, nous montrerons qu'il n'existe plus de voie originale pour la formule coopérative, si ce n'est en faisant intervenir d'autres valeurs que les valeurs économiques; mais alors il peut y en avoir de très diverses. Sans faire soi-même de jugements de valeur, on ne peut dire que tel ou tel principe de la coopération est le plus important. La formule coopérative a connu dans son histoire une grande variété de principes, et les principes actuels peuvent s'accommoder de plusieurs différences idéologiques importantes. C'est aux coopérateurs de définir les valeurs qui devront sous-tendre le projet coopératif québécois. Tout au plus peut-on souligner une plate-forme minimale de consensus possibles entre valeurs chrétiennes, valeurs traditionnelles, valeurs socialistes et marxistes pour relancer le coopératisme.

Un séjour d'une année entière à l'Université du Québec à Rimouski nous a permis de discuter de nos idées avec des gens de la maîtrise en éthique, des sciences humaines, du développement et de l'aménagement, du Département d'administration et d'économique. Qu'ils trouvent ici le meilleur souvenir de nos discussions chaleureuses.

2.1 TENSIONS ENTRE DEUX PÔLES?

On fait souvent aux coopératives les plus prospères le reproche de s'éloigner de l'idéal coopératif pour s'assimiler au système ambiant. Les coopérateurs se voient alors accuser de renier les "valeurs coopératives" et d'adopter les "valeurs économiques". De nouveaux coopérateurs, qui se disent plus près de la doctrine originelle des fondateurs et plus imbus de l'esprit révolutionnaire des débuts, revendiquent plus de participation directe, d'autogestion, d'intercoopération, voire de pancoopératisme. D'autres pensent en termes moins grandioses, à des coopératives plus petites où il est plus facile de développer l'esprit communautaire, où le fonctionnarisme et le salariat font place à l'intérêt dans l'entreprise, à l'initiative mise en commun par de vrais coopérateurs qui travaillent coude à coude à toutes les tâches et "se prennent en main".

On leur rétorque que la coopérative existe pour des fins économiques: se donner des services à meilleur marché ou faire concurrence aux entreprises existantes pour rapprocher le prix des biens et services du prix coûtant. On leur rappelle que seules les entreprises coopératives qui ont ce réalisme ont survécu et exercent leur influence sur l'économie. Ce sont donc des valeurs économiques qui seraient primordiales dans les valeurs ou idéaux coopératifs. On rappelle aussi que les coopérateurs qui ont fondé et gèrent ces entreprises, ou qui participent aux décisions ont un esprit différent de l'esprit capitaliste, que beaucoup d'entre eux ont consacré leurs loisirs à de longues réunions et accepté des rémunérations moindres que dans l'entreprise capitaliste. Si on leur répond qu'ils se récompensent bien pour cela, ces coopérateurs déclarent que pour survivre dans le monde actuel il faut de l'efficacité, que l'efficacité est le résultat de la compétence et que la compétence, pour la garder, il faut la payer. Pourquoi quelqu'un qui travaille pour une coopérative le ferait-il à un salaire moindre qu'ailleurs? Or, la compétence, c'est à la fois l'expérience et la science.

L'expérience table sur des techniques et des routines éprouvées dans de nombreuses situations. Elle s'accommode mal des improvisations d'aventuriers et des rêves de théoriciens peu pratiques ou qui ne peuvent mesurer les conséquences des actes qu'ils proposent.

Quant à la science, il faut la distinguer des rêves, des idéaux, des doctrines. La science est forcément distincte de la doctrine. La doctrine propose des valeurs, c'est-à-dire des idéaux ou des façons de vivre qui font appel à nos sentiments, à notre conscience; elle donne des principes à suivre pour arriver à plus de bonheur. La science comme telle ne propose rien: elle constate des relations, les mesure, en prévoit de nouvelles grâce à une ou des théories explicatives. Selon ces coopérateurs qui prônent la compétence, une enquête sur les valeurs des coopérateurs montrerait scientifiquement que l'organisme suit les désiderata de ses membres, exposés lors des assemblées générales.

Ensuite, des sciences appliquées ou des techniques issues des résultats de la science donnent les façons les plus efficaces d'atteindre certains résultats désirés. La science et l'expérience se rejoignent car la science est une accumulation de savoir grâce à des expériences rigoureusement contrôlées. C'est ainsi que la science semble venir justifier l'expérience, les routines administratives, les décisions et même la philosophie des dirigeants.

Si le système coopératif doit s'établir il faut, conclut-on, procéder scientifiquement à son instauration, en l'occurrence tabler sur l'expérience accumulée et savoir comment garder des marges de manoeuvre suffisantes pour permettre des expériences nouvelles sans compromettre l'ensemble.

Cette façon de présenter les choses selon une gauche et une droite est en réalité simpliste et ne nous permet pas une analyse approfondie des valeurs économiques en relation avec la coopération. La gauche semble ici défendre des dimensions humaines, alors que les dirigeants sont assimilés à une droite conservatrice de ses positions, de son pouvoir, et préoccupée des choses matérielles.

Il est vrai qu'on assimile souvent réussite matérielle et succès des coopératives, et c'est justement ce que nous allons remettre en cause ici.

Mais le primat accordé aux choses matérielles n'est pas l'apanage d'un seul camp. On peut tout aussi bien être socialiste et matérialiste, c'est-à-dire être préoccupé des mêmes intérêts uniquement ou, au fond, partager les mêmes valeurs économiques que les dirigeants présumés petit-bourgeois. Mais qu'y-a-t-il en plus des valeurs économiques?

2.1.1 Le plan des valeurs économiques

Les coopérateurs qui ont déjà lu l'argumentation précédente et qui s'alignent dans l'un ou l'autre camp prennent souvent position sur plusieurs plans à la fois inconsciemment. Le premier plan est strictement économique: il oppose entre eux des coopérateurs dont le but premier est de retirer le plus d'avantages économiques possibles pour eux-mêmes. Mais l'avantage des uns est souvent opposé à l'avantage du plus grand nombre. Les uns trouvent que leur démarche est plus éprouvée et plus sûre, même si ses avantages pour la masse sont moins évidents et moins spectaculaires. Les autres trouvent que la différence n'est pas assez grande pour les masses entre les avantages du système capitaliste et l'efficacité coopérative, et ils en mettent la faute sur les structures administratives du système coopératif qui se fonctionnarise et adopte même les tromperies de l'entreprise privée à l'égard des clients-coopérateurs. Ce sont encore les plus nombreux qui écopent, dit-on.

La grande question qui se pose alors est la suivante: Le système coopératif peut-il se targuer d'avoir la formule la plus efficace économiquement? En d'autres termes, le coopératisme permet-il d'offrir des biens et services selon les désirs des coopérateurs et à plus bas coût?

La réponse à cette première grande question est primordiale pour les coopérateurs qui oeuvrent uniquement sur le plan économique. Si l'on peut prouver que le coopératisme n'est pas la formule économique la plus efficace, alors dans quel but ces coopérateurs travaillent-ils? Uniquement en vue de leurs intérêts personnels et au détriment de ceux qui les écoutent? Au contraire, si l'on soutient que la formule coopérative est la plus efficace, comment se fait-il qu'elle ne domine pas davantage? À cause d'intérêts régnants, féodaux, aristocratiques ou bourgeois qui se liguent et luttent contre la formule coopérative pour leur survie? À cause de l'altération de la formule coopérative? À cause d'intérêts personnels mal contrôlés de gens oeuvrant à l'intérieur même des coopératives?

Mais comment obtenir des réponses à ces questions? L'expérience ne peut faire le test de la formule que si la formule a vraiment été essayée. Cela veut dire qu'il faut être sûr que les coopératives ont vraiment suivi tous les éléments de définition des coopératives ou qu'elles ont été des coopératives au sens plein. Cela signifie aussi que seuls des motifs purement économiques, à l'exclusion de sentiments nationalistes, familiaux, religieux ou autres, sont responsables de la bonne ou de la mauvaise direction de l'entreprise.

Comme il est impossible de négliger ces facteurs pour juger des cas concrets en considérant uniquement la réussite économique, il faut faire appel au raisonnement ou à la théorie pour imaginer l'efficacité des coopératives comparée à celle du système capitaliste en fonction d'une pure efficacité économique. Nous ferons donc appel à ce genre de raisonnement théorique, faute de mieux, dans les termes les plus simples possibles, sans quoi nous ne pourrons répondre à notre question primordiale: Qu'en est-il de la formule coopérative sur le plan strictement économique? Et si nous ne pouvons répondre au moins sommairement à cette question, alors nous devrons conclure que ceux qui propagent l'idée de coopérative au nom d'intérêts purement économiques n'y voient d'autres avantages économiques que leurs intérêts personnels. Il se peut alors que certains des participants qui pensent y voir un intérêt économique pur soient bernés par ceux que la publicité ou la propagande avantagent dans l'expansion du mouvement. Voilà pour le premier plan, que nous appellerons le plan de l'économique à court terme.

2.1.2 Le plan des autres valeurs

Il se peut cependant qu'aux considérations purement économiques s'ajoutent d'autres dimensions. Nous avons alors un deuxième grand plan, que nous appellerons le plan des valeurs non économiques: fraternelles, familiales, nationales, humanitaires, chrétiennes, etc. Pour les coopérateurs qui mettent l'accent sur ce deuxième plan, les valeurs coopératives ne sont plus seulement des valeurs économiques, mais aussi d'autres types de valeurs qui peuvent même entrer en conflit avec les valeurs économiques.

Entre les deux plans, on aura alors deux types de coopérateurs qui optent pour les deux plans à la fois. Le premier type regroupe les coopérateurs qui veulent une efficacité économique pour les coopératives égale à celle du système capitaliste dans le but d'y adhérer. Cette condition remplie, ils préfèrent la formule coopérative pour les valeurs non économiques qui s'y trouvent également. Le second type de coopérateurs sera prêt à sacrifier des avantages économiques personnels immédiats pour des avantages économiques futurs. Par exemple, lorsqu'on achète chez nous à des prix plus élevés que ceux de l'entreprise capitaliste étrangère, on peut être de ceux qui acceptent de payer plus cher maintenant, en pensant qu'à long terme l'entreprise coopérative leur permettra de payer moins cher en éliminant les surprofits, en forçant les concurrents à baisser leurs prix, ou en espérant que la ristourne et des contacts finiront par les avantager de toute façon.

Il y a enfin ceux qui pensent à d'autres valeurs et sont prêts à payer pour cela. Par exemple, il y a ceux qui pensent à l'avenir de leurs enfants, qui veulent les voir travailler selon les coutumes de la famille, du village, de la nation, etc., et qui sont prêts à payer plus cher pour encourager ces valeurs. Dans une autre catégorie, il y a ceux qui favorisent le coopératisme, même en payant plus cher, afin de changer la mentalité de la société, par exemple pour arriver à une société plus fraternelle, ou plus chrétienne; ou encore pour faire évoluer le système vers un socialisme populaire et démocratique; ou enfin pour jeter à bas le système capitaliste. Alors, le surplus de prix qu'on est prêt à payer à l'entreprise coopérative, plutôt que d'aller à l'entreprise capitaliste, donne une indication du sacrifice économique qu'on est prêt à consentir pour favoriser d'autres valeurs.

On peut même rencontrer alors des conflits de valeurs: Faut-il acheter d'une petite entreprise privée québécoise ou d'une institution coopérative pancanadienne? ou encore, d'une riche coopérative canadienne ou étrangère? Dans ces cas, on voit la doctrine coopérative intellectuelle ou abstraite, transmise par ses propagandistes, heurter d'autres valeurs, à la fois des valeurs nationales plus ou moins rationalisées elles aussi et des valeurs plus instinctives, plus près de la famille, des amis, du quartier.

Dans le projet coopératif québécois, on trouve toutes ces nuances, à partir de celle qui pense uniquement au profit monétaire à court terme jusqu'à celle qui voit la fraternité universelle réalisée par le coopératisme. Les économistes et les administrateurs ont tendance à considérer un des principes du coopératisme, celui de la vente au prix coûtant, comme le plus important. Les autres mettent l'accent sur la démocratie et la participation, "un homme, un vote", qu'ils jugent le principe le plus important.

S'il est vrai que le principe de la vente au prix coûtant semble favoriser le mobile du plus grand avantage économique à court ou à long terme, on voit cependant un grand économiste comme Paul Lambert rapprocher ce principe de la doctrine du juste prix. Nous sommes alors renvoyés à la doctrine du Moyen-Âge, reprise par les socialistes et, jusqu'à un certain point, par Karl Marx. Même le principe de la vente au prix coûtant peut donc être la conclusion de plusieurs types de raisonnements normatifs différents, ou venir de valeurs très différentes, mises de l'avant par des bourgeois ou des gauchistes.

De même, le principe pratique, "un homme, un vote", ou même celui de la rémunération limitée du capital peuvent venir de bien des raisonnements différents. Une doctrine mettra davantage l'accent sur l'efficacité matérielle du gestionnaire et dira que le principe de la rémunération limitée du capital est secondaire et qu'il peut être édulcoré si l'on a besoin de fonds pour l'expansion des coopératives. Une autre doctrine veut décourager l'appât du gain capitaliste et encourager au maximum la vente à bas prix en limitant le gain sur le capital. Si, de plus, cette doctrine veut encourager les relations personnelles et la fraternité, elle mettra moins l'accent sur les bâtisses et les besoins en capital et davantage, par exemple, sur une place du marché de type coopératif où les coûts de transaction sont réduits au minimum et où une stricte morale fraternelle empêche l'exploitation.

On trouve chez des fondateurs du mouvement coopératif québécois comme Alphonse Desjardins des motivations diverses, allant de la religion à l'avantage économique à court terme. Desjardins a été aussi conseillé par plusieurs penseurs européens qui se rattachaient à divers courants socialistes ou chrétiens.

Étant donné que la doctrine coopérative se voit d'abord comme une oeuvre pratique, et que ses services peuvent être définis différemment selon les influences doctrinales qui ont marqué les fondateurs ou qui inspirent les continuateurs du mouvement, il peut y avoir divers types de coopératives à une même époque, lesquelles peuvent fortement évoluer dans leurs motivations, au cours des ans.

Voilà ce que ne révèlent pas les écrits des théoriciens qui ont tendance à définir *la* coopération selon certaines valeurs et à exclure ensuite comme non coopératives les associations qui ne répondent pas à leurs critères. On les appellera les doctrinaires de la coopération. Certains choisiront parmi les réformateurs sociaux ceux qui mettent davantage l'accent sur les principes qu'ils suggèrent; ils les appelleront les fondateurs du mouvement. D'autres essaieront d'arriver à une doctrine coopérative cohérente avec certaines valeurs; les organismes qui épousent ce schéma seront des coopératives, les autres, non.

Cette diversité dans les motivations ne se révélera pas non plus à ceux qui ne regardent que les coopératives économiquement fortes ou qui jettent une vue générale sur les coopératives existantes. Ils n'y trouveront que des motivations économiques proches de celles du milieu capitaliste ambiant. Ils définiront la doctrine à partir des agissements, comme si la doctrine était la description des agissements. Appelons ces théoriciens des syncrétistes. Le syncrétisme consiste à faire son affaire de bribes de doctrines différentes et parfois opposées.

Parmi les théoriciens qui manifestent la tendance doctrinaire, on peut citer Paul Lambert, pour qui certaines institutions coopératives n'en sont pas à ses yeux. C'est ainsi que les banques populaires de Schulze[(1)], lesquelles rémunèrent le capital par un dividende qui n'est pas limité d'avance, sont exclues par lui de la coopération authentique. Par contre, il admet comme coopératives des institutions dotées d'un capital venant de l'État et suscitées par lui, à condition que les dirigeants soient nommés démocratiquement par les membres, les membres pouvant être d'ailleurs des organismes et non pas des individus[(2)].

L'école américaine dénote plutôt une tendance que nous avons appelée "syncrétiste". On ne sait plus tellement s'il existe des idéaux pour

---

(1) LAMBERT, P. ***La Doctrine coopérative***. Bruxelles: Les Propagateurs de la coopération, 1964, p. 94.

(2) ***Ibid***. p. 340.

les coopératives, ou si les coopératives sont des organismes économiques dont les membres sont motivés comme dans le capitalisme mais en prenant des moyens différents à cause de conditions différentes. La doctrine est plutôt implicite dans les agissements de ces coopératives. C'est sans doute ce qui fait dire à notre ami Pichette[3] que la philosophie sociale des membres d'une coopérative peut changer sans que rien ne soit changé à la nature de leur organisation; ou encore[4] que la doctrine est basée sur des faits, ou même[5] qu'elle dit ce qu'est la réalité. On peut cependant adhérer à des valeurs sans réussir à les vivre. Les valeurs ne se ramènent donc pas nécessairement au vécu.

En fait, les sciences humaines et la science économique ont beaucoup de difficultés à traiter de valeurs ou d'ensembles organisés de jugements de valeur qu'on appelle des doctrines, tout en demeurant objectives et scientifiques. C'est sans doute en coopération que les économistes ont été le plus absorbés par ce problème, et il faut louer toute la lignée de théoriciens compétents, de Charles Gide à Pichette, qui se sont attelés à clarifier la question. Leur tâche était d'autant plus ingrate que la partie de la science économique qui traite des relations entre valeurs, science et action: la théorie du bien-être, émerge à peine de la confusion. D'ailleurs toute la pensée analytique du XXe siècle sur ce sujet semble dans le même état.

Sans entraîner le lecteur dans une étude de tous les arguments touchant ce sujet, nous serons amenés dans la deuxième partie à définir un peu mieux ce que nous entendons par "valeurs" et "valeurs économiques", et nous nous demanderons si les valeurs économiques sous-tendent les règles de la coopération.

Mais il serait bon de voir d'abord ce que sont les règles de la coopération.

2.1.3 Pourquoi la réduction du nombre des principes de la coopération?

Depuis près de cent cinquante ans qu'existent les essais de coopé-

---

(3) PICHETTE, C. et MAILHOT, J.-C. (coll.) ***Analyse microéconomique et coopérative***. Sherbrooke: université de Sherbrooke, Département de sciences économiques, 1972, p. 6.

(4) ***Ibid***. p. 15.

(5) ***Ibid***. p. 19.

ratives, les promoteurs ont élaboré progressivement des règles, principes et statuts pour ce genre d'entreprises. Mais il se développa trois types principaux de coopératives, avec des buts différents et des principes souvent contradictoires. C'est ainsi que, dès les années 1840, les Équitables Pionniers de Rochdale s'adressèrent avant tout aux consommateurs et préconisèrent la vente au comptant. Raffeisen s'occupa surtout des agriculteurs et de leurs besoins d'emprunt; il n'était pas possible de payer comptant des équipements lorsqu'on était petit fermier! Schulze - Delitzsch s'occupa davantage des marchands et des artisans dont on encourageait l'épargne par un bon rendement sur les dépôts.

L'Alliance coopérative internationale (ACI), fondée en 1895, essaya de regrouper les différentes sortes de coopératives sous des principes communs empruntés surtout aux Pionniers de Rochdale. Cette première réduction des principes semblait favoriser les valeurs économiques car les Pionniers encourageaient la neutralité politique et religieuse, alors que Raffeisen, par exemple, était imbu de mysticisme chrétien. Pour les rochdaliens, l'éducation des membres était avant tout orientée vers leur compétence économique, alors que Raffeisen formait des apôtres en même temps.

En 1964, les principes énoncés par l'ACI étaient:

1°: *La porte ouverte*. Non seulement est-on libre d'appartenir ou non à une coopérative, mais on entend donner l'accès aux services à tous ceux qui pourraient en ressentir le besoin et qui accepteraient de se conformer aux règlements, sans égard à la race, à l'appartenance religieuse ou politique.

2°: *L'organisation démocratique*. Élection des administrateurs selon des règles acceptées démocratiquement et selon la maxime "un homme, un vote".

3°: *L'intérêt limité sur le capital social*.

4°: *La distribution des surplus d'opération sans discrimination et au prorata de la valeur des transactions*. Ce principe est connu surtout sous le nom de principe de la ristourne.

5°: *L'éducation des membres*.

6°: *L'intercoopération*. Pour mieux servir leurs membres, les coopératives ne doivent pas hésiter à coopérer activement aux niveaux local, national et international.

Plusieurs autres règles existaient explicitement chez les divers promoteurs. Ainsi, les Pionniers de Rochdale vendaient au prix du marché et avaient, nous l'avons dit, pour règles la vente au comptant et celle plus explicite de la neutralité politique et religieuse, lesquelles furent considérées non essentielles en 1934 par l'ACI. Philippe Buchez (1796-1865) proposait de plus la dévolution désintéressée des actifs nets, c'est-à-dire que le capital devait être inaliénable et demeurer au sein des coopératives. Plusieurs fondateurs mettaient l'accent sur le "self help" ou la maxime: "Ne comptons que sur nos moyens", et refusaient l'aide de l'État. Certaines règles fixaient la responsabilité des membres en cas de faillite et, chez Schulze, cette responsabilité était illimitée. Dans la formule Raffeisen, la rémunération des membres administrateurs avait déjà été limitée au seul gérant, et ce, à un prix modeste. L'Italien Luzzati (1841-1927) était aussi pour l'administration gratuite en faveur de l'aide de l'État. Wollemborg (1859-1932), un autre Italien, était contre toute entreprise risquée avec l'argent des membres, mais il encourageait un fonds de réserve élevé pour permettre plus d'audace et était contre le versement d'un dividende.

On peut se poser la question suivante au sujet de plusieurs de ces règles: Était-ce un principe éthique ou un expédient à caractère gestionnaire ou économique?

La vente au comptant des Pionniers de Rochdale avait-elle pour but d'empêcher la faillite des coopératives? Si oui, on a eu raison d'enlever ce principe des règles essentielles de nos jours; mais si c'était aussi pour donner un autre genre de vie, pour lutter contre la société de consommation?

La défense de verser un dividende favorisait la constitution d'un fonds de réserve. Si le paiement d'un dividende assurait un meilleur apport de capital et permettait de constituer ce fonds plus rapidement, alors pourquoi ne pas payer un dividende? Mais Raffeisen et Wollemborg avaient-ils uniquement ce résultat en vue? Peut-être voulaient-ils décourager la mentalité du rendement sans travail sur le capital? Peut-être voulaient-ils surtout développer un esprit de solidarité?

Ces considérations nous font remarquer que la simplification des principes au sein de l'ACI a été faite au nom d'un assouplissement qui a élargi la plate-forme d'entente, mais à quel prix exactement? Plusieurs de ces assouplissements semblent avoir été réalisés en vertu d'une plus grande efficacité économique. Feraient peut-être exception la mise en veilleuse de la neutralité politique et religieuse — qui permet l'imposition de certaines politiques et de certaines valeurs à des coopératives — et l'intercoopération, qui peut parfois apparaître comme une restriction à la flexibilité et à l'efficacité économique.

Quoi qu'il en soit, cela pose la question des fondements de la doctrine coopérative. Peut-elle prétendre à une originalité dans ses principes, ou doit-elle nécessairement prendre les valeurs de l'État à l'Est et les valeurs capitalistes à l'Ouest?

Cette question nous amène à des interrogations radicales sur le comportement coopératif.

2.2 INSUFFISANCE DES VALEURS ÉCONOMIQUES?

Jusqu'à présent, nous avons laissé à l'intuition du lecteur la définition de ce que les gens appellent vaguement "les valeurs économiques", en l'incitant à imaginer ces valeurs par opposition aux autres qu'on a simplement décrites comme "non économiques". Afin que les coopérateurs puissent décider s'ils veulent oeuvrer pour les valeurs économiques ou non, il faudrait bien qu'ils sachent plus précisément ce que l'on entend par là. Si certaines valeurs économiques doivent être prises en considération et d'autres rejetées, comme on peut s'y attendre d'organisations qui voulaient supplanter l'entreprise privée sur le plan économique tout en s'opposant à certaines de ses pratiques, il faudrait bien faire l'inventaire de ces valeurs.

Comme toutes les expressions passe-partout, l'expression "valeurs économiques" recouvre différents degrés de réalité. Toutefois, nous allons d'abord préciser le mot "valeurs". La pensée du XXe siècle le fait surtout en opposant jugements de valeur et jugements scientifiques.

2.2.1 Valeurs et sciences

Avec le développement foudroyant des sciences, on en est venu à distinguer deux sortes d'affirmations: celles que l'on peut prouver par des faits et qui sont du domaine des sciences, puis les autres qu'on a appelées jugements de valeur. Quel est donc ce domaine où les faits ne peuvent étayer les jugements et qu'on appelle le "domaine des valeurs"? Ce sont tous ces jugements qui se rapportent à une appréciation autre que: ceci est un fait, ceci n'en est pas un. Mentionnons le domaine éthique ou moral: ceci est bon, ceci est mal; le domaine esthétique ou de l'art: ceci est beau, ceci est laid; le domaine logique: ceci est vrai, ceci est faux; le domaine pragmatique ou de l'action: il faut faire ainsi, il ne faut pas faire comme cela. Dans toute action réfléchie, en effet, il y a des jugements normatifs ou jugements de valeur, d'abord pour voir s'il y a un avantage à agir, ensuite, pour juger si les fruits attendus sont bons, ou utiles, selon ce que chacun entend par là.

Jusqu'ici, la distinction était assez simple et d'usage commode: les philosophes analytiques et les scientifiques s'entendaient en grande majorité pour dire, avec l'accord de tous, que le seul savoir convaincant et susceptible de progrès était celui des jugements confirmant l'existence de liaisons entre des faits. C'était la science. Tout le domaine des valeurs était l'objet des idées de chacun et allait rester l'éternel sujet de dispute aussi longtemps qu'on ne trouverait pas une façon acceptable de convaincre que tel jugement de valeur l'emportait définitivement sur un autre.

Voilà pourquoi le phénomène coopératif est si compliqué: il doit son essor à la fois à une "doctrine", ou un ensemble de jugements de valeur de diverses sortes, et à une accumulation de connaissances portant sur des faits, ou savoir positif, susceptibles de traitements scientifiques. Lorsqu'on étudie les faits, on peut suggérer certaines façons de faire; or, dès qu'on suggère le cours d'une action, on entre dans le domaine des valeurs. Mais il existe également une doctrine coopérative qui prétend orienter l'action coopérative selon ses valeurs. Les "façons de faire" suggérées sont-elles de simples techniques jugées indifférentes par rapport à la doctrine ou, au contraire, peuvent-elles entrer en contradiction avec la doctrine coopérative? Ici, on peut uniquement prendre à la lettre les six principes de la coopération communément acceptés, et voir s'il y a ou non contradiction entre telle méthode de gestion et les six principes. Mais on peut aussi prétendre que ces six principes concrétisent le mieux possible, mais imparfaitement, des idéaux de vie beaucoup plus généraux touchant au comportement de l'homme vis-à-vis de son semblable. En remontant à ces grands principes, on peut juger la méthode de gestion comme incompatible avec la doctrine. Il y aurait diverses valeurs, certaines agencées en doctrines, d'où découleraient certaines normes ou règles d'action. Les six principes coopératifs ne seraient qu'une base minimale d'entente sur les valeurs.

La distinction entre jugements normatifs et jugements positifs ou, si l'on préfère, entre jugements de valeur et jugements de faits, devient insuffisante lorsqu'il s'agit de classifier des jugements portant sur des objets de la science, mais qui ne sont pas établis scientifiquement. Supposons qu'on vous enlève un dollar et qu'on le donne à un plus pauvre que vous, selon l'opinion suivante: Comme ce dollar est plus utile à une personne dans le besoin qu'à vous, le petit inconvénient que vous subissez n'est pas aussi fort que la satisfaction additionnelle qu'en tirera le pauvre. La mesure de l'inconvénient psychologique que vous ressentez et de la satisfaction additionnelle que connaîtra le pauvre est du domaine scientifique; il ne s'agit pas ici de décider si l'action est bonne ou mauvaise, belle ou laide, mais de mesurer et de comparer deux états subjectifs. Cette comparaison est si difficile que des scientifiques ont pensé qu'elle ne pouvait être établie scientifiquement. Comme il n'existait que la dichotomie "jugements scientifiques — jugements de valeur", ils ont donc placé cette comparaison parmi les jugements de valeur, obtenant ainsi des jugements de valeur qui prétendent décrire des faits et les mesurer! Évidemment, nous l'avons déjà souligné auparavant, les économistes sont parmi ceux qui ont commis et commettent encore cette erreur. Mais pas tous, cependant.

Le prix Nobel de science économique Gunnar Myrdal a déjà remarqué qu'il fallait distinguer deux sortes d'opinions[6]. Il y a celles qui portent sur des faits, ou tentent de décrire la réalité telle qu'elle est: il les appelle "beliefs", que nous traduisons ici par "suppositions". Il y a enfin les opinions sur ce qui devrait être ou les jugements sur ce qui aurait dû être fait, et qu'il appelle "valuations", pour montrer que ce sont des jugements de valeur. Cependant, il n'a pas tellement utilisé cette distinction utile pour tracer une méthode nous permettant de traiter de doctrine tout en restant sur le plan scientifique. Au contraire, partant du postulat que toute action et tout guide pour une action comportent des jugements normatifs, il en déduit qu'il est impossible d'avoir une théorie qui soit axée sur l'action et qui soit en même temps objective[7]. Donc, selon lui, il vaut mieux exposer ses jugements de valeur au départ de l'analyse et en montrer honnêtement les conséquences. C'est en somme ce que font tous nos intervenants sociaux honnêtes, comme Paul Lambert lorsqu'il expose ce qu'est pour lui la vraie doctrine coopérative. Cette attitude conduit cependant à privilégier certaines valeurs au lieu de les examiner toutes objectivement, ce qui se traduit par des conflits irréconciliables entre chercheurs qui, tous, prétendent pourtant parler au nom de la science. Les gestionnaires et les économistes qui imposent l'efficacité économique dans l'action, l'*homo economicus*, proposent aussi une doctrine.

C'est pourquoi nous allons bien expliquer ici en quoi le modèle de l'*homo economicus* peut être un instrument scientifique utile, mais sans le proposer pour autant comme modèle à suivre, car nous créerions à notre tour une doctrine ou des jugements de valeur. Ensuite, nous essaierons d'être plus concrets.

2.2.2 Qu'est-ce que les valeurs économiques?

Lorsque nous posons la question des valeurs économiques, nous faisons en réalité appel à plusieurs sortes de justifications. Il y a d'abord le modèle de l'*homo economicus*, cher aux économistes et dont nous verrons l'utilité dans cette étude, pour évaluer l'efficacité abstraite de la for-

---

(6) MYRDAL, G. ***An American Dilemma***. New York: Harper and Row, 1942 et 1962, Appendix I, p. 1027.

(7) KLAPPHOLZ, K. "Economics and Ethical neutrality". ***The Encyclopedia of Philosophy***. London: MacMillan and Free Press, 1967.

mule coopérative. Mais les valeurs économiques ne se ramènent pas à ce seul automate de la rationalité économique. Les gens qui vivent les valeurs économiques font appel à des justifications de vie qui forment la culture bourgeoise. L'idéal bourgeois est développé à son tour à partir d'une conception particulière du primat de l'individu contenu dans le *libéralisme*.

2.2.2.1 Le modèle de l'homo economicus dans la doctrine coopérative

Les considérations précédentes et celles qui vont suivre constituent la partie la plus difficile de notre exposé pour le non-spécialiste. Nous traiterons maintenant du modèle économique de comportement rationnel. Ce modèle est au coeur de ce que l'on appelle "les valeurs économiques", mais il n'en épuise pas le contenu, comme nous le verrons plus loin.

Lorsque les économistes ont commencé à révéler la façon de raisonner du parfait individualiste rationnel, ils ont scandalisé. Plusieurs d'entre eux, en effet, étaient sincèrement matérialistes, pragmatiques, et donnaient des recettes pour expliquer comment l'homme d'affaires avisé tirait le maximum de profit de ses ressources et le maximum de satisfaction de ses achats. La rationalité consistait à voir les divers moyens pour atteindre le but qu'on s'était fixé, puis à sélectionner le plus efficace logiquement et à ordonner avec la même efficacité la suite des opérations d'une façon cohérente. Ce processus semblait en certains cas inhumain.

Les économistes ont encore plus scandalisé lorsque, vers les années 50, ils ont même appliqué des modèles d'égoïsme rationnel aux politiciens considérés comme honnêtes, que la coutume jugeait comme des apôtres du bien commun, des gens qui sacrifiaient une partie de leur temps et de leur fortune par désintéressement pour la cause publique[8]. Encore ici, certains politiciens ont ensuite considéré ce comportement comme courant, donc normal, et par le fait même acceptable. L'intérêt de ces modèles pour l'étude des coopératives commence à apparaître quand on se rend compte qu'ils se définissent comme une institution à caractère économique, un système électoral et une bureaucratie.

Prenons le modèle de Downs qui veut expliquer le comportement politique selon la rationalité économique. Cette rationalité nous dit que

---

(8) DOWNS, A. ***An Economic Theory of Democracy***. New York: Harper and Row, 1957.

OLSON, M. ***The Logic of Collective Action***. Cambridge (Mass.): Harvard U.P., 1965.

l'homme essaie d'une façon égoïste de retirer le plus de jouissance possible de ses actions. L'altruisme peut cependant exister chez cet homme: il aide parfois les autres pour d'autres motifs que celui de mieux les exploiter par la suite, simplement parce qu'il peut tirer plus de satisfaction de cet acte que de l'exploitation. Voici donc un homme qui a l'ambition du pouvoir, et qui peut tirer pour lui et ses amis toutes sortes d'avantages par le pouvoir politique. Il achète un programme comme tout autre produit. Il existe un produit qui lui apparaît plus susceptible de le combler de satisfaction: c'est tel programme de tel parti? Il investira pour être choisi candidat et vendre son produit à d'autres, les électeurs, lesquels achèteront un programme tout fait parce que, au mieux, ils peuvent monnayer leur vote au patronnage, au pire, il en coûte moins cher de prendre un programme tout fait que de réunir toutes les informations pour avoir une opinion vraiment personnelle pour voter. Rendu au pouvoir, notre politicien essaiera de se rembourser pour toute la peine qu'il s'est donnée. Il existe cependant un obstacle: s'il veut être réélu, il faudra qu'il donne assez à l'électorat pour pouvoir acheter sa réélection. Moins l'opposition sera forte, plus il tirera d'avantages personnels du pouvoir; plus elle sera forte, plus il aura à s'occuper des électeurs et moins de ses amis.

Olson a continué sur cette lancée en disant que toute personne qui démarre dans une oeuvre sociale le fait pour une raison égoïste. Les associations n'existeraient pas si les individus n'y trouvaient un avantage, et personne ne veut être à leur tête s'il n'y voit un intérêt particulier à le faire: cherchez cet intérêt!

Plusieurs auteurs depuis le célèbre Max Weber ont développé des modèles aussi cyniques, dits modèles économiques, pour la bureaucratie. On connaît certaines de ces tendances ou lois: un bureaucrate accroît son importance par le nombre de ses subalternes et aussi par l'importance du budget qu'il administre, d'où la tendance à la croissance des bureaucraties, de leurs budgets et de l'État. Si un organe a tendance à prendre de l'importance, les jaloux essaient de créer un organe concurrent ou de le diviser en deux pour le contrecarrer. Lorsque le conflit est déclaré entre deux organes concurrents, la tendance est d'en créer un troisième pour arbitrer le conflit. Tout fonctionnaire essaie de s'élever en refilant le travail à ses nouveaux subalternes, jusqu'au moment où il est tellement incompétent qu'il ne peut plus diriger.

Évidemment, il n'a jamais manqué d'opposants, même parmi les économistes, pour s'élever contre des modèles aussi tronqués de l'activité humaine, qu'on prenne ces modèles comme descriptions de la réalité ou, pire encore, comme guides d'action. Voici la position méthodologique que nous allons adopter et que l'on peut considérer comme une version révisée de certaines tendances récentes de la théorie économique du bien-être.

Il ne s'agit pas ici de proposer avec un certain cynisme des modèles de comportements efficaces économiquement à imiter. Il s'agit de donner un point de vue dans lequel des agents économiques se comportent rationnellement, selon la seule norme de l'efficacité économique, et d'en comparer les résultats à des comportements qui sacrifient cette efficacité au nom d'autres principes. En d'autres termes, il y a opposition entre deux sortes de doctrinaires: d'une part ceux qui pensent uniquement en fonction de l'efficacité économique et qui cachent le sacrifice en valeurs humaines qu'il faut consentir pour atteindre cette efficacité; d'autre part ceux qui, au contraire, vendent des visions de l'homme et de la société sans mentionner les sacrifices économiques auxquels doivent s'attendre ceux qui y adhèrent.

L'approche scientifique serait donc celle qui essaierait d'identifier les sacrifices qu'il faut consentir dans l'une des positions considérées lorsqu'on choisit l'autre. En économique, on appliquera ce principe général en essayant de comparer l'une des positions considérées à la position la plus efficace économiquement, quitte à ce que les intéressés fassent leur choix en pleine lumière. C'est ainsi que l'on développe actuellement certains modèles socialistes d'autogestion qu'on compare à l'efficacité capitaliste. Même si l'approche est scientifique, rappelons cependant que certains jugements sont si peu étayés qu'ils appartiennent au domaine de ce que nous avons appelé avec Myrdal les "suppositions". Nous l'avons vu ce ne sont pas pour autant des jugements de valeur ou des positions idéologiques.

Or, nous l'avons constaté dès le début de ce texte, il existe des coopérateurs vendant des idéaux qui ne sont pas en accord avec la seule efficacité économique, mais il existe aussi d'autres coopérateurs qui sont devenus coopérateurs précisément pour en tirer des avantages économiques uniquement. Avant de comparer le coût économique d'un projet de société aux coûts humains d'une économie capitaliste, il faut donc d'abord comparer l'efficacité économique du coopératisme et celle du capitalisme dans leurs principes.

2.2.2.2 L'efficacité économique des coopérateurs

Est dit économique tout bien qui a un prix. Cependant, par des calculs plus ou moins ardus, on peut essayer d'apposer un prix sur des biens qui, de prime abord, n'en ont pas. Ainsi, actuellement il en coûte de sacrifier de la crème glacée ou un café pour épargner en vue de faire un cadeau à des amis afin de conserver le même degré d'amitié. Les économistes évalueront le prix que vous consentez à l'amitié selon deux dimensions: le temps entre la privation actuelle et le don du cadeau, temps qui a un prix, et le prix du cadeau lui-même. Le prix du cadeau peut être difficile à apprécier si ce n'est pas un objet ou un service qu'on trouve sur le marché. Il faudrait vous demander de comparer les sacrifices que vous avez faits pour plaire à vos amis à des sacrifices consentis pour l'obtention d'un bien qui a un prix. Tout cela est fort difficile à évaluer, avouons-le, mais pas nécessairement impossible. De toute façon, si vous avez à choisir, il faudra bien que vous fassiez, d'une façon ou d'une autre, une comparaison entre ce que vous obtiendrez et ce que vous perdrez en choisissant. Un choix rationnel est un choix qui essaie de mettre tous les éléments importants dans la balance et de décider selon ses préférences et ses valeurs.

Même si la *rationalité* que visent les calculs et les comparaisons peut jouer aussi bien en faveur des biens non matériels et hors-marché que des biens matériels, lorsqu'on parle de rationalité comme d'une valeur économique, on sous-entend généralement la poursuite systématique de biens et services tels qu'on les trouve sur le marché. Les *valeurs économiques* dans leur sens le plus péjoratif indiquent *un calcul et un choix prioritaires pour les biens et services matériels les plus courants*. C'est évidemment pour les biens et services courants que les prix sont les plus faciles à trouver. Les prix de services futurs sont incertains, et les biens collectifs, publics et gouvernementaux ont aussi des prix établis souvent artificiellement, faute de marchés libres concurrentiels pour les fixer ou de possibilité de tarifer le service selon la demande. Les économistes ont donc souvent une préférence pour les biens de marchés: il est plus facile d'en arriver pour ces biens à une production efficace, qui rencontre la demande individualisée selon les désirs personnels de telle personne par rapport à tel prix.

C'est donc une déformation inhérente à l'analyse économique elle-même qui a conduit à juger préférables les biens matériels du marché, parce qu'il est plus facile de les traiter avec les méthodes quantitatives des sciences exactes. Cette préférence coïncide avec les goûts bourgeois plutôt matériels qui nous servent de point de comparaison ici.

Nous voici prêts maintenant pour répondre à notre première grande question. En supposant qu'une personne pense en fonction de ses seuls intérêts égoïstes pour les biens et services économiques courants, la solution coopérative serait-elle préférable? Si nous prenons une à une les six règles acceptées par l'Alliance coopérative internationale (ACI) comme base de discussion, on ne peut répondre oui à la question que dans des circonstances particulières.

Prenons le principe de la porte ouverte. Il peut empêcher des coopérateurs de faire individuellement le plus de profits possibles s'ils peuvent limiter le nombre des membres et partager entre eux le plus grand bénéfice. Soit l'exemple d'une coopérative de pomiculteurs qui développerait un nouveau cidre mousseux aussi bon que le champagne, ou encore une nouvelle variété de pommes, et qui ne voudrait pas encombrer son marché par une trop grande quantité offerte, si son produit était recherché comme un bien de haute qualité. Comme pour les diamants, il se peut que le plus grand bénéfice par producteur vienne précisément de la rareté du produit et de la difficulté à lui créer des substituts, d'où l'intérêt à limiter le nombre des membres.

Si, au contraire, on pense qu'il y aurait avantage à prendre la plus grande part possible du marché, parce que la concurrence est forte et qu'il faut écouler beaucoup pour "étendre" les frais par unité produite en immobilisation, assurances, machinerie..., on peut avoir besoin de capital, et, ici, deux autres règles peuvent nuire à l'expansion. L'une est: un homme, un vote. Quelqu'un qui est prêt à investir beaucoup préférera un type d'association où son pouvoir de décision sera relié davantage au capital investi. Il est naturel qu'il préfère alors la règle capitaliste: une action, un vote.

De plus, il est clair que la règle de la rémunération limitée du capital lui sourira moins que s'il peut s'attendre à une rémunération illimitée, récompense uniquement de son agressivité, du risque encouru et de la prise du marché.

Enfin, il y a un coût supplémentaire rattaché à la prise de décision démocratique. Ce coût sera d'autant plus élevé que les intérêts seront divergents et diversifiés. Il y a même des cas où une prise de décision rationnelle est impossible. C'est le vieux paradoxe du vote déjà étudié au XVIIIe siècle par Jean-Charles de Borda et le marquis de Condorcet, et repris de nos jours dans les études de Duncan Black et les travaux qui ont suivi la publication du célèbre théorème de Kenneth Arrow en 1950.

En peu de mots, le théorème d'Arrow nous dit qu'il est généralement impossible d'éviter des contradictions, si l'on doit voter démocratiquement en indiquant un choix sur plus de deux objets à la fois. Même si chaque votant est logique dans ses choix (s'il préfère A à B et B à C, il ne préférera pas C à A, par exemple), il peut arriver que l'addition des votes comporte de telles contradictions pour l'ensemble. L'ensemble des rationalités individuelles ne concorde pas nécessairement avec une rationalité sociale, selon le théorème.

Plus l'assemblée a des intérêts diversifiés, moins elle est gouvernable et moins elle est efficace. Il faut produire de volumineux rapports et ensuite les expliquer, mais il y a toujours quelqu'un qui n'a pas compris. Pour plus d'efficacité, le penchant naturel est d'arranger d'avance de telles assemblées. On limitera le nombre des options possibles à envisager; on tripotera les rapports savamment pour laisser certains aspects conflictuels dans l'ombre. La porte est alors ouverte à toutes les intrigues des assemblées démocratiques. Les réponses habituelles à cette inefficacité sont la mise sur pied d'une forte organisation bureaucratique qui mange les bénéfices, ou l'accession au pouvoir de personnalités autoritaires ou de politiciens louvoyants. Dans un cas comme dans l'autre, c'est la démocratie ou l'efficacité qui paie les frais de l'opération.

On voit bien ici que la maxime "un homme, un vote" est incompatible avec une organisation purement lucrative. Ceux qui ont de l'argent à placer pour le pur profit éviteront généralement les assemblées démocratiques.

Envisageons maintenant le cas de la ristourne. Peut-on dire qu'il s'agit d'une simple formalité des coopératives pour arriver à la vente au prix coûtant? Dans ce cas, il faudrait comprendre que le prix coûtant s'applique à tous les prix: aux produits finis, à la main-d'oeuvre, aux matières premières, aux machines. Mais sur le plan purement économique, peut-on envisager une coopérative de production qui n'essaierait pas de fournir le plus grand surplus possible à ses membres? La seule façon de se rapprocher du prix coûtant serait-elle de maintenir une concurrence entre le secteur capitaliste et les coopératives de production, puis d'introduire la concurrence au sein même des coopératives de production pour arriver à une notion d'efficacité comparable à celle du système concurrentiel? Dans ces deux cas, on a besoin de la concurrence. Dans le premier, il faut maintenir la présence du secteur capitaliste, dans le second, la concurrence entre coopératives. Et ici, ça ne va plus. En effet, l'éthique de la coopération ne met-elle pas plutôt l'accent sur la solidarité contre la sauvagerie de la concurrence? Le prix coûtant ne s'obtient-il pas ici en sacrifiant la solidarité?

Alors, si l'on retourne à la notion d'efficacité économique concurrentielle, peut-on maintenir que la formule coopérative est généralement la plus efficace? N'est-elle pas plutôt un outil pour arriver à l'efficacité concurrentielle lorsque celle-ci fait défaut dans l'économie?

Mais voici le plus étonnant: tout en permettant par sa présence de faire baisser les prix en vue d'une plus grande efficacité, la coopérative n'est pas apte à prendre la relève du secteur privé à pied levé. En effet, la ristourne au prorata de l'usage est-elle elle-même la façon la plus efficace d'avoir des fonds pour étendre les activités? D'autre part, il ne semble pas que la notion de propriétaire-usager soit la plus propice à recueillir des fonds, car elle laisse de côté tous les investisseurs potentiels qui encourageraient une coopérative prospère dans l'espoir de profits, même si ces investisseurs ne peuvent être usagers de la coopérative.

Enfin, la ristourne au prorata de l'usage n'est pas non plus la façon la plus efficace d'aller chercher le capital, même parmi les usagers. Combien d'investisseurs n'achètent même pas pour eux-mêmes les produits des usines qui leur font faire le plus de profit!

Sans vouloir exagérer, remarquons que certains autres principes à l'honneur dans certaines formules coopératives ou à d'autres époques sont aussi des restrictions à l'efficacité économique. Citons, par exemple, le principe de la vente au comptant, celui de la vente au prix du marché et celui de la dévolution désintéressée des actifs nets — c'est-à-dire l'impossibilité pour les membres de vendre les actifs et de se partager la somme lors de la dissolution d'une coopérative —, trois principes qui remontent aux Pionniers de Rochdale dans les années 1850. Imaginez toutes les ventes que vous pouvez perdre sans crédit. Imaginez aussi l'argent que vous pourriez faire en baissant légèrement le prix lorsque vous avez beaucoup de concurrents. Enfin, préféreriez-vous investir en sachant qu'en cas de fermeture vous n'auriez rien de l'actif net que vos fonds ont produit?

La formule coopérative devient efficace:

1° Là où il existe des profits excessifs dus à un cartel ou à une situation se rapprochant du monopole. C'est ainsi que les banques populaires ont fait baisser les taux usuraires et ont ramené certains prix à des niveaux raisonnables. Les égoïstes peuvent alors encourager la formation de coopératives pour payer leurs biens et services moins cher, et placer plutôt leur argent là où il rapporte le plus, parfois en dehors du système coopératif.

2° Là où la pauvreté des gens devant l'investissement nécessaire n'attire pas le capital, faute de rémunération suffisante devant le risque, ni ne permet à des gens du milieu d'exercer leur rôle d'entrepreneurs, faute de capital suffisant. La théorie économique des services collectifs peut alors nous suggérer que les plus entreprenants auront avantage à mousser la formule coopérative: leur activisme leur permettra d'être les premiers susceptibles d'être élus aux postes de direction, et de manipuler l'affaire, parfois sans avoir à verser parfois plus que les autres dans le capital initial.

3° Les gens pauvres qui côtoient peu le monde des affaires craignent de se faire rouler. La règle "une tête, un vote" leur donne l'assurance d'un certain contrôle sur les décisions, au cas où les administrateurs voudraient s'enrichir à leurs dépens. Le principe de la porte ouverte est une autre assurance dans ce sens, car la règle permet de dénouer les intrigues de petits groupes de pression en les noyant dans le vote de la masse.

De plus, il est probable que la règle démocratique facilite, dans des conditions qu'il reste à expliciter, l'obtention de ces biens dits collectifs ou publics que le marché ne fournira pas, si l'on peut jouir du bien sans supporter sa part des coûts ou si le producteur ne peut demander un prix proportionnel à l'usage. C'est le cas pour les phares de navigation, les ondes de radio et de télévision jusqu'à récemment, les parcs, les institutions de services publics telles la police et la justice, lesquels n'entrent pas bien dans les catégories des produits du marché.

Mais remarquons que nous nous éloignons ici du pôle des valeurs économiques, et que nous sommes à mi-chemin des valeurs plus éloignées des biens immédiats.

4° Enfin, la ristourne au prorata des transactions a deux avantages. On comprend facilement qu'on puisse ainsi attirer ceux qui sont les plus susceptibles d'utiliser les services de la coopérative à une grande échelle. Le deuxième avantage est d'ordre macroéconomique mais il est éloigné de l'avantage à court terme. La règle de la ristourne permet non seulement d'ajuster après coup les prix aux coûts en évitant les risques d'erreurs dus à la conjoncture et aux imprévus, mais elle permet dans un contexte approprié d'afficher des prix qui soient conformes à la meilleure allocation des ressources et de répartir ensuite le surplus d'une autre façon. Cette proposition demande de plus amples explications. Les économistes l'appellent le principe de la vente au coût marginal, ou vente au coût de l'unité la plus onéreuse.

Supposons que l'on vende globalement aux consommateurs le produit au prix coûtant. Par exemple, la coopérative achète le bois disponible à un prix fixe; à ce prix, elle obtient une certaine quantité de bois qu'elle revend sans bénéfice. À ce prix, la demande est forte. Vu la demande, elle offre plus cher aux cultivateurs pour obtenir plus de bois. De cette manière, on obtient du bois qui, étant situé plus loin sur les terres ou dans les montagnes, souvent d'accès difficile, est plus coûteux à apporter au marché. Si le bénéfice doit être nul, le prix de vente aux consommateurs sera une moyenne entre les deux prix payés aux cultivateurs, plus les frais généraux. Mais si l'on vendait au prix payé le plus élevé, c'est-à-dire le prix payé la deuxième fois pour le bois situé plus loin ou dans les montagnes, alors la coopérative ferait un profit sur le bois obtenu initialement. Cependant, le prix plus élevé incitera les consommateurs à moins consommer de bois lorsqu'il est plus cher, et possiblement à acheter d'une autre ressource plus abondante à ce prix, comme l'électricité. Ainsi, le prix plus élevé reflète les coûts plus élevés du second arrivage de bois et assure une utilisation plus efficace des ressources. Quant au profit sur le bois situé plus près sur les terres, il peut être partagé ensuite au prorata de l'ensemble des achats de toutes sortes des consommateurs, après avoir été versé au fonds général. Toutefois, le consommateur égoïste ne voit pas ce genre d'avantages dans l'utilisation des ressources.

Une illustration intéressante et peut-être plus facile du principe se retrouve au *Livre III* du célèbre *Capital* de Karl Marx, que j'adapte ici librement.

Supposons, nous dit Marx au chapitre 39, que nous ayons des terrains agricoles de quatre qualités différentes. Supposons que le quart de blé se vende 60 shillings (s) sur le marché capitaliste concurrentiel. Cela signifie que la même qualité de blé se vendra évidemment au même prix, 60 s, quelle que soit la terre d'où le blé provient. Mais si le quart de blé ne coûte pour la production que 15 s sur la terre de meilleure qualité, "A", 20 s sur la terre de qualité "B", 30 s sur la terre de qualité "C" et enfin 60 s sur la terre de moins bonne qualité, "D", les capitalistes de la terre "A" feront un joli surprofit ou une "rente économique" sur leurs ventes, alors que ceux qui cultivent la terre "D" arriveront tout juste à se maintenir en affaires.

Pour plus de justice, devrait-on vendre tout le blé au coût moyen, c'est-à-dire 24 s par exemple, si à ce prix les profits compensent les pertes?

Eh bien non, dit Marx après les économistes bourgeois comme Ricardo. Si l'on vend le blé 24 s le quart, il y aura une telle demande pour le blé que l'on ne fournira plus; de plus, il n'y aura que les deux meilleures terres qui feront leurs frais en produisant du blé. Il faut laisser le prix à 60 s le quart, puisque c'est à ce prix qu'on peut engager assez d'ouvriers pour suffire à la demande. Seulement, si c'est l'ensemble de la collectivité qui possède les terres au lieu des capitalistes, les ouvriers auront le même salaire pour le même travail partout. On vendra le blé 60 s et le surplus des terres de qualité supérieure sera versé aux fonds généraux où il sera affecté aux besoins de la collectivité.

Cet argument contre la vente sans profit ou au prix coûtant moyen est en faveur du principe économique dit marginal, que l'on peut aussi mettre en pratique grâce à la règle de la ristourne. Cette règle peut alors devenir le principe le plus important des coopératives sur le plan économique! Mais on s'éloigne alors du simple profit immédiat comme motif d'action.

5° Pour finir, il faut dire un mot sur l'éducation des membres considérée comme un outil d'efficacité économique.

La formule coopérative elle-même est souvent considérée comme une excellente école de formation des autochtones des pays en voie de développement, pour donner l'apprentissage des raisonnements économiques et mousser l'esprit d'entreprise sur place. Du point de vue économique égoïste, l'éducation est l'obtention par le coopérateur d'une formation qu'il pourra utiliser en affaires, et une source de renseignements utiles. Les pays qui utilisent la formule ne sont pas plus efficaces économiquement à court terme, car la formation en affaires est une oeuvre de longue haleine et les bienfaits de l'expérience coopérative sont diffus. C'est un avantage éloigné de la motivation égoïste, un avantage macroéconomique.

Si la coopérative doit l'emporter dans un milieu concurrentiel où ne jouent que les motifs économiques, il faut donc s'attendre à voir saper ici et là les principes de la coopérative pour éviter certains inconvénients économiques que nous venons d'évoquer.

2.2.2.3 À quel prix revient l'efficacité?

On peut proposer une rémunération du capital social concurrentielle avec celle des emprunts comportant un risque égal sur le marché capitaliste. Alors on obtient plus de fonds pour l'expansion, mais en sacrifiant le principe de l'intérêt limité sur le capital. On peut diminuer la ristourne et accroître les réserves en vue de l'autofinancement et faire ainsi moins appel aux membres: on sacrifie alors le principe démocratique.

On peut exiger des parts sociales importantes pour limiter l'arrivée de nouveaux membres lorsqu'on pense accroître le profit pour chacun des membres.

Le contrôle démocratique est encore diminué par les organismes d'approvisionnement ou de distribution de biens et services en gros pour les coopératives. D'une part, il est vrai, on obtient un meilleur prix à cause des économies d'échelle ou du pouvoir d'achat augmenté. Mais on laisse une catégorie d'intermédiaires pour en reconstituer une autre au sein du monde coopératif. Ces coopératives de coopératives n'ont plus qu'un lien ténu avec les membres de la base. Ces organismes bourgeonnent et se reproduisent ensuite d'une façon autonome selon les lois du développement bureaucratique, échappant peut-être ainsi au contrôle démocratique et à l'efficacité concurrentielle.

Cet affaiblissement des principes sera jugé négligeable si la solidité de l'entreprise coopérative ou sa rentabilité économique s'accroissent. Les règles finissent par n'être plus que des balises mouvantes garantissant à peine aux coopérateurs un minimum de contrôle sur le mouvement. L'efficacité s'est achetée au prix d'une perte d'identité de la coopérative.

En résumé, lorsque la concurrence est forte, les principes de la coopérative ne représentent pas, en général, la formule la plus efficace économiquement dans une économie capitaliste. Il reste à voir jusqu'à quel point la coopérative peut être plus efficace que l'entreprise nationalisée, lorsque le secteur permet un contrôle plus rigoureux par les usagers que par les gestionnaires et les inspecteurs de l'État. Il y a alors une grande importance à accorder à cette autre règle de la formule coopérative: *l'éducation des membres*, par la formation de gestionnaires et de contrôleurs compétents — qui seraient probablement assez près des gestionnaires de l'économie capitaliste, s'ils devaient tendre à plus d'efficacité que celle des gestionnaires de l'État. Mais la présence des "valeurs économiques" dans la coopération ne s'arrête pas encore ici. L'efficacité économique, ou efficacité dans la production matérielle, n'est pas l'unique valeur dans notre monde bourgeois.

2.2.3 Valeurs économiques, valeurs bourgeoises?

Si la coopérative est vue comme une organisation économique, il est immanquable d'y retrouver d'autres valeurs bourgeoises, valeurs économiques dominantes dans les pays capitalistes. Mais les pays de l'Est voient-ils également fleurir les valeurs économiques bourgeoises? Sinon, comment peut-on entrevoir des valeurs économiques non bourgeoises?

Mais d'abord, peut-on dire ce que sont les valeurs bourgeoises?

Pour les définir, il faut les opposer aux valeurs aristocratiques qui ont longtemps dominé, même au Québec. Les valeurs aristocratiques se retrouvaient chez nous dans les professions libérales et dans le clergé. Comme l'ancienne noblesse, ces classes étaient nettement distinctes de l'ensemble et séparées du peuple par un *savoir*. Parlons en premier lieu de l'*instruction*, investie d'une sorte de pouvoir magique. Les jargons du notaire et du médecin demeurent encore largement incompréhensibles aujourd'hui. Évidemment, ces jargons ont aussi l'avantage de définir précisément les choses en évitant les glissements de sens qu'introduirait l'usage des mots usuels, mais il est facile de leur attribuer une autre fonction: séparer le savant de l'inculte, lui ménager une place privilégiée, un poste de commande, car il est celui qui sait. Évidemment, il a droit à une rémunération de monopoleur du savoir: la rareté se paie. Il y avait conséquemment un esprit corporatif dans l'aristocratie: une *sélection* par la naissance ou la *qualité* de la formation.

Tout comme pour l'instruction, on avait aussi le *dédain aristocratique du travail manuel*. Les femmes et les filles des aristocrates, comme les hommes, portaient des vêtements qui empêchaient le travail. Rappelons-nous les jabots de soie et les poignets bordés de dentelle blanche des nobles du XVIIIe siècle, cependant que les dames portaient des robes longues, corsées et extrêmement évasées aux pieds grâce à des cerceaux, des tiges ou des jupons bouffants.

Comment pouvait-on travailler à une tâche domestique, affublé de la sorte? Les talons hauts, les bas de soie, les grands chapeaux, les gants fins et les souliers vernis sont demeurés les signes tangibles du dédain du travail manuel. De plus, les aristocrates étaient aux postes de commande et jouissaient du *luxe des gouvernants*. Ils profitaient de la fortune du roi et de sa splendeur. Les nobles étaient enfin favorisés par l'*hérédité*: ils faisaient donc les *traditions* et les maintenaient. Ils devaient par conséquent les respecter eux-mêmes et afficher de la dignité pour inciter les autres au même respect de coutumes qui les avantageaient. Tout cela entretenait un prestige qu'on justifiait par la qualité, alors que les bourgeois allaient favoriser plutôt l'efficacité et la quantité.

L'une des valeurs bourgeoises dominantes est l'*aspiration aux valeurs aristocratiques*. C'est ce qui rend difficile une distinction entre les valeurs bourgeoises et les valeurs aristocratiques. Le bourgeois, nous dit le célèbre Schumpeter dans *Capitalisme, socialisme et démocratie*, a toujours envié la prestance, le prestige et l'autorité des aristocrates. Mais comme il ne pouvait s'imposer au même titre, il laissait à l'aristocratie le rôle de gouverner et de maintenir dans le peuple l'ambiance laborieuse et le climat pacifique nécessaires à la conduite des affaires. Il se reprenait donc en faisant de l'épate par le choix d'objets matériels coûteux et par un étalement de luxe qui montraient sa richesse, si ce n'était son mauvais goût. La quantité l'emportait, à défaut de la qualité.

Mais Schumpeter souligne aussi les valeurs contradictoires des bourgeois qui, selon lui, minaient les assises même du capitalisme triomphant qu'ils avaient réussi à instaurer.

D'une part, n'ayant pas accès à la vie fainéante des aristocrates, le bourgeois développa de la ténacité, travailla sans relâche, s'imposa des privations pour amasser un pécule et jouir de la vie avec ce qu'il pouvait: le luxe matériel.

En même temps qu'il a besoin des traditions, du droit et des valeurs morales et religieuses pour maintenir l'ordre et le respect des contrats encore aujourd'hui, le bourgeois trahit ces traditions en les déformant et en les tournant en avantages matériels. On s'intéresse à la peinture mais pour épater, ou pire, uniquement pour acheter et revendre à profit. On utilise l'amitié et la religion pour aider à conclure des affaires. On plaide pour la tradition lorsqu'elle permet d'asseoir des privilèges de fortune. On est pour l'État lorsque c'est payant, mais on se retourne ensuite contre lui. On invoque le droit mais, s'il n'y a pas de danger d'esclandre, on côtoie sans cesse l'illégalité. La tromperie est généralisée. Tout ce qui n'est pas expressément défendu est considéré comme permis. Le bourgeois mine les valeurs même qui l'élèvent. Il aspire aux valeurs aristocratiques, mais les avilit en les épousant. Même si le libéralisme et son appel à la démocratie sont des valeurs bourgeoises, ces valeurs sont relatives aux situations et sont mouvantes. Elles ne s'identifient pas au seul libéralisme.

Le libéralisme économique n'est qu'une doctrine rationalisée par les intellectuels au service de la classe bourgeoise; c'est une idée, parfois bien éloignée de la pratique. Il met l'accent sur la *démocratie*, faite de l'addition horizontale des pouvoirs égaux individuels par le vote. Ce vote individuel ne doit servir que pour les services essentiels que peut rendre la démocratie parlementaire: l'élection des députés en vue du partage des fardeaux de la justice, de la police et de l'armée. La liberté individuelle d'entreprise, d'expression, de contrat, doit être préservée. Le rôle de l'État, hormis cette tâche de préserver les libertés, doit être gardé à un strict minimum. La grande valeur proclamée par le libéralisme est de protéger l'individu. Dans la pratique, jusqu'où le pouvoir acquis par certains individus leur permet-il de brimer les droits des autres, parfois au mépris des lois et des conventions elles-mêmes? Cela, le libéralisme ne saurait le dire; par crainte d'un plus grand désordre, il entérine des situations existantes louches. S'il craint le désordre, c'est autant parce que le désordre peut susciter un état fort ou une dictature que par peur de voir menacer l'efficacité de la machine économique. Mais si le libéralisme a horreur des Hitler et des Staline, la bourgeoisie et le capitalisme ont collaboré avec Hitler dans la pratique, comme ils ont collaboré avec Napoléon, dictateur conquérant, et avec l'aristocratie anglaise depuis Élizabeth jusqu'à Victoria, pour établir l'empire anglais et maintenir dans la sujétion de nombreux peuples.

Retenons cependant cette caractéristique des valeurs bourgeoises rationalisée par le libéralisme: la légitimation du gain personnel et de l'avantage individuel. L'aristocrate agit au nom de privilèges à conserver, donc d'une classe, d'un statut, de principes. Le bourgeois agit pour son avantage individuel, et doit voir ses sacrifices pour son groupe lui rapporter individuellement.

Les valeurs bourgeoises sont en définitive les valeurs des gens du peuple aspirant à des valeurs aristocratiques après s'être enfin rassasiés, mais restant en fait au niveau des biens et services matériels.

Est-il possible à des gens du peuple qui n'ont pas nagé dans l'abondance d'éviter les valeurs bourgeoises, lorsqu'ils s'affirment par les coopératives? Est-il possible à un coopérateur québécois dont les parents n'étaient pas fortunés, c'est-à-dire la majorité des membres actuels des coopératives, de penser à d'autres valeurs qu'aux valeurs économiques bourgeoises? Vous admirez ce coopérateur qui s'occupe des pauvres: ça ne lui nuit pas pour être élu ou garder un poste. Voyez ce pieux paroissien qui se dévoue inlassablement chaque dimanche à passer l'assiette pour la quête: il reçoit vingt dollars pour une heure d'ouvrage et il a ainsi le privilège de pouvoir gagner pendant sept jours. Voyez ces parents qui se dévouent pour un mouvement de jeunesse: ce qu'ils trouvent de mieux à faire est d'organiser des quêtes plus ou moins camouflées pour faire payer les camps de leurs enfants par l'ensemble de la population.

Quand ces gens seront enfin devenus bourgeois, ce sont leurs enfants qui pourront penser à autre chose. Ils seront à la recherche de nouvelles valeurs, avec la même astuce et la même rouerie que leurs parents, avec la même détermination aussi. Les enfants peuvent devenir les intellectuels bourgeois qui voudront changer le régime et les coopératives, dont l'avilissement les dégoûte.

Mais qu'en est-il de ces pays où la vie mondaine follement dépensière des aristocrates n'existe plus comme une possibilité? où l'instruction, semble-t-il, n'est plus l'apanage des plus riches? où tous peuvent théoriquement envisager les plus grands honneurs? En d'autres termes, quelles peuvent être les valeurs économiques post-bourgeoises?

2.2.4 Valeurs économiques post-bourgeoises

Puisque nous restons pour le moment dans les valeurs économiques, il faut en garder le souci matériel. Supposons même un matérialisme agnostique et le dédain des morales traditionnelles, comme on les retrouve chez beaucoup de ceux qui renient les valeurs bourgeoises. Il reste pour eux la possibilité de vivre sans besoins matériels démesurés, même si le grand luxe n'est plus de mise. La rationalité dans l'organisation est toujours une poursuite, car elle diminue les tâches routinières et peu intéressantes au profit des tâches de conceptualisation. De plus, on peut envisager une ascension dans une organisation importante. L'efficacité fait plus de place aux loisirs, lesquels peuvent être utilisés pour plus de perfectionnement ou pour un bain d'occupations manuelles. Il y a aussi le domaine politique qui ouvre de nouvelles possibilités à la rationalité et à l'ambition, car c'est l'organisation la plus importante avec la plus grande bureaucratie à son service.

Comment peut-on concevoir un coopérateur selon ces principes économiques? Il a besoin lui aussi d'une grande organisation à la mesure de ses ambitions. L'État prend-il trop de place? Il faut le réduire au profit du coopératisme qui devient la grande organisation. Dans cette optique, le coopératisme a pris toute la place et il est fortement structuré, selon les dimensions des ambitions les plus grandes.

Selon une autre vision, les coopératives deviendraient peut-être, au contraire, des clubs auxquels on adhérerait pour avoir davantage de services selon ses goûts. On façonnerait sa vie d'une façon telle qu'on limiterait le travail nécessaire au minimum en faveur d'une activité plus personnelle, et qu'on élargirait les zones de libre choix. Cette philosophie donne actuellement libre cours aux rêves d'autonomie et de liberté économiques les plus fantaisistes.

Dans les trois cas: coopératives, capitalisme, socialisme, il y a le problème du contrôle de la bureaucratie, développée par les technocrates au pouvoir. Si l'on maintient la concurrence pour diminuer la croissance de la bureaucratie, les valeurs économiques du capitalisme envahissent la coopération avec la concurrence. On ne sait plus laquelle de la coopérative, de l'entreprise privée, ou d'une autorité centrale mais fortement régionalisée et décentralisée par délégation de pouvoirs, est la meilleure formule économique.

La coopérative et l'entreprise privée se rejoignent économiquement, pour ainsi dire, par les deux mains. D'une part, on peut considérer une entreprise capitaliste dotée de règles qui fixent un maximum individuel de parts, et une certaine dissémination de ces parts qui la rendent plus proche de la coopérative. D'autre part, on peut envisager la concurrence de coopératives en divers domaines, qui offriraient à peu près la même liberté d'entreprise que l'entreprise privée ou la même concentration, si nous pensons à General Motors et à Volkswagen par exemple. Les seuls motifs économiques rendent alors difficile la distinction entre les deux.

Les seuls motifs économiques d'efficacité et de rationalisation ne peuvent pas non plus faire exclure la possibilité des formules coopératives développées par les pays socialistes et certains pays en voie de développement. Tous les leviers appartiennent de droit au gouvernement central ou à la fédération. Tout en s'assurant ainsi d'un ordre minimum et de pouvoirs d'intervention extraordinaires, le pouvoir central délègue la plus grande partie des décisions routinières et des choix portant sur les services, biens et soins personnels ou familiaux, à des instances régionales, municipales ou entrepreneuriales comme les coopératives. Les coopératives peuvent se développer avec des fonds publics et s'administrer selon certaines règles qui limitent cependant leur autonomie en tant que coopératives.

En demeurant sur le plan des valeurs économiques, il n'y a bientôt plus de raisons suffisantes de préférer la formule coopérative à n'importe quelle autre.

De plus, si l'on pense, comme Galbraith dans *American Capitalism* et comme le prix Nobel Jan Tinbergen dans *Economy Policy: Principles and Design*, que la formule coopérative n'est pas la formule la plus économiquement rentable pour l'économie capitaliste, alors il faut constater que la seule motivation des valeurs économiques ne justifie pas l'universalisation de la formule coopérative.

Si l'on est d'accord avec une telle conclusion, il faut nécessairement se poser les questions suivantes: Au fait, pourquoi les coopératives? N'est-ce pas également pour d'autres valeurs?

Historiquement, elles existent pour plusieurs motivations, parfois plus près des valeurs économiques, parfois plus rapprochées des idéaux socialistes. Au Québec, elles sont liées à des valeurs économiques évidemment, mais aussi à des valeurs nationales, patriotiques, paroissiales, voire religieuses. À côté de coopérateurs qui recherchent un avantage économique à court terme, il y en a qui sacrifient cet avantage pour des bénéfices d'autres sortes ou des avantages économiques à long terme. C'est donc qu'à leurs yeux la coopérative apporte autre chose. La formule coopérative peut apparemment charrier beaucoup de choses, mais elle est plus apte que le capitalisme à promouvoir certaines valeurs particulières. Pourquoi donc peut-on la préférer aux autres modes d'organisation économique?

2.3 À LA RECHERCHE DE VALEURS COOPÉRATIVES

Parmi ceux qui ont eu le courage d'essayer de trouver lucidement à quelles valeurs pouvait répondre l'activité des coopératives obéissant aux six préceptes de base, il faut signaler ceux qui ont tenté de caractériser la coopérative par un précepte dominant qui devait répondre de la nature ou de l'essence même des coopératives. Pour Paul Lambert, c'était la démocratie; pour notre ami Claude Pichette, c'était la répartition du surplus. Nous allons d'abord examiner ces positions, ensuite nous essaierons de voir à quelles valeurs peuvent prétendre les activités coopératives.

Notre approche sera plus facile si nous pouvons tabler sur le schème d'analyse de la première partie et les conclusions de la deuxième partie.

Rappelons d'abord la discussion de la première partie. Lorsque nous parlons de valeurs économiques, humaines, ou de valeurs humanitaires dans les coopératives, nous n'avons pas affaire à des ensembles bien compartimentés. Il est admis que les organismes socialistes, de type plus ou moins coopératif, qui ont survécu jusqu'à nos jours attachaient de l'importance à une bonne gestion de leurs actifs. Les expériences malheureuses ont rendu les praticiens prudents. C'est ainsi que les Pionniers de Rochdale avaient dans leurs règles celle de la vente au comptant uniquement. Dans les années 1850 également, Schulze-Delitzsch exigeait pour ses banques populaires des parts sociales de valeur importante, et la responsabilité de l'administration était illimitée pour prévenir toute fraude.

Mais entre le pôle de la gestion efficace des biens matériels et les idéaux humanistes, il y a tout un spectre de prises de positions qui sacrifient de plus en plus l'intérêt immédiat en vue des biens et services matériels, d'abord pour des biens économiques qui demandent de l'épargne, une attente, puis pour des biens qu'on s'approprie collectivement: un parc, la police, des routes. Ensuite viennent des biens et services qui n'ont plus d'utilité immédiate ou médiate. On parle alors d'une distinction grossière entre les choses d'utilité — les biens du marché en somme, qu'on s'approprie selon ses goûts—, et les biens qui demandent une conviction morale ou intellectuelle —, les biens dits institutionnels et les valeurs proprement dites. Les biens institutionnels sont l'État, le gouvernement, la constitution, les lois, l'appareil de la justice. Les valeurs sont les principes normatifs qui guident toutes ces activités: beauté, justice, vérité, amour ou haine, etc.

Dans la deuxième partie, nous avons montré le caractère complexe des coopératives à l'aide d'une démonstration par l'absurde. Même si nous admettons que les coopératives ont une fonction économique et qu'elles comportent des valeurs économiques, elles ne peuvent pas subsister au-delà d'un certain stade monopolistique dans l'économie, si les seules valeurs économiques sont prises en considération. Ou bien leurs principes les condamnent face à la concurrence, ou bien les coopératives subsistent matériellement mais en assimilant les principes des concurrents.

Deux questions intéressantes sur le plan scientifique seraient certainement de savoir 1) quels motifs animent les coopérateurs, 2) jusqu'à quel point les coopératives s'assimilent au capitalisme ambiant.

Les questions que nous nous posons ici sont cependant d'un autre ordre. Au nom de quelles valeurs les coopératives pourraient bien résister au milieu ambiant? Qu'est-ce-qui pourrait bien les distinguer des organisations qu'elles concurrencent? Serait-ce un ou plusieurs traits distinctifs?

2.3.1 La démocratie ou la répartition, traits distinctifs des coopératives?

Deux héroïques théoriciens, avons-nous dit, ont essayé de réduire la formule coopérative à un ou deux traits essentiels.

Paul Lambert prétend que c'est la démocratie qui est le trait essentiel[9]. Cependant, pour arriver à privilégier ce trait, il doit d'abord ramener les autres principes à de simples règles de régie interne, ou en faire des éléments du principe démocratique. C'est ainsi que le principe de la ristourne devient accessoire et peut être remplacé par un autre. Le principe de l'intérêt, même limité, sur le capital n'est qu'une "concession au milieu ambiant"[10]. Le principe des rochdaliens qui consiste en l'achat et la vente au comptant "est uniquement dû aux circonstances"[11]. Quant au principe de la porte ouverte, il est clair qu'il doit être amendé en plusieurs circonstances et que les coopératives de coopératives ne peuvent pas l'appliquer[12]. La règle de la neutralité politique et religieuse a aussi souvent des inconvénients[13], elle n'est donc pas impérative.

Claude Pichette a déjà remarqué l'insuffisance du principe démocratique. Ce principe peut tout aussi bien s'appliquer à des assemblées

---

(9) LAMBERT, P. ***La Doctrine coopérative***. Bruxelles: Les Propagateurs de la coopération, 1964, p. 57 et suivantes.

(10) ***Ibid***. p. 72.

(11) ***Ibid***. p. 82.

(12) ***Ibid***. p. 80.

(13) ***Ibid***. p. 83.

syndicales par exemple. Il faut donc mettre l'accent sur la notion de propriétaire-usager pour ajouter une connotation économique. Cela décrirait mieux en effet la coopérative.

Mais si nous restons sur le plan des implications normatives des principes fondamentaux, nous devrions nous attendre à ce que la prééminence du principe "un homme, un vote" décide de la nature de l'association considérée, lorsqu'il est question de l'inclure ou non parmi les coopératives.

Or, l'essence de la *démocratie*, depuis les Grecs qui ont inventé ce mot et ont appliqué le principe 400 ans avant Jésus-Christ, semble résider dans le gouvernement direct par l'assemblée. Plus il y a de délégations de pouvoir, plus ces pouvoirs sont confiés à une élite (à des fonctionnaires); moins l'assemblée est capable de décider, plus on peut la manipuler à cause de son manque d'information.

Est-ce trop préjuger des intentions de plusieurs grands coopérateurs que de penser qu'ils avaient autant en horreur la grosse machine administrative que le profit capitaliste exploiteur?

Pour confirmer cette opinion, il n'y a qu'à se souvenir de ses expériences de parent élu au comité d'école, de commissaire, ou de membre du conseil exécutif de la commission scolaire régionale. Dans l'école, n'est-ce pas généralement le principal et ses adjoints qui informent le comité d'école et influencent ses décisions, à moins que certains membres ne soient eux-mêmes des professeurs et connaissent bien le sujet? À la commission scolaire, qui donne les informations conduisant aux décisions? N'est-ce pas généralement le directeur général, qui n'est pas un élu mais un fonctionnaire?

La prééminence du principe de démocratie devrait donc donner de l'importance à la prise de décision directe. Les parts sociales, considérées du point de vue du contrôle démocratique, prennent alors une énorme importance car elles garantissent l'autonomie de décision de l'assemblée. En effet, si un organisme donne ou prête des fonds à une coopérative, il est normal qu'il puisse vérifier si l'usage des fonds est conforme à la destination prévue pour le prêt ou le don.

En tirant les implications de ces corollaires, on rangerait comme coopératives par excellence celles qui ont le minimum de fonctionnaires et dont les membres prendraient le plus de décisions possibles. Or, le professeur Lambert suggère aux Anglais d'exercer moins de contrôle direct pour avoir des réunions plus intéressantes et augmenter les présences. Les réunions générales se contenteraient de grands débats de fond et éliraient des représentants qui, eux, discuteraient les problèmes pratiques dans des sortes de parlements élus par les coopératives. Les coopératives de coopératives, qui sont déjà loin du contrôle direct, sont, toujours selon le professeur Lambert, d'excellentes coopératives. Mais le plus étonnant, c'est son appui aux régies coopératives.

Les régies coopératives seraient des organismes dont les fonds pourraient venir en totalité de l'État et être versés en vue de services bien spécifiques. Ces régies seraient cependant des coopératives si les administrateurs étaient élus démocratiquement par l'assemblée des usagers du service. On voit ici le raisonnement: l'État, c'est à nous, donc les capitaux qui nous sont versés nous appartiennent, et si nous formons une assemblée de personnes que le service proposé intéresse, alors nous sommes des propriétaires-usagers. Comment le principe primordial "un homme - un vote" a-t-il réussi à se diluer jusque-là?

Cependant, supposons que nous acceptions cette logique; elle devrait normalement décider de ce qui est ou non une coopérative. En réalité, il semble que ce soit la rémunération du capital, le véritable critère chez le professeur Lambert. C'est ainsi qu'il exclut de la formule coopérative les banques populaires de Schulze-Delitzsch, parce qu'elles rémunèrent les parts par un dividende qui n'est pas limité d'avance[14]. Mais si ces banques populaires sont la propriété des membres qui l'administrent démocratiquement et directement, l'objection du professeur Lambert est-elle encore valable?

Ainsi, même si les principes normatifs d'une doctrine doivent être acceptés ou rejetés pour eux-mêmes, il reste à satisfaire une exigence de cohérence interne, ce qui n'est pas le cas ici.

De plus, l'interprétation de la doctrine coopérative du professeur Lambert l'entraîne même à exclure du monde des coopératives les coopératives d'écoulement, au nombre desquelles on range les coopératives de production, en donnant comme raison qu'elles ne peuvent faire des bénéfices qu'au détriment des consommateurs. Cela augmente la contradiction, car c'est encore le principe de la répartition qui a les conséquences les plus sérieuses sur la nature des coopératives, et non le principe démocratique. Cette exclusion se fait aussi par un jugement de valeur personnel de l'auteur.

Nous avons appelé cette veine de suggestions doctrinales personnelles la tendance "doctrinaire", car elle essaie d'imposer une vision de la doctrine coopérative.

---

(14) LAMBERT, P. ***La Doctrine coopérative***. Bruxelles: Les Propagateurs de la coopération, 1964, p. 94.

S'inspirant de Lambert mais le critiquant et poussant la réflexion plus loin, Pichette cherche à son tour l'essence des coopératives. Bien sûr, il accepte comme primordial le principe démocratique, mais dans un sens économique particulier. De plus, il a soin d'ajouter un second principe tout aussi important touchant la répartition des trop-perçus, ce qui l'empêche d'emblée de retomber dans la contradiction de Lambert, qui excluait beaucoup plus du monde coopératif suivant le principe de la répartition que celui de "un homme, un vote". Voyons ces deux éléments tour à tour.

Le principe démocratique chez Pichette peut s'accommoder d'interprétations très souples. Il commence par rejeter la maxime "un homme, un vote" comme expression essentielle de la démocratie, pour accepter le vote proportionnel au nombre de têtes de bétail, d'arbres fruitiers, etc. De plus, il lui apparaît que l'essentiel du principe démocratique est dans ses effets: modifier la répartition des bénéfices au profit des usagers. Le principe démocratique n'assure pas que les décisions majoritaires seront les plus efficaces économiquement pour les coopératives. Il peut donc être mis en doute[15].

En réalité, le principe le plus important est celui de la répartition des surplus en faveur des usagers. La vente au prix coûtant remplit cette fonction si le rendement sur le capital social est tout juste ce qu'il faut pour avoir le capital nécessaire. La ristourne n'est donc pas essentielle de ce point de vue, même si elle peut avoir un rôle important dans la répartition des ressources.

Ce réductionnisme du contenu à des motivations économiques entraîne également Pichette à interpréter l'éducation des membres comme étant surtout leur formation professionnelle, comme chez les capitalistes efficaces[16]. Par ailleurs, comme Pichette reconnaît le bien-fondé de certains élans démocratiques et altruistes mais avec une certaine dose de scepticisme, il échappe au réductionnisme économique simple qui l'obligerait à admettre que les coopératives ne sont pas la formule la plus efficace économiquement, et qu'elles doivent céder leur place à d'autres lorsque la concurrence est forte. Mais il n'est pas à l'aise dans ce syncrétisme de deux ordres de principes qui semblent s'exclure: la démocratie et l'efficacité économique. Soulignons les ambiguïtés de sa position.

Si c'est la baisse des prix en faveur des consommateurs qui est le but des coopératives, alors la concurrence capitaliste peut mener au mê-

---

(15) PICHETTE, C. ***Analyse microéconomique et coopérative***. Sherbrooke: Publications de l'université de Sherbrooke, 1972, p. 24.

(16) ***Ibid***. p. 34.

me résultat, et les coopératives n'ont plus leur raison d'être lorsque cette concurrence existe. Les coopérateurs n'ont-ils donc pas d'autres buts?

Et si on s'en tient à l'efficacité, pourquoi parler de rémunération limitée sur le capital? Et par quel principe décidera-t-on du partage entre ristourne et intérêt? L'efficacité ne se situerait-elle pas dans un haut rendement du capital social compatible avec une baisse légère des prix en deçà des prix du marché?

Et si la démocratie peut parfois désavantager économiquement la coopérative, comment ne pas préférer graduellement une formule qui donnerait plus de pouvoirs aux plus puissants ou à ceux qui réussissent le mieux? Pourquoi pas, par exemple, un vote proportionnel aux transactions? La démocratie coopérative n'en serait-elle pas simplifiée? Au lieu de deux principes: "un homme, un vote" et "répartition des trop-perçus au prorata des transactions", on aurait le seul principe: "le pouvoir au prorata des transactions"! Or, justement, Pichette en est presque venu à se poser cette question [(17)]. On en arrivera ainsi immanquablement à se poser la question: En quoi peut-on dire qu'un pouvoir proportionnel à la capacité d'effectuer des transactions est plus démocratique qu'un pouvoir proportionnel au capital risqué dans l'investissement?

Prenons maintenant un cas d'intercoopération où l'on a une coopérative de production qui peut vendre à une coopérative de consommation. Le seul aspect économique pourra faire que la coopérative de consommation préférera s'approvisionner au secteur capitaliste pour survivre, cependant que la coopérative de production elle-même pourra avoir avantage à encourager le marché de consommation capitaliste concurrent de la coopérative de consommation. Comment résoudre ce problème? Comment arriver au partage des trop-perçus entre travailleurs des deux coopératives, consommateurs et travailleurs, si l'intercoopération se produit?

Tous ces problèmes demeurent sans solution lorsqu'il n'y a pas d'autres principes pour éclairer ce qu'est une "répartition démocratique", principe essentiel chez Pichette.

Nous sommes donc amenés à nous interroger sur des principes normatifs qui peuvent guider les notions de "juste prix", de "répartition démocratique", de "pouvoir démocratique", etc., lesquelles foisonnent dans les doctrines de la coopération.

Dès que nous parlons de principes supérieurs et nécessaires pour guider l'action coopérative, nous pensons à des engagements politiques

---

(17) LAMBERT, P. ***La Doctrine coopérative***. Bruxelles: Les Propagateurs de la coopération, 1964, p. 25.

ainsi qu'à des doctrines philosophiques et religieuses dont les principes moraux pourraient bien contredire la règle ancienne des Pionniers de Rochdale de "neutralité politique et religieuse".

Nous sommes alors au coeur du problème des valeurs coopératives.

2.3.2 Existe-t-il des valeurs coopératives?

Étant donné que les règles rochdaliennes de "neutralité politique et religieuse" et de "porte ouverte" devaient empêcher toute discrimination religieuse, politique ou raciale dans le droit de participation aux coopératives, plusieurs auteurs en sont venus à la conclusion que les coopératives n'avaient pas de valeurs propres, puisqu'elles accueillaient des gens aux valeurs très diverses. Ces valeurs souvent contraires pouvaient encore moins former un tout cohérent qu'on aurait pu appeler une "doctrine coopérative".

Cependant, nous avons déjà vu, comme principe général, que toute action réfléchie implique divers jugements de valeur, dont plusieurs ne sont pas toujours évidents lorsqu'une personne est à l'étape du choix des biens du marché selon ses goûts. C'est pourquoi, aux époques de scepticisme, les valeurs économiques apparaissent davantage et les règles des coopératives semblent encombrantes car elles n'incarnent pas les buts d'efficacité des administrateurs. De plus, les principes et les statuts deviennent souvent des compromis ou des règles pratiques valables dans un environnement donné et, par conséquent, susceptibles de changer avec l'évolution de la conjoncture économique. Seule une recherche des valeurs qui sous-tendent l'activité coopérative peut nous renseigner sur la direction que peut prendre l'application des règles, leur changement ou leur remplacement selon la conjoncture.

Puisque l'adhésion libre et la neutralité politique et religieuse permettaient une grande variété dans le dosage des valeurs selon les individus, les règles actuelles sont sans doute le résultat de compromis doctrinaux, c'est-à-dire une plate-forme d'entente minimale convenant à plusieurs convictions différentes.

De plus, la conjoncture économique, la force du capitalisme ambiant, les possibilités de fraude, tout cela impliquait des règles pratiques de survie. Certaines règles peuvent sans doute encore être plutôt vues comme des techniques de survivance et de contrôle, mais les deux aspects devaient déjà tant bien que mal coexister, il y a un siècle.

C'est ainsi que les parts élevées exigées par Schulze semblaient un obstacle à la propagation des banques populaires parmi le peuple. Cependant, en assortissant cette condition à une autre exigence très dure: la responsabilité illimitée des administrateurs, Schulze s'assurait au maximum contre les fraudes, qui ont toujours été une cause majeure de faillite des coopératives. La stabilité de la bourgeoisie a sans doute ainsi contribué à donner une bonne image des banques populaires et à faciliter leur départ en forçant pour ainsi dire l'honnêteté des administrateurs. Cependant, les bourgeois étaient aussi récompensés par un dividende sur les parts sociales, et ils étaient payés pour leur travail d'administrateurs. En limitant ses prêts aux seuls besoins de crédit à court terme pour l'exploitation d'une affaire, Schulze s'éloignait des besoins du petit peuple pour garantir la stabilité de ses banques. Mais toutes ces conditions de stabilité, l'importance des parts qu'on encourageait d'ailleurs par un dividende, permirent à Schulze-Delitzsch d'affirmer le principe du "self help" ou du "comptons sur nous seuls", et de repousser l'intervention de l'État et son aide. De plus, la solidité de chaque établissement lui permit de se passer de caisse centrale[18], et il refusa de travailler avec l'Institut central de crédit pour la coopération créé par l'État prussien, préférant coopérer avec une banque capitaliste, la Dresdner Bank, selon une entente spéciale.

Il semble assez évident que les principes ou valeurs que la formule Schulze-Delitzsch favorise le plus sont: 1° la démocratie directe, par le refus d'une aide venant de l'État, des caisses centrales ou des coopératives de coopératives, et l'importance accordée aux parts et à l'autonomie financière de l'entreprise; 2° les valeurs morales suivantes: l'intégrité et la justice. L'intégrité est d'ailleurs assurée par la démocratie directe qui favorise un plus grand contrôle, par la responsabilité illimitée ou même limitée, mais rattachée à des parts élevées. La justice déjà l'emportait sur l'aide gratuite ou la charité, car les administrateurs étaient payés pour leurs tâches et l'importance des parts réduisait l'entraide à ceux qui pouvaient les acheter.

Quelle différence déjà avec Raffeisen qui excluait les parts sociales ou les voulait minimales, et considérait les coopératives comme des oeuvres philanthropiques où chacun était solidaire avec tous et devait endosser la responsabilité illimitée! Les excédents allaient au fonds de réserve et personne n'y avait droit; en cas de dissolution, ce fonds passait à une autre coopérative. Les fonctions d'administration étaient bénévoles. De plus, le crédit était surtout destiné aux exploitations agricoles: il était donc à moyen ou long terme, jusqu'à dix ans.

C'est son système qui a favorisé la centralisation, à cause de la fai-

---

(18) MLADENATZ, G. ***Histoire des doctrines coopératives***. Paris: PUF, 1933, p. 90.

blesse de nombreuses petites unités. D'ailleurs, la responsabilité a été réduite aux parts souscrites et le dividende, limité à 5% sur les parts. Raffeisen mettait l'accent sur l'aide propre, comme Schulze, mais les valeurs chrétiennes et l'aide aux plus démunis étaient ses solutions au problème social. Comme initialement il n'existait pas de parts sociales, c'étaient les plus riches qui fournissaient des capitaux pour l'entreprise de tous. Il leur fallait donc une bonne dose d'abnégation ou des valeurs qui accordaient de l'importance à ce geste même: la charité fraternelle, éventuellement jusqu'à la ruine. L'encouragement à l'abnégation, ou rejet des valeurs économiques, se retrouve dans le faible rendement des parts, le bénévolat des fonctions d'administrateurs et la responsabilité limitée à de petites parts. Mais comment a pu subsister un tel système? Il est clair qu'au début il reposait fortement sur les valeurs "paroissiales", c'est-à-dire à la fois les valeurs chrétiennes des églises dominantes et le contrôle social exercé par les citoyens sur les responsables des coopératives. Cependant, Mladenatz[19] nous rapporte que Raffeisen lui-même réalisa que le zèle était insuffisant car il écrivit: *«Le zèle ne peut durer que s'il apporte aussi des avantages»*. Le prix à payer en matière de pureté de la doctrine fut de consentir à ce que les fonds épargnés soient placés là où ils rapportaient bien et où ils offraient de la sécurité. Cela signifie que les emprunteurs devaient payer plus cher, ou qu'on prêtait davantage à ceux qui avaient de meilleures garanties, c'est-à-dire les nantis. L'autre paiement en matière de démocratie coopérative fut la création en 1876 d'une banque centrale pour les coopératives, créée sous la forme d'une société anonyme par actions, c'est-à-dire une véritable compagnie de type capitaliste.

On voit que même si les banques populaires du type Schulze se sont retirées de l'Alliance coopérative internationale (ACI) en 1921 et si les coopératives de type Raffeisen y sont demeurées, cela ne signifie pas que la doctrine coopérative s'incarne uniquement dans le type Raffeisen. On peut même parler ici de deux doctrines coopératives, dont les valeurs dominantes ont été maintenues aux dépens d'autres valeurs. Retenons cependant que les deux formules avaient comme point commun le "self help", ou la volonté de demeurer indépendantes de l'aide de l'État.

Cela suffit-il pour en faire une valeur coopérative ou un élément d'une doctrine coopérative? Il ne semble pas, car dès 1927, reprenant en le corrigeant l'exemple de l'URSS, Bernard Lavergne préconisait les régies coopératives, créées par une décision de l'État et parfois dotées par lui, mais qui s'administreraient d'une façon autonome, même si l'État pouvait avoir un représentant au conseil d'administration. Nous avons vu que

---

(19) ***Ibid***. p. 101.

Lambert acceptait même que les fonds initiaux soient versés en totalité par l'État. Ici encore, il est évident que le dynamisme ou l'originalité de la formule se paient: l'État de maintenant n'est plus uniquement le représentant fidèle des intérêts de la collectivité, comme on le pensait au siècle dernier; c'est aussi un parti politique au pouvoir avec ses amis, leurs influences, l'intérêt des gens du parti et leur désir de rester en place le plus longtemps possible, au prix évidemment de certaines concessions inavouables.

Ces considérations ne sont pas sans intérêt pour le projet coopératif québécois, quand on sait que le fondateur des Caisses populaires connaissait ces courants doctrinaux et qu'il s'en est inspiré abondamment. Un de ses biographes, Yves Roby[20], nous décrit la volumineuse correspondance de Desjardins avec le président de l'ACI de cette époque, Wolff, avec Charles Rayneri, directeur de la Banque populaire de Menton (France, (1900)), avec Louis Durand, fondateur des Caisses rurales de France, avec Luigi Luzzati, fondateur des banques populaires d'Italie. Deux autres biographes, Cyrille Vaillancourt et Albert Faucher[21] parlent d'une véritable enquête sur quatre principaux types de banques populaires: la Caisse d'épargne, la Banque populaire Schulze, la Caisse de crédit Raffeisen et la Banque populaire Luzzati. La Caisse d'épargne ne prêtait pas aux sociétaires qui y déposaient, contrairement à Schulze. Mais Schulze donnait un dividende et payait un intérêt sur les dépôts, alors que Raffeisen ne consentait ni dividende ni intérêt au déposant, mais seulement la possibilité d'emprunter à un taux plus bas qu'avec Schulze, d'ailleurs cela se comprend. Luzzati avait choisi une voie modérée: des parts mais peu élevées, une responsabilité limitée aux parts, l'encouragement à la petite épargne par un intérêt sur les dépôts. Desjardins reprit tout cela avec les fonctions d'épargne et de crédit, et un seul type de banque pour les régions rurales et urbaines. Cependant, le crédit à la consommation est banni. Comme pour Raffeisen, seul le gérant est payé pour ses services.

Qu'en est-il des valeurs à la base de cette création? Roby nous dit que Desjardins avait été effaré de savoir quel taux d'intérêt les usuriers pouvaient exiger des gens dans le besoin. Il s'agit donc ici du motif économique de lutte contre un monopole. Mais il y avait aussi des valeurs patriotiques. Desjardins voyait la mainmise du capital anglo-saxon sur le commerce et l'industrie, et il montrait même une pointe d'antisémitisme courant à l'époque en assimilant les usuriers surtout aux Juifs!

---

(20) ROBY, Y. ***Alphonse Desjardins et les Caisses populaires, 1854-1920***. Montréal et Paris: Fides, 1964.

(21) VAILLANCOURT, C. et FAUCHER, A. ***Alphonse Desjardins***. Lévis: Le Quotidien, 1950.

Dans une vision semblable à celle de Raffeisen, il voyait la Caisse populaire comme le moteur d'autres sociétés coopératives de consommation, d'achat, d'engrais, d'écoulement de la production agricole, etc., comme le montre son *Mémoire sur l'organisation de l'agriculture dans la province de Québec*, qu'on trouve dans le volume de Vaillancourt et Faucher.

Enfin, il voulait débarrasser le monde agricole de l'influence partisane des politiciens et il rêvait d'une société québécoise, surtout agricole, qui se serait prise en main, loin du favoritisme politique.

Peut-on, à travers les praticiens dont Desjardins a connu les oeuvres, remonter aux sources socialistes de la coopération? Il paraît y avoir eu, en plus d'un aspect patriotique peut-être contraire au principe de la neutralité politique et religieuse, un rêve vaguement socialiste chez Desjardins, mais on peut tout au plus rapprocher ses idéaux des idéaux chrétiens de Raffeisen ou peut-être, à travers les Anglo-Saxons, de Robert Owen. Mais il semble qu'il ait voulu en particulier lutter contre des abus et corriger ceux de sa nation, et même qu'il ait rêvé d'une république socialiste. Homme d'action, il s'est contenté de voir les choses à améliorer au moment où il agissait; il nous faut donc de nouveaux motifs pour de nouveaux élans.

Or, le ratissage des formules qui ont le mieux réussi ne nous indique pas beaucoup de nouvelles avenues doctrinales. Devrait-on remonter aux précurseurs socialistes tels Owen, Fourier, Buchez, Louis Blanc, Pierre-Joseph Proudhon, ou même aux ancêtres comme Thomas More (1478-1536), Francis Bacon (1561-1626), Plockboy (vers 1650) et John Bellers (vers 1700) en Angleterre?

Beaucoup de formules sont maintenant possibles, alors qu'elles ne réussissaient pas il y a cent ans. Donner l'inventaire des quelque quatre-vingts propositions normatives différentes de Plockboy, retrouvées à Nehru serait certes intéressant. André Leclerc[22] s'est déjà chargé de ce travail, et nous espérons que les coopérateurs pourront y recourir comme retour aux sources. Ils y verront les paternités insoupçonnées de plusieurs idées actuelles et à venir dans nos milieux mêmes. Mais cela n'épuise certes pas les possibilités car les temps ont changé depuis Owen. De plus, quoi choisir parmi ces propositions contradictoires sans connaître les vues des coopérateurs actuels eux-mêmes? Et que valent les paradis des coopérateurs visionnaires sans une étude lucide de leurs implications et des sacrifices qu'elles demandent?

---

(22) LECLERC, A. ***Les Doctrines coopératives en Europe et au Canada***. IRECUS, 1982, 160 p.

2.3.3 Quelques pistes

Si l'on faisait une enquête sur les valeurs des coopérateurs, que trouverait-on? Avançons quelques hypothèses plausibles.

2.3.3.1 La recherche d'une vision coopérative

Chez les théoriciens les plus reconnus, on voit en général la volonté de créer un milieu plus humain, distant à la fois du pur mobile du profit capitaliste et du dirigisme de l'État. Mais certains théoriciens plus économistes se rapprochent davantage de l'efficacité matérielle capitaliste, tandis que d'autres viennent bien près d'épouser le coopératisme simplement comme moyen d'arriver pacifiquement à une dictature du prolétariat et à l'État planificateur de toutes les activités. Comment définir un monde coopératif acceptable entre ces deux extrêmes?

Cette vision de la coopération dans une direction comme dans l'autre dépend sans doute beaucoup du sens qu'on accorde à l'éducation des membres.

Si cette éducation n'a pour but que de rechercher plus efficacement un intérêt économique — et l'on peut sans doute invoquer l'exemple des Pionniers de Rochdale dans ce sens—, il ne faut pas se surprendre si l'on arrive aux dilemmes évoqués dans les deux premières parties de ce texte.

Si l'éducation est aussi comprise comme une étude prospective des mondes possibles ouverts à la formule coopérative et des valeurs que ces mondes peuvent incarner, peut-être verra-t-on d'autres valeurs s'affirmer directement.

Ainsi, les valeurs manifestées au sein du mouvement sont souvent les valeurs économiques lorsque l'éducation des membres favorise une formation professionnelle, car cette formation n'est pas spécifiquement coopérative généralement.

Mais l'économique des coopératives ne devrait-elle pas consister plutôt à avoir diverses vues de la notion coopérative du bonheur des hommes et à en tirer les implications et les coûts ou sacrifices? Un gestionnaire de coopératives devrait-il limiter sa formation à l'efficacité capitaliste? Sinon, ne devrait-il pas être en mesure de renseigner les membres sur les avantages et les coûts, selon divers plans, d'une gestion plus près de certains idéaux coopératifs?

Existe-t-il des recherches qui permettent de concrétiser les conséquences de certains idéaux coopératifs sans plonger dans des expérimentations coûteuses?

Une enquête honnête sur les valeurs coopératives des membres demanderait donc une révision préalable de la notion d'éducation des membres vers un élargissement considérable des perspectives coopératives et un approfondissement des conséquences des diverses visions étudiées. Notre texte n'avait d'autre but que de faire réfléchir sur ce problème des valeurs.

2.3.3.2 L'idéal de démocratie directe

Il semble que l'idéal de la démocratie directe soit une valeur proprement coopérative. Même Lavergne, pourtant avocat des régies publiques coopératives, ne craint pas d'affirmer que c'est la démocratie directe qui se rapproche le plus de l'idéal coopératif, avec la prise de décision par les personnes concernées elles-mêmes, qui ont ou doivent avoir le plus d'informations possible pour leur décision.

La notion d'égalité semble se dégager à la fois de l'idéal de fraternité chrétienne et de l'idéal de démocratie directe, où tous sont égaux dans la décision. Ainsi, le refus de la répartition des bénéfices au prorata des parts, ou, chez Schulze, la limite individuelle au nombre de parts détenues, est pour empêcher l'inégalité, le revenu sans travail ou l'exploitation du travail par le seul capital. La notion de propriétaire-usager va sans doute dans le même sens. Si l'on rémunère des transactions au prorata, c'est pour différencier entre le membre inactif — qui tirerait quand même une part du surplus et exploiterait les autres — et ceux qui encouragent vraiment l'oeuvre. L'égalité est ici le droit égal aux bénéfices pour les membres selon leur activité. Et cette notion d'égalité selon l'activité semble une valeur coopérative. La ristourne, en ce sens, serait plus qu'une technique pour vendre au prix coûtant.

2.3.3.3 L'égalité selon l'activité

Cette notion d'égalité selon l'activité m'apparaît tellement fondamentale que je vais la reprendre en l'appliquant.

Lorsqu'on décide de donner le trop-perçu aux membres et non au capital, on récompense le travail ou l'activité dans la coopérative. Si on le distribue à tant par tête, sans plus, on a une notion d'égalité indépendante non seulement du capital mais aussi du travail: c'est la vision socialiste totale que Marx réservait d'ailleurs à la phase "finale" du socialisme. La phase coopérative voit l'égalité dans une même rémunération pour un même travail, d'où aussi la ristourne au prorata des achats ou de la production, selon le cas.

À partir de cette notion d'égalité, on peut accepter que la ristourne soit au prorata du nombre de membres dans une famille si la coopérative est le seul endroit où la famille s'approvisionne, comme on peut accepter qu'elle soit proportionnelle au nombre d'arbres fruitiers si le nombre de ces arbres donne une approximation des transactions avec la coopérative fruitière; mais ce ne sont toujours que des approximations soumises à un même principe ici.

Il semble donc que la notion coopérative veuille se distinguer de la notion socialiste en n'étendant pas les bénéfices à tous, indépendamment de leur travail. Ainsi, la ristourne avantage ceux qui encouragent davantage la coopérative comme membres. En effet, la présence de la ristourne implique que les prix soient généralement plus élevés que le prix coûtant. Comme seul le membre jouit de la ristourne, il peut normalement jouir d'une partie des trop-perçus versés par les usagers non membres de la coopérative. C'est aussi une incitation pour les non-membres à adhérer à la coopérative et à y participer. La formule qui enlève la ristourne et abaisse les prix également pour tous est la solution socialiste. La même solution pourra aussi négliger le sacrifice qu'il faut faire pour adhérer à la coopérative, en minimisant les parts ou en les offrant à tous selon le volume des transactions. On en arrive ainsi à la firme dépersonnalisée publique, où l'on va transiger avec le minimum d'engagement personnel. On s'éloigne donc de la démocratie directe véritable qui demande qu'on s'intéresse à la gestion de ses affaires. On s'éloigne aussi de l'égalité selon le travail, en donnant à tous le même avantage qu'à ceux qui ont donné temps et argent pour faire démarrer la coopérative et qui assistent aux réunions.

On voit aussi que ces principes de démocratie directe et d'égalité selon l'activité considèrent comme moins coopérative une organisation dont les fonds viennent d'autres sources que des membres eux-mêmes, y compris un fonds anonyme du mouvement coopératif.

2.3.3.4 Le juste prix ou la valeur

Une dernière notion qui semble importante, mais pas pour tous car c'est surtout Lambert qui en parle, c'est la notion de *juste prix*. Pourquoi nous semble-t-elle importante si les coopérateurs ne la remarquent pas? C'est qu'elle est la notion cruciale pour régler le problème du partage du surplus dans le cas d'une coopérative et de ses employés, dans le cas aussi de la coopérative de production ou d'écoulement qui vend à la coopérative de consommation. C'est le principe qui manque et sur lequel il est urgent actuellement de se pencher.

Si tous les coopérateurs pouvaient s'entendre avant le début des opérations sur une notion de juste prix, de juste revenu, dont les principes seraient valables en général, les conflits se régleraient selon l'optique coopérative. Sans doute nos autres notions de démocratie directe, d'égalité selon l'activité entreraient-elles dans cette notion.

Cette notion de juste prix rejoint d'ailleurs la recherche socialiste et surtout celle de Marx sur la notion de valeur. Après l'époque de la dominance de l'idéologie capitaliste dans le mouvement coopératif québécois, puis l'époque de ce que nous avons appelé la "Révolution rampante", voici sans doute un point de ralliement important.

2.3.3.5 Pour continuer...

Mais ce ne sont là que des éléments de compromis qui peuvent rallier des coopérateurs partageant des valeurs très diverses, choisis parce que ces valeurs diverses semblent représenter des courants importants historiquement ou actuellement.

Mais il ne suffit pas de trouver une plate-forme minimale d'entente à partir de valeurs diverses.

Si la vision n'est pas cohérente, au nom de quoi agit-on exactement? Il faut donc que les membres puissent choisir entre différentes versions cohérentes et qu'on en dégage ensuite les implications. Cette recherche des implications et de leurs coûts (ou conséquences) est une tâche ardue impliquant des praticiens du mouvement, des chercheurs en éthique, des spécialistes en sciences sociales, économiques et administratives.

Il faut aussi distinguer entre théorie et pratique. Les valeurs affirmées ou professées publiquement sont généralement plus ou moins éloignées des valeurs que l'on observe lorsque la personne agit. Mais les valeurs vécues sont-elles les valeurs réellement embrassées? Sinon, lesquelles choisir en cas de contradiction? Ces contradictions n'empêchent pas que des gens puissent ainsi vivre, tout en désirant se donner un environnement qui permettrait d'harmoniser leurs valeurs professées avec leurs valeurs vécues.

Certaines enquêtes qui indiqueraient dans quelle mesure les valeurs vécues par les coopérateurs correspondent ou non aux valeurs affirmées, seraient souhaitables. Ce n'est pas là cependant un travail d'amateurs, mais une oeuvre multidisciplinaire exigeant la collaboration de psychologues, d'éthicologues, etc.

Enfin, cette réflexion de chacun sur ses valeurs affirmées, souhaitées, prêchées et ses valeurs vécues peut être bien utile à celui qui veut entreprendre une démarche de sincérité en profondeur. Il reste toutefois à constituer une coopérative qui puisse fonctionner d'une façon cohérente, à partir des valeurs individuelles de ses membres. Cela demande un processus pour arriver à certaines valeurs coopératives valables pour un milieu. Les congrès et les associations internationales ne font ensuite qu'essayer de trouver un dénominateur commun pour tout le monde. Se peut-il qu'au Québec on assiste à des créations coopératives selon des valeurs diverses, et qu'on trouve en même temps ce dénominateur commun qui pourrait s'inspirer des considérations que nous venons de faire?

BIBLIOGRAPHIE

ANGERS, F.-A. ***La Coopération, de la réalité à la théorie économique***. Montréal: Fides, 1976.

ARROW, K.J. ***Social Choice and Individual Values***. New York: Wiley, 1951.

BASTIEN, R. ***L'Analyse économique de la coopérative: quelques éléments***. Université de Sherbrooke, 1977, miméographié.

DOWNS, A. ***An Economic Theory of Democracy***. New York: Harper and Row, 1953.

DOWNS, A. ***Inside Bureaucracy***. Boston: Little Brown, 1967.

GALBRAITH, J.K. ***Le Capitalisme américain***. Paris: Génin, 1954.

LAMBERT, P. ***La Doctrine coopérative***. Bruxelles: les Propagateurs de la coopération, 1964.

LAVERGNE, B. ***Le Problème des nationalisations***. Paris: P.U.F., 1946.

LAVERGNE, B. ***Les Régies coopératives***. Paris: Alcan, 1927.

LE PORT, J. ***Les Tendances doctrinales actuelles du coopératisme français***. Paris: Fédération coopérative N° 1, 1960.

MLADENATZ, G. ***Histoire des doctrines coopératives***. Paris: Presses universitaires de France, 1933.

MYRDAL, G. ***An American Dilemma***. New York: Harper and Row, 1942 et 1962.

MYRDAL, G. ***Objectivity in Social Research***. New York: Random House, 1969.

OLSON, M. ***The Logic of Collective Action***. Cambridge, Mass.: Harvard U.P., 1965.

PELLETIER, G. "Marx dans un nouveau cadre welfariste". ***L'Actualité économique***. Avril-juin 1979.

PICHETTE, C. avec la collaboration de MAILHOT, J.-C. ***Analyse microéconomique et coopérative***. Sherbrooke, Département de science économique, 1972.

ROBY, Y. ***Alphonse Desjardins et les Caisses populaires, 1854-1920***. Montréal et Paris: Fides, 1964.

TINBERGEN, J. ***Techniques modernes de la politique économique***. Paris: Dunod, 1961.

VAILLANCOURT, C. et FAUCHER, A. ***Alphonse Desjardins***. Lévis: le Quotidien, 1950.

Chapitre 3

La coopération, mission possible ou impossible?

par Adrien Rioux

INTRODUCTION

Tenter une réflexion sur un nouveau projet de société est un indice que la société actuelle est malade. Opter pour un projet de type coopératif démontre notre foi en ce système. Cependant, cette conception ne nous mène nulle part si nous ne faisons pas le diagnostic précis de la maladie qui ronge le système économique actuel et qui risque de se communiquer aux coopératives.

Le système économique dans lequel nous oeuvrons semble impuissant à trouver des solutions au mal qui nous étouffe: l'inflation, les taux d'intérêt, etc. Jamais le fossé qui sépare les pauvres des riches n'a été aussi profond et chaque jour il se creuse davantage. Cette politique des hauts taux d'intérêt constitue une prime accordée aux riches et une taxe imposée aux pauvres, ce qui a pour conséquence de provoquer une dégradation du climat social qui démontre bien l'échec du système économique.

Le problème est devenu d'ordre moral et personne ne peut rester indifférent à l'anarchie que de telles situations peuvent engendrer. L'économie capitaliste nord-américaine a connu ses heures de gloire et a atteint un degré d'efficacité jamais soupçonné, alors que maintenant elle n'est plus capable de résoudre les problèmes qu'elle a elle-même créés. Elle a fait disparaître la compétition en travaillant à la concentration des entreprises; elle a permis l'intégration des secteurs primaire, secondaire et tertiaire. Souvent, elle échappe au contrôle des gouvernements par son caractère multinational.

Le succès de l'économie capitaliste connaît son paradoxe par la division de la société en deux clans: les riches et les pauvres. Le système capitaliste est le grand responsable des problèmes économiques actuels: inflation, chômage, taux d'intérêt élevé. Il constitue un danger politique pour tous les ordres de gouvernement et entretient une incertitude collective pour les citoyens des classes moyenne et faible.

L'impasse économique et sociale actuelle se résorbera-t-elle au sein du système qui l'a créée, ou faut-il chercher une solution dans un nouveau projet de société?

Le coopératisme a été largement mystifié au Québec. L'erreur actuelle est de tabler sur le passé et de travailler à partir d'illusions. Le système coopératif, tel que défendu au début du siècle, est actuellement dépassé. Continuer de prétendre qu'il peut encore éliminer les intermédiaires et diminuer les prix est presque de la fausse représentation.

Pendant la décennie 1980, la véritable mission du système coopératif sera d'inviter les citoyens à régler leurs problèmes plutôt que de laisser ce soin aux autres, et de les inciter à ne plus être les victimes permanentes du système de conditionnement psychologique mis au point par la publicité au profit des détenteurs de capitaux, à l'intérieur du système capitaliste.

La véritable question se situe donc sur le plan des pouvoirs présentement monopolisés par le système capitaliste qui détient 90% de l'économie. Il faut développer une nouvelle motivation au sein des coopératives pour que ces pouvoirs soient transférés aux citoyens par le biais de la formule coopérative.

Les nouvelles valeurs enseignées, qui font appel à une morale sociale et à une attitude mentale différente dans la manière d'aborder le développement économique, sont autant de points à développer pour bâtir une économie coopérative. Il faut transformer les hommes avant de transformer le système: c'est le prix à payer pour intéresser les citoyens à devenir propriétaires de l'économie québécoise, sans tomber dans l'exagération d'un socialisme d'État qui est une autre forme de dictature. La grande richesse du Québec est la liberté presque inconditionnelle de ses citoyens; le coopératisme peut être un des moyens de sauvegarder cette liberté qui domine dans l'échelle des grandes valeurs humaines. La présente étude comprend cinq grandes parties:

- la primauté du consommateur en milieu coopératif;

- le fonctionnement des entreprises de production en 1981;
- le fonctionnement des entreprises de distribution;
- le milieu coopératif québécois;
- l'analyse critique de la démocratie coopérative et de la participation.

3.1 LA PRIMAUTÉ DU CONSOMMATEUR EN MILIEU COOPÉRATIF

La primauté du consommateur existe-t-elle en 1981? Est-elle exclusive au milieu coopératif? Pour en parler avec compétence, il faut se référer à l'organisation politique, sociale et économique de la société québécoise, à son infrastructure, à ses institutions ainsi qu'aux nombreux mécanismes qui forment son économie.

À l'instar des analystes de la société contemporaine, il faut aussi reconnaître que l'actuel modèle économique québécois n'existe que depuis la Révolution tranquille, en considérant bien entendu que ces changements s'étaient amorcés à la fin de la Deuxième Guerre mondiale.

Cette évolution politique, sociale et économique a été accompagnée de changements technologiques importants, provoqués par l'invasion de l'ordinateur qui, en une vingtaine d'années, a créé un monde nouveau: le Québec des années 1980.

Il est donc prétentieux de parler de primauté du consommateur en milieu coopératif sans au préalable situer le contexte dans lequel évoluent le consommateur et les coopératives. Pour bien situer ce contexte, il faut analyser, sur une certaine période, l'organisation de la production, de la distribution, des institutions économiques qui canalisent l'épargne et dispensent le crédit, et s'interroger sur le système d'enseignement qui forme nos administrateurs d'entreprises et inculque les valeurs influant sur le comportement des citoyens.

C'est en expliquant les différentes composantes des rouages de notre société, pour permettre aux citoyens une meilleure compréhension de la complexité de l'administration moderne et du système dans lequel ils évoluent, que nous pourrons évaluer la marge de manoeuvre dont dispose le consommateur pour accéder à la primauté en milieu coopératif.

Un milieu coopératif implique qu'il y ait des coopérateurs et des coopératives, ceci est déterminant pour situer la primauté du consommateur. Est-ce une primauté réelle ou artificielle? Est-ce de la manipulation et du conditionnement sous le couvert de la primauté?

Pour répondre à ces questions, il est nécessaire de définir *coopératives* et *coopératisme*, d'expliquer par la suite ce qu'on entend par primauté du consommateur et enfin de décrire le milieu coopératif québécois où peut s'exercer la primauté du consommateur.

Redéfinir *coopérative* et *coopératisme* peut paraître superflu. Il existe beaucoup d'ouvrages sur le sujet, plusieurs écoles et surtout beaucoup de méconnaissance et d'interprétation. Il ne s'agit pas pour nous de nous poser en expert. Pour éviter ce danger, nous nous en tiendrons aux définitions de l'école de Rochdale, en précisant toutefois que nous adoptons une approche avant tout pédagogique qui permettra d'éclairer certaines zones grises entretenues, sciemment ou non, dans certains milieux.

3.1.1 La coopérative

La coopérative est une forme d'organisation qui permet aux citoyens de se prendre en main en devenant, par exemple, copropriétaires de leur entreprise. Les membres se regroupent en fonction d'intérêts communs: consommation, habitation, production, travail, mise en marché, services, etc. Il peut aussi exister des regroupements mixtes ou multi-disciplinaires.

Le fonctionnement d'une coopérative doit respecter des principes de base universellement reconnus dont les fondements reposent sur l'homme. Ainsi, les pouvoirs s'exercent sur une base démocratique: un homme, un vote. Le capital n'a pas de pouvoir, il est un outil qui sert à payer les investissements de l'entreprise coopérative.

Le capital peut être rémunéré par un intérêt à taux limité. Cette rémunération n'est pas un dividende, c'est un salaire accordé au capital en tant qu'investissement.

Le surplus annuel d'une coopérative n'est pas un profit. Il représente les sommes d'argent que les membres ont payé en trop en faisant leurs transactions comme usagers. On le désigne sous le nom de trop-perçu.

Ces trop-perçus sont distribués aux membres au prorata des transactions individuelles. On désigne la distribution de ces trop-perçus sous le nom de ristourne qui est essentiellement le remboursement des sommes d'argent que le membre a versé en trop en utilisant les services de sa coopérative. De là découle l'affirmation populaire que la coopérative fonctionne au prix coûtant.

En résumé, une coopérative est une entreprise à but non lucratif. Elle favorise le mieux-être économique de ses membres, mais elle n'est pas un moyen de faire du profit au sens mercantile ou spéculatif du terme. D'ailleurs, à titre d'usager, comment le membre pourrait-il faire des profits à même son investissement.

L'interprétation à l'effet qu'une coopérative est essentiellement et toujours une entreprise à but non lucratif est souvent contestée. Il est pourtant essentiel de s'entendre sur ce point, sinon il n'y a pas de dialogue possible. Pour s'assurer que la définition de *non lucratif* est exacte, suivons le cheminement d'un membre dans une entreprise coopérative à partir de l'exemple suivant: Monsieur X a adhéré à une coopérative pour en utiliser les services. Il reçoit un intérêt limité sur son capital social, donc aucun dividende en fonction du profit réalisé. Il reçoit aussi une ristourne sur ses transactions. La coopérative constitue une réserve. Cette réserve ne peut jamais être remise en ristourne. Si éventuellement la coopérative venait à se liquider, les réserves accumulées ne pourraient être redistribuées aux membres, ces derniers ayant droit uniquement à la remise de leur capital social. Où se situe le profit? Il est clair qu'il n'en existe pas.

Pour faire disparaître toute ambiguïté sur le sens du mot non lucratif, il faut ajouter que la coopérative, comme entité juridique, fait des profits. Elle peut devenir riche; c'est même une condition de réussite et d'assurance que de donner des services de qualité à ses membres. En cela, elle ne diffère pas des organisations sans but lucratif (O.S.B.L.), reconnues juridiquement par la troisième partie de la loi des Compagnies; l'O.S.B.L. accumule des profits pour le bien-être de l'oeuvre pour laquelle elle est fondée. C'est par centaines que l'on rencontre des O.S.B.L. qui sont riches et parfois millionnaires.

Précisons encore que les coopératives peuvent faire affaire avec des non-membres. Ces transactions sont alors essentiellement d'ordre commercial, au même titre que celles effectuées par une entreprise capitaliste. Il faut cependant retenir que les profits réalisés avec des non-membres ne sont jamais distribués aux membres: ils sont virés à la réserve générale et, comme cette réserve est impartageable, elle ne constitue pas un moyen de faire du profit pour le membre. Dans l'orthodoxie coopérative, les opérations avec les non-membres, ou "clients", doivent être considérées comme temporaires et essentiellement une mesure d'apprentissage avant l'adhésion comme membres, elles doivent aussi ne constituer qu'une faible partie des activités économiques.

Dans cet effort de vulgarisation de la définition d'une coopérative, il est important de préciser qu'une coopérative n'existe qu'en fonction de ses membres. On nous sert souvent l'argument que certaines catégories de coopératives ne font pas affaire avec leurs membres, en citant notamment le cas des coopératives de mise en marché - par exemple, les coopératives agricoles qui vendent les produits de l'agriculteur membre aux consommateurs. Ce sophisme a la vie dure et réussit à embrouiller le citoyen qui connaît mal la formule coopérative. Pourtant l'explication est fort simple. La raison d'être de la coopérative agricole est d'écouler les produits de l'agriculteur. Il ne faut pas lui demander de racheter son produit. Le membre de la coopérative, c'est donc l'agriculteur. L'action du consommateur d'acheter des produits d'une coopérative de mise en marché agricole est une relation d'approvisionnement avec un fournisseur coopératif, propriété des agriculteurs producteurs d'un territoire donné. On pourrait donner de nombreux exemples du fonctionnement d'autres catégories de coopératives, mais ce serait superflu, car dans tous les cas, une véritable coopérative est et doit être la propriété de ses membres.

3.1.2 Le coopératisme

Le coopératisme est un système économique dont le fondement est la propriété des entreprises par le citoyen. En bref, c'est un système par lequel toute la population d'un pays ou d'un territoire donné peut devenir propriétaire des entreprises, les contrôler et les administrer en vue de leur mieux-être économique et social.

Le coopératisme permet aux citoyens de se regrouper en coopératives pour devenir des copropriétaires dans les secteurs d'activités économiques primaire, secondaire et tertiaire, et ainsi posséder et contrôler globalement ou partiellement l'économie.

Cette définition n'est pas universelle, elle est parfois contestée. Pour certains, c'est un sous-système. C'est un moyen et non une voie. Nous n'entrerons pas dans ces débats, notre définition est moins savante mais plus pratique. C'est plus une question d'éducation économique, d'attitude mentale, qu'une définition philosophique. Ralph Nader, un des défenseurs des consommateurs américains, disait ceci au cours d'une interview parue dans *Coop Magazine* d'avril 1980:

Q. - Êtes-vous d'avis qu'une économie basée entièrement sur les coopératives soit souhaitable?

R. - Oui, c'est souhaitable. Que celui qui connaît une meilleure formule la fasse valoir.

Q. - Mais pensez-vous qu'une économie entièrement coopérative soit réellement possible?

R. - Oui, les temps y sont propices. Désormais, de plus en plus de coopératives bénéficieront du fait qu'un plus grand nombre de personnes que jamais se rendent compte de l'incapacité où se trouvent les compagnies géantes de créer suffisamment d'emplois, de contenir l'inflation et de soulager la pauvreté. Voilà autant d'échecs, d'échecs économiques.

L'époque est mûre pour une restructuration dramatique de l'économie de consommation, afin que les consommateurs commencent à se dissocier du monde des grandes entreprises et s'efforcent de développer une économie basée sur les coopératives pour subvenir à leurs besoins.

Cette opinion émise par un Américain, pas nécessairement coopérateur mais préoccupé par la faiblesse du système économique actuel, est révélatrice. Fini le temps de se cacher pour parler de système coopératif. C'est avec conviction et fierté que l'on peut affirmer que présentement le coopératisme offre une solution de rechange au système actuel qui court à la faillite avec son inflation, ses hauts taux d'intérêt et son incapacité de créer et de maintenir des emplois. En outre, l'État doit injecter des millions de dollars pour soutenir l'économie en surtaxant les contribuables.

Le coopératisme offre une possibilité aux producteurs, aux consommateurs et aux travailleurs de se prendre en main, d'harmoniser leurs relations et d'assurer un meilleur partage des richesses tout en conservant la dimension sociale selon laquelle l'homme domine toujours le capital. Ce système offre un juste milieu en regard de l'approche globale d'un socialisme où les entreprises sont la propriété de l'État, lequel en confie l'administration à une bureaucratie qui détient et exerce tous les pouvoirs.

Le coopératisme offre aux citoyens un moyen de remplacer le système capitaliste, ou du moins de le domestiquer, en atténuant l'exploitation de l'homme par l'homme et en mettant un frein à ses abus. Ces affirmations seront considérées par certains comme idéalistes, idéologiques et tirées des contes des *Mille et une nuits*, par d'autres, comme tendancieuses et gauchistes car elles tendent à briser le système actuel. Sans les nommer, il s'agit des partisans du capitalisme intégral qui taxent les coopérateurs d'incapables et les coopératives d'entreprises boiteuses, mal administrées et maintenues en état de fonctionnement grâce à des subventions.

Il est heureux que cette mentalité semble se modifier quelque peu, car une telle attitude est malhonnête et pernicieuse. Espérons plutôt qu'elle provienne de l'ignorance, car autrement ce serait offenser les citoyens et la population en général, en prétendant que ces hommes et ces femmes sont incapables de se prendre en main en devenant des copropriétaires et en administrant leur entreprise. Que tous les citoyens du Québec ne soient pas prêts à assumer ces responsabilités, concédons-le, mais ce sont des aptitudes qui s'acquièrent, et c'est là que repose la grande mission économique et sociale du coopératisme.

Le coopératisme est basé sur l'éducation du citoyen et propose un changement de mentalité; il propose aussi l'adoption d'une nouvelle échelle de valeurs dont la dimension est la réussite collective, par opposition à la réussite individuelle prêchée par l'école capitaliste. Cette proposition d'un nouveau mode de vie suppose une nouvelle mentalité qui est difficile à comprendre et à assimiler pour le citoyen formé dans les institutions d'enseignement québécoises, lesquelles sont le reflet de l'économie capitaliste nord-américaine dont elles sont imprégnées.

L'école nous enseigne à nous débrouiller, à devenir riches, à être des patrons, à être millionnaire à 45 ans ou du moins indépendant de fortune. Cette réussite a été le rêve de notre génération. Pourtant le résultat est que 90% des individus sont des salariés vivant dans l'anxiété de perdre, à un moment ou l'autre, leur travail. L'éducation économique, les connaissances du coopératisme, une approche plus humanitaire de la société peuvent être des éléments qui permettront au citoyen de faire un choix parmi les options qui feront de lui un citoyen libre et heureux.

3.1.3 La primauté du consommateur

Le Petit Robert précise:

primauté: *situation de ce qui est premier - autorité suprême - suprématie des faits - occuper le premier rang.*

En d'autres termes, on doit conclure que le consommateur est roi, c'est le patron, c'est lui qui commande, c'est lui qui décide, c'est lui qui impose.

Le consommateur exerce-t-il vraiment ces pouvoirs? Occupe-t-il vraiment le premier rang pour faire connaître ses besoins et exiger que les producteurs lui fournissent des biens de consommation adaptés et qui lui procureront la satisfaction maximale?

La réponse à ces questions n'est pas facile. On ne peut répondre par un oui ou par un non, il faut nuancer. En tout premier lieu, il faut admettre la très grande complexité de l'économie dans laquelle nous évoluons et de ses rouages des plus sophistiqués. Avant d'en faire une analyse, nous allons tenter de cerner les besoins du consommateur et de voir par la suite s'ils sont satisfaits dans le système actuel, pour finalement s'interroger sur les moyens dont dispose le consommateur pour exercer sa primauté à l'extérieur et à l'intérieur d'un milieu coopératif.

3.1.4 Les besoins du consommateur

Parmi les besoins fondamentaux, la santé et le bien-être physique priment. Dans la pratique, ils sont satisfaits par la *nourriture*, le *vêtement* et le *logement*. Les normes établies pour calculer les effets de ces besoins sont la longévité et la diminution de la mortalité infantile. Sur ce point, le Québec se compare avantageusement aux pays qui ont un haut niveau de vie, et cette situation continue de s'améliorer. À ceci s'ajoutent les moyens financiers pour combler les besoins de *nourriture,* de *vêtement* et de *logement*. C'est là que l'on constate la faiblesse actuelle de notre société à favoriser l'épanouissement du citoyen. Le chômage, l'inflation, la fermeture d'usines viennent durement frapper le consommateur. Les mesures sociales réussissent présentement à combler ces échecs économiques. L'État consacre des milliards pour soutenir l'assistance sociale et subventionne des entreprises pour créer des emplois, mais résistera-t-il longtemps à la hausse des taxes absorbées par le même consommateur?

À ces besoins d'ordre matériel vient s'ajouter tout ce qui concourt à l'amélioration de la qualité de la vie: le développement intellectuel, la culture et le comportement social. L'ensemble de ces besoins qui sont interreliés nous donnent finalement notre civilisation. Cette formation intellectuelle passe par l'éducation familiale, l'instruction dans les institutions d'enseignement, l'acquisition de connaissances variées par le biais des médias de masse tant écrits qu'électroniques, et enfin l'école de la vie au hasard des contacts humains, des voyages, des religions et de l'influence que la publicité commerciale et institutionnelle a sur le consommateur.

L'ensemble de ces facteurs qui forment intellectuellement le consommateur améliore-t-il sa qualité de vie et sa santé morale? C'est par le comportement du consommateur que l'on peut mesurer la qualité d'une civilisation. Sous l'aspect négatif, la société québécoise est-elle plus atteinte que les autres sociétés par les maux suivants: l'usage des drogues, l'alcoolisme, les crimes, le viol, la violence, les suicides, les dépressions nerveuses, l'utilisation abusive du crédit, la recherche d'un État-providence, la bureaucratisation et la guerre à finir entre patrons et syndicats?

Sous l'aspect positif, il faut reconnaître d'emblée que nous appartenons à une société moderne et que nous n'avons pas à envier les autres peuples qui seraient plus avancés que nous intellectuellement et culturellement. Cependant, nous souffrons de plus en plus du mal qui ronge l'humanité: la violence. Cette violence est physique et morale, et gruge sérieusement la base de notre société. Elle s'exprime par tous les points négatifs que nous avons déjà énumérés.

Il existe un autre aspect des besoins du consommateur auquel il faut penser: sa sécurité. Dans quelle mesure peut-il se protéger contre l'ascension vertigineuse de la technique dont les découvertes sont appliquées au nom de la science, sans tenir compte de l'homme. Que l'on pense un moment à la question de l'utilisation du nucléaire, aux conséquences des recherches en bactériologie, à l'utilisation abusive de l'ordinateur, aux retombées des découvertes en électronique sur la vie du consommateur de demain et aux effets néfastes de la pollution.

L'actuelle crise de l'énergie est un autre exemple de l'échec technologique dont le consommateur est victime. Il serait superflu de décrire cette situation, mais on ne peut résister à la tentation de signaler les contradictions de certaines entreprises, notamment Hydro-Québec. Depuis sa fondation et pendant une douzaine d'années, Hydro-Québec encourageait la consommation de l'électricité. Chaque bulletin qui accompagnait la facture mensuelle invitait à consommer davantage. Maintenant, c'est un changement radical: tout est mis en oeuvre pour inviter à réduire cette consommation.

Dans une conclusion idéaliste des besoins du consommateur, il faut voir un paradoxe. Parmi les besoins fondamentaux, on classe la santé et le bien-être physique en premier, alors que ce devrait être *l'amour* car, sans amour, il serait même impossible de satisfaire les besoins physiques qui sont toujours précédés du détachement que des êtres humains entretiennent entre eux. L'amour de son prochain, c'est l'entraide, le bénévolat, le désintéressement, la non-violence, la conception d'une société humanitaire.

Le consommateur devrait déboucher sur la conception d'une telle société. Si réellement il exerce sa primauté, il devrait posséder les moyens de se protéger sur tous les plans et ce, à court, moyen et long termes.

3.1.5 La société de consommateurs

Il ne faut pas la confondre avec la société de consommation qui est la société structurée. La société de consommateurs est représentée par des hommes et des femmes qui, soi-disant, orientent et gouvernent la société; cependant on s'entend pour dire que, comme individu, le consommateur est impuissant. Comme société, comment s'organise-t-elle ou du moins à qui confie-t-elle le soin de satisfaire ses besoins et par quels moyens contrôle-t-elle la qualité des produits mis à sa disposition? Le plus naturel serait que la société de consommateurs satisfasse ses besoins par elle-même. Parmi les moyens les plus directs, il y a la formule des coopératives, moyen efficace sans doute mais encore peu utilisé, sujet sur lequel nous reviendrons.

Dans les faits, ce sont les producteurs privés où dans le cadre de petites, moyennes et grandes firmes qui conçoivent, fabriquent, produisent et distribuent les biens de consommation. Depuis quelques années, il faut ajouter les entreprises d'État dans les domaines de l'hydroélectricité, des richesses naturelles, du transport, de l'éducation, du bien-être social, des soins hospitaliers et de l'assurance. C'est donc devenu un système mixte de production et de services. En ce qui concerne les entreprises d'État, le consommateur est consulté, comme dans toute démocratie, par suffrage universel en élisant le gouvernement de son choix à tous les quatre ans. À ceci, il faut ajouter l'apport de nombreux groupes de pression qui rendent les gouvernements vigilants dans le cours de leur mandat.

Sur le plan des autres formes de production de biens de consommation, nous ne connaissons aucune entreprise qui consulte le consommateur ou qui a l'intention de le faire, à moins que ce ne soit pour mieux identifier ses faiblesses. Au contraire, le consommateur est vu comme une machine à consommer et un moyen d'enrichir le producteur. À ce titre, il est analysé, psychanalysé et étiqueté afin de découvrir sa capacité de consommer, aux seules fins d'augmenter la production des usines et de réaliser des profits toujours plus grands pour payer des dividendes élevés aux actionnaires et être quoté *"bluechip"* à la Bourse.

Cette recherche du profit a amené des comportements presque immoraux où la duperie du consommateur a été érigée en système. Citons les manufacturiers d'automobiles. On fabrique des automobiles dont la résistance à la rouille ne dépassera pas trois ans, et on conçoit de nouveaux modèles en modifiant inutilement la forme des pièces pour créer une demande aux seules bénéfices des producteurs. On fabrique et continue de fabriquer des modèles identiques, avec des changements mineurs apportés à la carrosserie, identifiés sous un nom différent, avec l'avantage que la même compagnie peut avoir deux concessionnaires voisins pour la vente de son produit. Il est bien connu que tout le marché de l'automobile a été conçu pour que le consommateur change son auto au moins à tous les trois ans.

Que dire des manufacturiers d'appareils ménagers qui fabriquent intentionnellement un produit d'une durée limitée? Que penser de ce que l'on pourrait appeler le "scandale des produits de beauté", des fabricants de produits alimentaires qui multiplient les formats d'un même produit dans le seul but de faire des ventes plus élevées, le distributeur étant forcé de les tenir en inventaire. C'est une farce monumentale que celle des savons et détergents offerts au public par centaines de produits à peu près identiques mais commercialisés différemment, et celle des centaines de pieds linéaires de tablettes réservés aux produits en papier dans les chaînes de magasins, toujours le même papier présenté différemment... Que dire des *baby foods* si ce n'est pas une exploitation éhontée des jeunes mamans convaincues que c'est le seul moyen de sauvegarder la santé de leur bébé?

Il ne faudrait pas oublier le domaine du vêtement où les consommateurs sont divisés en deux groupes: ceux qui achètent le produit au prix régulier au début de la saison, et ceux qui l'achètent en vente à la fin de la saison, avec des différences de prix allant jusqu'à 80%.

Cette recherche du profit au détriment du consommateur ne se rencontre pas seulement dans la production des biens de consommation, mais aussi dans le domaine des services, à savoir les assurances, les plans d'épargne, les offres de crédit, les cours de personnalité, les nouvelles religions, etc. C'est un véritable réseau de sollicitations subtiles... On dirait que tout a été mis en oeuvre pour empêcher le consommateur de comprendre. Si on s'arrête un instant pour comprendre les clauses d'une police d'assurance ou d'un contrat hypothécaire, on constate que les caractères sont tellement petits qu'il faut presque une loupe pour les déchiffrer, et que les renvois sont savamment calculés pour harasser le plus tenace des lecteurs. Enfin, une fois qu'on pense avoir compris, on se rend compte mais toujours trop tard, que notre interprétation était fausse.

À cette description trop brève de la complexité de notre système, voulue et entretenue par ceux-là mêmes à qui cela rapporte monétairement, il faut ajouter la sollicitation dont le consommateur est l'objet depuis plus de vingt ans par de la publicité commerciale, institutionnelle et de prestige des producteurs de biens et de services.

L'art et la technique publicitaires ont atteint un tel degré de perfectionnement qu'ils risquent de devenir un moyen de conditionnement sous le couvert de l'information et de l'éducation du consommateur. La presse, la radio, la télévision, les slogans, les panneaux-réclame savamment utilisés peuvent en très peu de temps transformer le consommateur. Rappelons-nous comment notre système d'éducation centenaire a été changé en six mois par l'*Opération 55* du ministère de l'Éducation.

Ce moyen efficace mais dangereux, si utilisé à des fins exclusivement mercantiles, a conditionné notre génération de consommateurs.

Cette situation est tellement grave que le consommateur est devenu impuissant à identifier les vrais problèmes auxquels il est confronté. *Notre société de consommateurs est devenue une société de consommation* qui se laisse guider par les spécialistes de la mise en marché et le climat créé par la publicité psychologique et la réclame commerciale.

Aux consommateurs avertis qui se sentiront outragés à la lecture de ces affirmations, nous demanderons de faire un petit inventaire de leur comportement social en 1981, en tenant compte de leurs habitudes alimentaires, de l'utilisation des produits domestiques, de l'achat des vêtements, ainsi que de la pression sociale dont ils sont l'objet s'ils sortent du creuset dans lequel ils ont été moulés.

Ceci révélerait probablement que bon nombre vivent au-dessus de leurs moyens, qu'ils sont des usagers du crédit, qu'ils ont fait un voyage dans le Sud pour faire comme les amis, qu'ils viennent de vendre leur deuxième automobile parce qu'ils ne joignaient plus les deux bouts, qu'ils prennent régulièrement un repas au restaurant en fin de semaine.

Comme habitudes alimentaires, ils ont changé radicalement depuis les dix dernières années pour consommer de plus en plus de *fast food*. L'étude nous révélerait probablement que le garde-manger est rempli de tous les produits annoncés à la télévision ou dont la réclame a été faite par des coupons distribués par la poste, que les couleurs de la salle de bain et du papier hygiénique sont harmonisées, qu'au moins une dizaine de savons et détergents attendent pour être utilisés à des fins bien spécifiques, que votre rasoir électrique est le produit d'une publicité à la télévision, que vous et votre femme utilisez des produits de beauté qui attirent et retiennent les êtres chers, que vos vêtements ne sont peut-être pas signés Pierre Cardin, mais Léo Chevalier. Enfin, on découvrirait que le "sport du magasinage" dans les centres commerciaux est devenu plus populaire que le ski de fond au Québec.

N'essayons pas d'en sortir, nous sommes tous pris dans l'étau de la société de consommation, et voici que nos maîtres à penser — les grandes firmes de publicité et de mise en marché — ont le culot de prétendre qu'ils font des enquêtes pour que les consommateurs décident eux-mêmes du choix des produits dont ils ont besoin. Pourtant, ces publicitaires savent d'avance qu'il s'agit d'une opération piégée, les réponses ne pouvant être autres que celles que la publicité, le conditionnement et le lavage de cerveau ont introduit dans le subconscient du consommateur, depuis deux décennies.

Le consommateur est devenu un robot. Il obéit au système qui le conditionne, et c'est une insulte à l'intelligence humaine lorsqu'on ose affirmer que la production des biens et services est axée sur les besoins du consommateur. Ce subterfuge pour se donner bonne conscience est odieux. L'État a dû remplir le trou béant créé par l'exploitation du consommateur par voie de législation. L'Office de la protection du consommateur a fait la preuve de l'échec du consommateur québécois à s'autoprotéger contre une véritable concertation des producteurs de biens et services pour s'enrichir à ses dépens.

Les abus criants de la publicité, notamment chez les enfants, la prostitution de nos artistes qui accolent leur nom à des produits pour mousser la vente et déclasser la compétition, l'appel aux sentiments — l'orgueil, l'amour, la réussite — le sexisme par l'utilisation de la femme-objet pour exciter les sens, la vente sous pression par les colporteurs sont autant de moyens d'exploitation douteux qui ont nécessité une loi, des contrôles et des amendes.

Il est regrettable que ni les coopératives, ni les autres formes de regroupement de consommateurs n'aient pu contrer cette exploitation. À la décharge de ces institutions, on doit ajouter que ce n'est pas par manque de volonté, mais par manque d'argent. Le combat était perdu d'avance face aux centaines de millions de dollars dépensés en publicité. Les abus réprimés par une législation sont des moyens ultimes après un constat d'échec de la société à s'autoprotéger. Ce n'est cependant pas l'idéal, car c'est une protection à caractère paternaliste où le consommateur se fie à l'État pour régler ses problèmes, alors que c'est encore lui qui paye la note. Les millions de dollars que nécessite annuellement l'administration d'une telle loi sont encore une fois défrayés par les consommateurs payeurs d'impôts.

3.1.6 L'éducation du consommateur

Dénoncer la société de consommation, démontrer ses abus, identifier les moyens ingénieux et subtils pour conditionner le consommateur comporteraient un aspect négatif si nous n'apportions pas en même temps des suggestions pour corriger cette situation. À notre avis, la solution idéale et efficace, c'est *l'éducation du consommateur*. Par éducation, nous entendons un consommateur suffisamment informé et averti des rouages de notre société pour prendre des décisions en toute connaissance de cause.

Il y a bien toute une série d'initiatives qui ont été prises ces dernières années pour informer le consommateur. Elles sont toutes bonnes en soi et assurément elles contribuent à faire cette éducation. Il y a cependant un point faible chez le consommateur, c'est son manque de connaissance du système économique dans lequel il évolue, et le peu d'efforts que les associations de consommateurs et les coopératives ont fourni pour mieux faire comprendre ce milieu dans lequel le consommateur est impliqué quotidiennement. Qui produit les biens et les services? Comment se conçoit cette production? Qui fait la distribution? Comment se font ces opérations? Quel rôle joue la publicité face au producteur et aux réseaux de distribution? Qu'est-ce que le marketing? Comment se conçoit un plan de mise en marché? Enfin, comment décrire la machine à vendre, *les magasins*, et la machine à acheter, *les consommateurs*?

Une meilleure information destinée aux consommateurs est le point de départ pour faire d'eux des citoyens avertis, et graduellement leur donner accès à la primauté réelle pour remplacer la primauté artificielle dont ils sont maintenant l'objet.

IL S'AGIT ESSENTIELLEMENT D'ÉQUILIBRER LE SYSTÈME ACTUEL OÙ PRESQUE UNIQUEMENT LES PRODUCTEURS DE BIENS ET DE SERVICES AINSI QUE LES RÉSEAUX DE DISTRIBUTION SONT ORGANISÉS ET UTILISENT AU MAXIMUM LES AGENCES DE COMMUNICATION, DE MARKETING ET DE PUBLICITÉ POUR CRÉER DES CONDITIONS FAVORABLES À LA VENTE DE LEURS PRODUITS. EN LANGAGE POPULAIRE, CELA SIGNIFIE INFORMER LES CONSOMMATEURS DES MOYENS QUE LE SYSTÈME ACTUEL UTILISE POUR FOUILLER LEURS POCHES ET LES VIDER AU PROFIT DES ENTREPRISES.

La communication, le marketing et la publicité ne sont pas mauvais en soi. Au contraire, ils sont devenus les plus puissants moyens de sonder les consommateurs et de les convaincre par la suite d'acheter tel produit ou de modifier tel comportement. Ce qui est malsain, c'est que les principaux clients de ces maisons de publicité sont les producteurs de biens et de services qui n'envisagent que le profit et le rendement maximal du capital investi, lequel est devenu à peu près le seul critère d'efficacité dans la société capitaliste.

Il ne s'agit donc pas de reprocher à ces firmes de bien faire leur travail, conformément aux commandes reçues. Le vice vient du fait que le consommateur, lui, ne peut pas passer de commandes. Il est impuissant pour le faire sur le plan individuel, et également sur le plan association, car il a rarement les fonds pour en payer les frais. Il reste maintenant les consommateurs regroupés en coopératives qui peuvent utiliser ces firmes de spécialistes de la mise en marché. De fait, les coopératives les consultent, adoptent des plans de marketing et utilisent de plus en plus de moyens publicitaires. Ce que le consommateur ne sait pas, c'est que cette publicité est souvent PIÉGÉE. Le plan de marketing coopératif et la publicité qui le soutient sont à peu près identiques ou du moins se rapprochent le plus possible des plans de *marketing capitaliste*. Deux facteurs importants influent sur la récupération des coopératives par le système actuel. En effet, sur le plan financier, le système oblige les coopératives à se prostituer pour pouvoir accéder à "l'annonce coopérative", expression qui n'a rien à voir avec l'entreprise coopérative. Il s'agit du langage utilisé pour définir le temps alloué pour la publicité que les entreprises de production paient au réseau de distribution afin de faire annoncer leur produit. C'est un système dangereux qui permet la manipulation des réseaux de distribution, et parfois même des petits détaillants autonomes. Nous aborderons ce sujet plus en profondeur dans la dernière partie de cette étude en précisant le fonctionnement du système en 1981.

Le deuxième facteur consiste en la méconnaissance de la philosophie coopérative par les technocrates qui, parfois, dirigent les coopératives et par ceux des grandes firmes de consultants en marketing et en publicité. Ces derniers sont généralement mal informés sur la réalité coopérative et souvent sceptiques envers ce système, et c'est ainsi qu'ils suggèrent, pour ne pas dire imposent, le système de l'entreprise capitaliste.

3.1.7 À qui le consommateur a-t-il affaire en 1981?

C'est en adoptant une approche de démystification que nous tenterons d'illustrer le fonctionnement du système économique. Il est important d'en faire une analyse sur une certaine période afin de mieux comparer. De façon sommaire, nous allons donc tenter de décrire ce système économique depuis le début du siècle en le divisant en quatre périodes et en donnant les caractéristiques qui les ont marquées. Chacune d'entre elles sera étiquetée de la manière suivante:

- un système économique simple: jusque vers 1920
- un système économique complexe: de 1920 à 1945
- un système économique sophistiqué: de 1945 à 1960
- un système économique hypersophistiqué: de 1960 à nos jours

3.1.8 Un système économique simple: jusque vers 1920

Qualifier une époque de simple en se référant au système socio-économique ne se veut pas péjoratif, mais a essentiellement pour but de démontrer que les rouages de l'économie n'avaient rien de compliqué. À l'époque, la vie au Québec était rurale et l'économie reposait sur une infrastructure artisanale. La population était à 60% rurale, alors que présentement elle l'est à 20%.

Dans un tel contexte, l'économie reposait en grande partie sur l'autosuffisance, chaque famille produisant une grande partie des biens pour se nourrir, se vêtir et se loger. Le village était composé de rentiers, de journalistes et de citoyens exerçant un métier connexe à l'agriculture: forgerons, charrons, commerçants d'animaux. Il y avait, en outre, quelques magasins du type magasin général, parfois quelques membres de professions libérales et religieuses — le curé, le médecin, le notaire et l'institutrice.

Les revenus de l'agriculteur-artisan, qui pratiquait une agriculture mixte, provenaient de ses surplus de production vendus directement aux citoyens du village ou au marchand général. Les revenus des citadins provenaient de la vente de leurs services ou du travail manuel (concernant les journaliers).

Le rouage de l'économie s'exerçait en majeure partie au magasin général. Le marchand achetait des produits locaux qu'il revendait aux citoyens du village ou à ceux des villages voisins. La gamme des produits alimentaires, outre celle de la production locale, était limitée aux viandes et aux poissons salés ou fumés, à la mélasse, au sucre blanc et brun, aux épices, à la farine, aux biscuits matelots, aux bonbons et confiseries en petite quantité, sauf pour la période de Noël et le jour de l'An auxquels s'ajoutaient quelques fruits, notamment des oranges.

Pour tous les autres produits de consommation, le magasin général était un vrai bazar. On y retrouvait de tout: des vêtements, des attelages pour les chevaux, des produits en vrac, des huiles, de la peinture, enfin tout ce qui était nécessaire aux besoins de l'époque.

Le marchand général faisait de plus office de banquier. Il vendait à crédit, la coutume voulant que chaque famille approvisionne le marchand général en lui vendant ses produits excédentaires et que, par ailleurs, elle lui achète les biens de consommation dont elle avait besoin. Une fois par année, le marchand présentait la facture indiquant le solde à acquitter.

Ce système qui était une forme améliorée du troc ne présentait pas d'inconvénients lorsque le client avait l'argent pour payer. Dans les autres cas, il devenait à la merci du marchand général. Tout dépendait alors de la conscience et du sens social du commerçant. S'il était dur ou avaricieux, il proposait des conventions de nature à ruiner son client. Il ne restait plus à ce dernier qu'à trouver un autre moyen de se financer, ce qui le mettait souvent en contact avec un autre type d'avaricieux qui exigeait des garanties exagérées, lesquelles, si elles n'étaient pas respectées, étaient appliquées de façon rigoureuse.

Il n'est pas nécessaire de souligner que, à l'époque, il n'y avait aucune mesure d'aide sociale; ainsi ceux qui n'avaient pas d'argent étaient condamnés à être quêteux — ce qui était presque une profession. La société se chargeait d'eux, leur fournissait de la nourriture et faisait la charité à ceux qui mendiaient. Les mieux nantis donnaient alors un cent et un bon quêteux pouvait se faire jusqu'à 1 $ par jour, ce qui, à l'époque, était une "profession" très rentable.

L'instruction était réservée aux membres des professions libérales. L'agriculture était la base de la société. Les moyens de transport étaient la marche, la voiture à cheval et le bateau. Les voyages étaient uniquement l'apanage des riches. La politique était dominée par l'esprit de parti - Rouge et Bleu - et se transmettait de père en fils.

Pour ce qui est du Québec urbain, la vie était peu différente de celle du milieu rural, sauf qu'il y avait des industries: le meuble, la chaussure, etc. Le commerce était important puisque l'importation et l'exportation se faisaient à partir de ces villes. Elles étaient les centres d'approvisionnement du Québec rural pour tout ce qui avait trait aux produits étrangers.

C'est dans ce contexte difficile que sont nées les Caisses populaires. Alphonse Desjardins fonda la première Caisse populaire à Lévis afin de doter le Québec d'un réseau de services financiers possédé et contrôlé par les membres et afin d'apporter aux citoyens une solution à l'exploitation de commerçants crapuleux qui s'enrichissaient en appauvrissant leurs concitoyens.

Dans ce contexte socio-économique primaire, la primauté du consommateur existait-elle? Il est difficile de répondre à cette question, mais on peut en douter. C'était un temps où la société n'était pas organisée, et comme l'homme a toujours été un loup pour son prochain, il est fort possible que les conditions du consommateur de l'époque n'avaient rien de comparable à celles d'aujourd'hui, surtout dans le contexte de pauvreté du début du siècle.

Le système n'était pas compliqué: au contraire il était simple, mais il est permis de penser que personne ne voudrait y revenir.

3.1.9 Un système économique complexe: 1920 à 1945

C'est la fin de la Grande Guerre. On connaît un exode vers les États-Unis où l'on croit pouvoir faire un peu d'argent et revenir ensuite à la terre pour continuer la mission agricole de l'époque. Un secteur industriel à propriété canadienne-anglaise continue de s'édifier; le commerce commence à occuper une plus grande place dans l'économie; la propriété commerciale est à très grande majorité canadienne-française; le sentiment nationaliste commence à avoir une influence de plus en plus grande; les coopératives d'épargne et de crédit intéressent de plus en plus les citoyens qui y trouvent une solution à leurs problèmes de crédit; les coopératives agricoles et le syndicalisme agricole commencent à percer dans les milieux ruraux. La politique, la religion, le système d'éducation continuent à exercer la même emprise chez les citoyens. On commence à utiliser dans d'autres domaines la technologie de la Première Guerre mondiale. On commence à perfectionner la machinerie agricole. L'automobile, le téléphone, l'électricité pénètrent lentement dans les milieux tant urbains que ruraux, et voilà qu'arrive le krach de 1929 au cours duquel l'économie s'effondre.

Pendant les quelques dix années suivantes, c'est la misère noire. Bon nombre de citoyens souffrent de la faim, surtout dans les villes. C'est le secours direct: le retour à la terre par une politique intensive de colonisation. En 1939, c'est le début de la Deuxième Guerre mondiale. Brusquement, le Québec sort de la crise économique pour tomber dans une économie de guerre, économie dirigée où la production et la consommation sont contrôlées. Du jour au lendemain, il n'y a plus de chômeurs. Toute la main-d'oeuvre disponible est affectée à la guerre, à l'industrie de la guerre ou à la production agricole considérée prioritaire en raison des armées à nourrir. C'est le rationnement, les achats avec des coupons, le marché noir et finalement le retour à la normale, après 1945.

Sur le plan socio-économique, cette période est très peu différente de la précédente. C'est encore le même système politique, les mêmes valeurs religieuses, le même système d'enseignement. Le commerce a évolué quelque peu; les grandes chaînes commencent à occuper une plus grande part du marché. L'élément canadien-français a commencé ses grands mouvements d'achats chez nous. La promotion du grand magasin Dupuis et Frères se fait souvent par l'intermédiaire des églises; les journaux catholiques et patriotiques font partie des valeurs du temps.

La primauté du consommateur n'est pas encore considérée, comme au début du siècle. Le consommateur connaît une forme de manipulation par les sentiments. Le Québec sort de son refoulement de guerre et là débute l'exode rural où, en l'espace de vingt ans, la population urbaine double, vidant le Québec rural et changeant sa vocation.

3.1.10 Un système économique sophistiqué: 1945 à 1960

Passer d'une économie de guerre à une économie de paix, adapter les découvertes technologiques pour le mieux-être de la société, convertir l'industrie de la guerre en une production industrielle orientée vers la paix, récupérer les scientifiques, la technologie et toutes les découvertes scientifiques au bénéfice d'une société mutante: tel était le défi des gouvernements au lendemain de la Deuxième Guerre mondiale.

Les guerres du passé se faisaient avec des hommes et des chevaux. Celle de 1939 s'est faite avec des avions, l'électronique, l'ordinateur et la bombe atomique. Il restait maintenant à utiliser ces découvertes dans une perspective pacifiste.

Dans ce contexte, le Québec devenait une parcelle humaine sur l'échiquier mondial. Entre les années 1945 et 1950, il y eut peu de changements sur le plan socio-économique, mais mentalement les Québécois étaient plus réceptifs, moins conservateurs. Des groupes, notamment les compagnons de l'ordre de Jacques Cartier, travaillaient en sourdine à modifier la société québécoise. Les Jeunes Canada ainsi que de nombreux mouvements de jeunesse commençaient à s'impliquer dans un processus de socialisation. Sur le plan politique, un troisième parti, Le Bloc populaire, osait contester l'establishment des vieilles formations politiques. Enfin, c'était le début d'une mutation socio-économique au Québec.

Sur le plan plus strict de l'économie, la grande industrie appartenait toujours aux Canadiens anglais, le petit et le grand commerce étaient sous le contrôle des Canadiens français, les coopératives d'épargne et de crédit continuaient de progresser, les coopératives agricoles étaient implantées dans toutes les régions du Québec, le secteur de la consommation connaissait un progrès rapide, les coopératives dans le domaine de la pêche et des forêts voyaient le jour, certaines mesures sociales apparaissaient à l'horizon — telles les allocations familiales, l'assurance-chômage, le crédit agricole —, le syndicalisme pénétrait avec difficulté dans la grande entreprise.

Cette fragile structure socio-économique qui commençait à peine à se matérialiser s'est écrasée avec fracas. Le ressac de l'après-guerre s'est concrétisé dans un premier temps par la technologie appliquée à la paix. Ce fut la mécanisation dans le domaine agricole. Transformation banale en soi mais lourde de conséquences, car elle transformait totalement l'infrastructure de l'économie agricole québécoise: abandon de la traction animale, modification des transports, revenus agricoles drainés vers l'extérieur, c'est-à-dire vers les fabricants de pièces, de tracteurs et les fournisseurs pétroliers.

C'est dans un endettement important, en plus d'un manque à gagner insoluble, que l'agriculteur québécois s'est retrouvé au début des années 1950. Ce fut le début des faillites, l'achat des fermes par les voisins plus fortunés, l'abandon de la culture mixte. L'agriculture commença alors à s'acheminer vers l'agriculture actuelle, qui est de plus en plus concentrée et industrielle.

Pendant la même période, la technologie de pointe a pénétré la grande majorité des secteurs industriels. C'était le début de l'époque où la machine remplaçait l'homme. Le phénomène s'est étendu aux transports, où l'automobile, l'autobus, le camion, l'avion sont venus modifier radicalement les communications à tous les échelons de l'économie.

L'électronique et l'ordinateur sont venus nouer la boucle. Les communications par la radio et la télévision ont mis le monde à la portée de chaque citoyen. L'ordinateur a commencé à envahir l'industrie et le commerce. L'économie de la distribution et des services a été révolutionnée. Les grandes chaînes d'alimentation et les grands magasins ont commencé à occuper une place de plus en plus importante sur le marché de la distribution. Ce fut également l'époque de la disparition du "magasin général" pour connaître la vague des magasins spécialisés, l'époque de la faillite des épiciers indépendants et des coopératives incapables de concurrencer les grandes chaînes de magasins. Il est important de souligner la réaction rapide, intelligente et progressive des épiciers indépendants qui se sont regroupés en chaînes, système par lequel chacun perdait son nom en s'identifiant sous une bannière — par exemple Métro, Richelieu, Épiciers unis —, adoptant un type d'opérations standardisé, un même plan de mise en marché, une publicité commune et s'approvisionnant auprès de la grosserie qui, parfois, appartenait au groupe d'épiciers.

Le concept de chaînes de magasins que les épiciers indépendants ont adopté les a épargnés et les a placés dans une position où ils ont pu conserver une part importante du marché. Sous un aspect plus négatif, c'est aussi l'époque où les autres formes de commerce dans les domaines de la chaussure, du meuble et aussi dans certains secteurs industriels ou de services, où les entreprises canadiennes-françaises copieusement "engraissées" par les campagnes d'achat chez nous de nos grandes associations patriotiques ont été vendues à des capitalistes étrangers qui, intelligemment, faisaient des transactions incognito. Les nationalistes québécois non informés continuaient d'apporter leur pouvoir d'achat en pensant consolider l'économie autochtone du Québec, alors que sous une raison sociale québécoise se cachait un propriétaire étranger, anglais ou américain.

Ce phénomène de développement à rebours, en l'espace de dix à quinze ans, a fait passer le commerce canadien-français entre les mains d'entreprises étrangères. Il démontre l'échec d'un développement basé sur des structures d'entreprises où le propriétaire peut en tout temps vendre son commerce pour fins de spéculation ou parfois de fin de carrière. Dans ce contexte, les campagnes d'achat chez nous, souvent orchestrées par les propriétaires ou les amis des commerçants québécois, ont été une fumisterie. Elles ont été à cette époque ce qui a freiné le plus le développement des coopératives souvent taxées de communistes, ces dernières étant considérées comme un handicap au progrès du commerce indépendant. La folie ou la frénésie capitaliste, la recherche de la réussite personnelle, la mise en marché agressive supportée par une publicité sauvage, les méthodes de commercialisation immorales ont rejeté dans l'ombre le mouvement coopératif québécois.

La majorité des syndicats coopératifs forestiers et leurs fédérations ont dû cesser leurs activités et très souvent déclarer faillite. Les coopératives agricoles ont connu des problèmes sérieux, corollaire de l'agriculture en transformation et en crise économique. Les caisses d'épargne et de crédit ont subi l'assaut des banques qui avaient décidé de mettre fin à leur développement. Parmi les méthodes de harcèlement utilisées, le refus de compensation des chèques des Caisses populaires, à moins que ces dernières ne paient un montant élevé sur chaque chèque, illustre bien les moyens discriminatoires utilisés. La solution dispendieuse appliquée par les Caisses face à cet ultimatum fut de faire un dépôt de 10 000 000 $ sans intérêt à la Banque provinciale pour compenser les chèques émis par les Caisses. Ce fut le début de la fermeture de dizaines de coopératives de consommation à Montréal, Québec, Sherbrooke, Amos, Dolbeau, enfin la disparition presque complète de ce type de coopératives dans les milieux urbains du Québec. Seule resta debout La Familiale de Montréal, maintenue à coût de sacrifices par ses pionniers: Berthe Louard, Victor Barbeau, Joseph-A. Dionne, René Paré, etc. Ce fut également le déclin de la première génération des coopératives étudiantes.

Ces années noires du coopératisme où tous semblaient se liguer pour l'anéantir a stoppé le développement pour une certaine période, les membres étant attirés par les vendeurs du capitalisme. Hypnotisé par l'image de prestige et de réussite que projetait l'économie libérale nord-américaine, le citoyen s'est désintéressé des coopératives à un point tel qu'il fallait beaucoup de courage pour s'identifier comme coopérateur, nom qui était devenu synonyme de pauvre et de quêteux. À ce sombre tableau, il faut ajouter que cette conception capitaliste de la société se matérialisait par son omniprésence dans les milieux de l'enseignement, par des législations et réglementations gouvernementales, ce qui ne laissait pas de place au développement des coopératives.

Ce mouvement anticoopératif n'était pas étranger à la position des hommes d'affaires du Canada et du Québec regroupés dans une association anticoopérative identifiée sous le nom de *Income Tax Foundation*, laquelle s'était donné pour mission de dénoncer les coopératives et d'obtenir l'imposition de leurs surplus. Ce mandat a été couronné de succès car ils ont gagné leur cause en Cour supérieure, jugement qui continue d'être appliqué avec beaucoup d'injustice pour les coopératives, car il ne tient pas compte de leur aspect non lucratif.

C'est à contre-courant que les coopérateurs ont dû amorcer une réforme qui consistait à suivre le modèle capitaliste en récupérant leurs membres de gré ou de force. Dans les coopératives forestières, ce fut la fin, car il était devenu impossible de vivre en coopératives; du côté de l'agriculture, la survie des coopératives agricoles ne devenait possible que dans le fusionnement; pour les caisses d'épargne et de crédit, leurs technocrates commençaient à lorgner du côté des banques qui devenaient leur source d'inspiration; dans le domaine de l'habitation, les coopératives de construction commençaient à observer les coopératives locatives comme formule de remplacement; quant aux coopératives de consommation, ce fut carrément un virage vers la formule de la chaîne volontaire qui faisait le succès des indépendants. C'est là que prit naissance le sigle "Coop" qui devenait l'identification commune, un plan de marketing basé sur la publicité et appuyé par des services techniques, et un approvisionnement centralisé. Cette relance devint alors le défi de la Fédération des magasins Coop qui regroupait la très grande majorité des coopératives de consommation du Québec.

La fin des années 50 laissait prédire beaucoup de changements. Toute cette période a été un ferment où il devenait évident que la société québécoise était à un tournant de son histoire. Pour revenir à l'élément-thème de notre étude, la primauté du consommateur, il nous apparaît inexact d'affirmer que le consommateur pris individuellement ou par le biais de ses associations, fut-ce des coopératives, ait pu jouer un rôle dans la préparation de la Révolution dite tranquille que le Québec a connue par la suite.

La société a été modelée sur l'école de pensée capitaliste nord-américaine, prônant la compétition et le libéralisme économique et utilisant à fond les techniques de persuasion clandestine, la vente sous pression et le lavage de cerveau. À ce côté négatif, il faut également ajouter le côté positif de Québécois clairvoyants, honnêtes, sincères et désintéressés qui ont déclenché la Révolution tranquille et qui ont travaillé à modifier pour son mieux-être la société québécoise.

3.1.11 Un système hypersophistiqué: 1960 à nos jours

Nous n'analyserons pas cette époque récente que nous connaissons bien. Nous nous limiterons à la décrire sommairement pour mieux faire le point sur *la situation qui existe en 1981, objet principal de notre démarche.*

Qualifiée de Révolution tranquille, cette période a véritablement transformé de fond en comble la société québécoise et a balancé pardessus bord la plus grande partie des valeurs considérées comme fondamentales depuis des siècles.

Sur les plans politique, économique, social, religieux, familial, éducatif, enfin à tous les niveaux, nous évoluons vers une société où la liberté est totale. Les voies balisées qui guidaient le citoyen québécois sur le plan individuel comme sur le plan social sont totalement disparues en l'espace de vingt ans.

La fondation de cette nouvelle société libre a eu pour assise principale l'instruction obligatoire pour tous et la modification du système d'enseignement. Un slogan fut alors utilisé pour mobiliser la population: "Qui s'instruit s'enrichit", et des moyens furent pris pour soutenir cette opération: la presse écrite et électronique, le film, l'animation sociale. À ceci, il faut ajouter une situation conjoncturelle particulière: sur le plan religieux, le dernier concile a ouvert des barrières et fait tomber des murs; le développement de la science a ouvert des voies insoupçonnées avec l'ordinateur et l'énergie atomique; en recherche médicale, l'efficacité des moyens contraceptifs a fait chuter la natalité de façon radicale; sur le plan politique, nous avons connu une succession de bons gouvernements. Jamais dans toute l'histoire du Québec il n'y a eu aussi peu de contradictions entre les partis politiques une fois rendus au pouvoir, sauf en matière constitutionnelle où chacun aimait le Québec à sa façon.

Les moeurs politiques ont été assainies et une social-démocratie a été appliquée, même par ceux qui la contestaient au moment où ils étaient dans l'opposition. Le phénomène de la socialisation qui a donné une voix au citoyen pour revendiquer ses droits grâce à différents mécanismes, coopératives, syndicats, comités de citoyens, associations de consommateurs, a sans doute favorisé le maintien de la qualité de l'administration gouvernementale.

Sur le plan social, presque tout ce qui est faisable a été fait. On parle souvent de la Suède comme le pays le plus avancé en matière de mesures sociales. Le Québec n'a toutefois rien à envier à ce pays, il l'a rattrapé en moins de vingt ans.

Quelles que soient les conditions dans lesquelles se retrouve un Québécois à tout moment de sa vie, il n'est jamais laissé seul; la société s'en charge grâce à un plan de mesures sociales. Sur le plan de la liberté personnelle, nous sommes des champions: le citoyen a tous les droits. C'est la plus belle richesse du Québec. Peu de pays dans le monde connaissent cette liberté d'action et de parole.

Sur le plan de l'éducation, l'objectif est atteint, nous appartenons maintenant à une société instruite. Il y a cependant un paradoxe: le slogan "qui s'instruit s'enrichit" est devenu un boomerang car nous avons maintenant des chômeurs instruits. Le choix d'une profession est devenu difficile, il y a souvent saturation. Une telle situation est démobilisatrice pour les jeunes qui se laissent influencer par des options contraires à leurs aspirations dans l'espoir d'être plus assurés de se trouver du travail et qui, malgré tout, se retrouvent très souvent sans emploi à la fin de leurs études.

Sur le plan économique, nous connaissons le même phénomène que toute l'économie occidentale depuis 1973 — les problèmes de l'énergie et l'inflation galopante qu'aucune mesure ne semble pouvoir arrêter.

Le chômage se maintient à un niveau élevé. Les petites et moyennes entreprises ne subsistent qu'avec difficulté, un nombre grandissant cessent leurs activités à cause d'un manque de rentabilité. Même des entreprises géantes connaissent des situations de faillite qui sont parfois évitées par l'injection de millions et de millions par les gouvernements des pays occidentaux, afin d'éviter le chômage épidémique que causerait leur fermeture.

Au Québec, cette situation est moins apparente, mais elle existe sur un autre plan. Ainsi, le gouvernement injecte des centaines de millions de dollars pour moderniser l'industrie des pâtes et papiers, des programmes de relance économique sont maintenus à coup de dizaines de millions.

Les programmes d'aide gouvernementale pour stimuler l'économie et infléchir son orientation sont tellement variés et nombreux qu'il est à se demander si l'économie capitaliste n'est pas en train de sombrer.

Il y a bien les sociétés d'État qui sont l'objet de critiques de la part des tenants de l'entreprise privée. Ces sociétés n'ont pas été créées pour faire compétition et enlever le marché à l'entreprise privée. Au contraire, elles ont été créées pour soutenir l'économie et parfois lui donner une dimension sociale. À toutes fins utiles, si l'État se retirait de toute forme d'activités économiques, il n'est pas sûr que l'entrepreneur privé ferait mieux pour la prospérité de l'État québécois.

À la suite de ces brefs commentaires, on doit reconnaître que la société québécoise est malade. Pourtant, elle a évolué dans un contexte de liberté totale. Ce libéralisme prôné par l'école capitaliste ne l'a pas empêchée d'aboutir à un échec. La preuve de l'échec, c'est l'intervention de l'État pour faire des dons, donner des subventions, accorder des privilèges. Malgré tout cela, la crise économique continue, l'État s'endette, le citoyen est de plus en plus écrasé sous le fardeau des taxes.

Parallèlement à cette économie de libre entreprise et d'État, il y a la place occupée par l'économie coopérative. Les coopératives d'épargne et de crédit sont très importantes: 30% de l'épargne des Québécois est regroupée dans ce type de coopératives qui ont un actif de seize milliards de dollars.

Les coopératives agricoles sont devenues de grandes entreprises industrielles, leur nombre qui était de 600 dans les années 50 est maintenant de 160. Elles contrôlent 80% de l'industrie laitière et environ 40% des autres activités agricoles.

Les coopératives de consommation ont environ 5% du marché. Les coopératives de pêche détiennent 60% des pêcheries québécoises. Les coopératives forestières ont à peine 3% du secteur des forêts. Il existe bien une vingtaine d'autres catégories de coopératives. Elles sont importantes socialement, mais n'ont que peu de poids dans la balance économique.

Avant de décrire le fonctionnement des entreprises pour mieux situer la place qu'occupent les consommateurs dans les prises de décision qui orientent l'économie, nous poserons la question suivante: La Révolution tranquille qui a transformé le Québec a-t-elle favorisé et permis la primauté du consommateur? Nous ne tenterons pas de répondre à cette question et laisserons aux consommateurs le soin d'y répondre eux-mêmes, après avoir pris connaissance du fonctionnement des entreprises de production et de distribution qui font l'objet de la section suivante.

3.2 LE FONCTIONNEMENT DES ENTREPRISES DE PRODUCTION EN 1981

Qui possède les entreprises? Que font-elles? Qui les contrôle?

Quels buts poursuivent-elles? Quels moyens prennent-elles pour atteindre leurs fins? Nous tenterons de répondre à ces questions en analysant séparément celles qui produisent et celles qui distribuent, compte tenu du fait que notre système économique fonctionne à partir d'entreprises qui produisent industriellement ou artisanalement des biens de consommation durables et non durables. Nous traiterons en premier lieu des entreprises de production sans lesquelles il n'y aurait pas d'entreprises de distribution.

Comme il ne s'agit pas d'un traité de sciences économiques, nous nous limiterons à quelques exemples qui constituent un échantillon du système dans lequel vit quotidiennement le consommateur.

Notre première observation concerne la surproduction. Il y a trop de biens de consommation non durables, notamment les produits alimentaires: il y a trop de patates, trop de poulets rôtis, trop de lait, trop de beurre, trop de porc, trop d'oeufs, bref il y a un surplus de produits alimentaires dans presque tous les domaines, à un point tel que des quantités d'oeufs et de patates sont détruits, le lait est jeté dans les ruisseaux, des tranchées sont creusées pour enterrer le bétail. Cette situation incroyable se produit pour maintenir les prix, alors que sur le plan humanitaire, les deux-tiers de la population du globe souffrent de la faim. Un domaine fait exception: les biens énergétiques. Il manque de pétrole, peut-être un jour de l'électricité, problème grave qui sera solutionné par la technique, peut-être l'énergie nucléaire? C'est le problème du futur.

En ce qui concerne les biens de consommation durables, on rencontre le même phénomène. Il y a trop d'automobiles, de meubles, de produits textiles, de chaussures, de matériaux de construction. Il y a des surplus qui se traduisent par des produits non vendus que l'on retrouve chez le manufacturier, le grossiste, ou le détaillant.

Cette situation que chaque consommateur constate quotidiennement est causée par le développement industriel basé sur le *volume*, conception économique qui s'inscrit dans le gigantisme des entreprises dans le but de réaliser des économies d'échelle: plus on produit, plus on peut abaisser les prix; plus on mécanise, plus on augmente la production et améliore la rentabilité.

Cette conception industrielle basée sur le volume est devenue une pratique. Elle a poussé les entreprises à se développer par toutes sortes de moyens, ce qui a eu pour effet d'éliminer un grand nombre de petites entreprises et de détruire presque totalement la production artisanale.

Quelques grandes entreprises industrielles occupent le marché nord-américain dont le Québec est tributaire, et ce, dans la production de biens de consommation durables et non durables.

Dans le domaine des biens durables on trouve les grands de l'automobile: Ford, Chrysler, General Motors, American Motors, et les grands des appareils ménagers: Westinghouse, General Electric, Sunbeam, etc.

Dans le domaine des biens de consommation non durables, notamment les produits alimentaires, c'est General Foods, Campbell's, Heinz, Standard Brands, Sunkist, Kelloggs, enfin la liste est très longue. On peut s'en rendre compte en remarquant les noms des fabricants des produits que nous consommons quotidiennement.

Plus authentiquement québécois, il y a les produits laitiers, certains légumes, les oeufs, le poisson, les viandes, sauf le boeuf qui est importé de l'Ouest dans une proportion de 80%.

La production industrielle dans le domaine des produits laitiers relève à 80% de sept coopératives, dont Agropur (Coopérative agricole de Granby) a été le pionnier. Il en est de même pour le poisson avec les Pêcheurs unis du Québec.

Le marché pour les autres denrées se partage entre les coopératives agricoles du Québec et les grandes firmes avec des actionnaires anonymes: Canada Packers, McCain, Robin Hood, Multifoods, etc.

À cette brève description, il faut ajouter les biens de consommation non durables représentés par les produits ménagers d'usage courant: les savons, les détergents, les produits de beauté et de santé, shampooings, dentifrices, parfums, etc., un marché de plusieurs centaines de millions de dollars au Québec.

La production industrielle dans ce secteur se partage entre des géants: Lever Brothers, Proctor & Gamble, Colgate, Palmolive. À ces entreprises qui font de la production pour "le monde ordinaire", il faut ajouter les plus sophistiqués: Helena Rubinstein, Élizabeth Arden, Yves St-Laurent qui produisent davantage pour les riches.

Sauf les coopératives, toute cette gamme de grandes entreprises industrielles sont des corporations privées cotées en Bourse et poursuivant un seul but: faire des profits pour assurer à leurs investisseurs un rendement sur le capital investi.

Pour réaliser ces profits, il faut une production maximale et vendre tous les biens produits; et le seul acheteur de cette production, c'est le consommateur.

La grande production industrielle est payante à une condition: faire du volume. Le profit recherché par l'industrie n'est plus dans une marge de profit élevée, comme c'était le cas autrefois. C'est sur la quantité produite: faire un profit de 5 $ par grille-pain et en vendre 1 000 donne un profit de 5 000 $. Il est plus avantageux de s'équiper pour en fabriquer 100 000 unités sur lesquelles on retirera un profit de 1 $ chacune, ce qui donnera 100 000 $.

Cette production basée sur le volume est à première vue un avantage pour le consommateur qui paie le produit moins cher. Là où il perd, c'est au moment où la grande industrie a des surplus et que le seul moyen de les écouler, c'est de forcer le consommateur à consommer davantage.

Ce phénomène que l'on appelle société de consommation ne s'est pas créé en un jour; il a été un long processus d'évolution qui s'est fait sur une période de vingt-cinq à trente ans. L'étau s'est resserré à chaque étape de la concentration des entreprises.

Ainsi, l'industrie de l'automobile s'est donné une infrastructure tellement gigantesque qu'elle est dans l'obligation de produire plus que les besoins normaux des consommateurs. Il est certain qu'on pourrait construire une automobile qui pourrait avoir une durée de dix ans. L'Allemagne a bien conçu sa Volkswagen "coccinelle" dont la durée devait être de vingt ans. Mais en Amérique du Nord, il ne fallait pas y penser, on aurait alors assisté à l'effondrement de l'économie qui est basée sur l'industrie automobile. Alors, on a résolu le problème de la façon suivante: on a réduit la qualité de la carrosserie. Il faut comparer une automobile de 1950 avec une autre de 1980 pour le constater. On n'utilise aucun produit antirouille alors qu'il est possible de le faire. On a multiplié les modèles, les couleurs et enfin, pour augmenter encore la consommation, on a créé le besoin d'avoir deux automobiles, une petite et une grosse, l'habitude de changer à tous les ans. Il a fallu l'intervention du gouvernement pour obliger les manufacturiers à améliorer la qualité, l'utilisation de produits antirouille, sans régler le problème de ces grands consortiums qui ne peuvent plus vendre toute leur production et qui s'en vont vers la faillite, forçant ainsi les gouvernements à les soutenir au coût de centaines de millions de dollars pour éviter un désastre économique. Les cas de Chrysler, dans le domaine de l'automobile, et de Massey Ferguson en équipement agricole en sont des exemples.

Dans la production des appareils électriques, on rencontre la même situation. La production est plus forte que la demande. Pour éviter des arrêts de travail, on réduit la qualité de la marchandise. On utilise souvent des matériaux d'une durée limitée, comme les plastiques. On crée constamment des modes nouvelles, on suscite des besoins artificiels et l'on produit des séries de gadgets inutiles et encombrants que l'on vend à force de réclame.

L'industrie du vêtement et de la chaussure passe par une période d'exploitation honteuse du consommateur. La mode est devenue un dieu qui est adoré au grand bénéfice des industriels.

Les vêtements qui seront portés en 1981, comme ceux des années à venir, sont ceux qui auront été décidés dans les maisons des soi-disant grands couturiers. Leur conception est en fonction de la durée d'une saison, les prix sont en fonction du nom du couturier dans une proportion de 50%.

Il en est de même pour la chaussure. Rien ne sert d'argumenter sur ce point, il faut seulement constater le fait que les maisons un peu cotées vous en offrent jusqu'à 500 $ la paire. Pour un consommateur averti, nous n'avons pas à faire plus de commentaires.

Il y a bien eu une contestation de la jeune génération qui s'est dirigée vers l'antimode et le pratique avec la vague des "jeans". Il s'agit du même matériel avec lequel étaient confectionnés les vêtements pour exécuter des travaux malpropres, il y a quelques années, et que l'on désignait sous le nom de "overalls". Nos profiteurs de la mode ont très rapidement récupéré cette tendance en baptisant les vêtements sous les noms de Lee, Wrangler, GWG, Levis et une fois que la valeur a été attachée au nom, on a fait grimper les prix. Les "jeans" ont passé de 5$ à 30$ en l'espace de cinq à six ans.

La production des produits alimentaires n'a pas échappé au phénomène de la grande industrialisation. Ainsi, on a vu la multiplicité des produits: il y a maintenant entre 10 000 et 12 000 produits dans un supermarché, alors que les besoins normaux pour répondre aux besoins des consommateurs se situent entre 700 et 800. Il serait intéressant de faire une étude sur l'augmentation des coûts due à une telle quantité de produits sous les aspects suivants: coûts du transport, de la manutention, de l'entreposage, de l'inventaire, de la surface de plancher et de l'intérêt sur les investissements. Nous laisserons aux économistes le soin de faire cet exercice.

Est-il normal de retrouver sur les rayons des épiceries plus de 150 produits de nourriture pour bébés mis en marché par les compagnies Heinz et Gerber? Kelloggs, General Mills et Quaker nous offrent 40 sortes de céréales. La ménagère ne prépare plus de gâteaux maison parce que Robin Hood et Betty Crocker nous en offrent plus de 50 variétés. Et enfin, on a réussi à créer un marché de 60 millions de dollars au Québec seulement avec la vente de produits alimentaires pour chats et chiens (*Épicier*, mars 1981). Avons-nous réellement besoin des 32 sortes de savons et détergents produits par trois compagnies Procter & Gamble, Lever Brothers

Ltd et Colgate-Palmolive.

La production industrielle, basée sur le volume, offre aux consommateurs une montagne de produits, le profit sur chaque produit n'étant pas élevé ou du moins pas exagéré. Ce qui compte pour le producteur, c'est la quantité vendue. C'est à ce niveau que se réalise le profit qui s'exprime par le rendement sur le capital investi par les actionnaires. *Vendre, vendre, vendre* est le moteur qui assure la prospérité des entreprises de production industrielle. Ce défi de vendre toujours davantage, d'augmenter toujours la production a contribué à inventer l'énorme quantité de produits utiles et inutiles entre lesquels le consommateur doit choisir quotidiennement. Cette grande production industrielle doit s'écouler. Parmi les moyens favorisant cet écoulement, il y a toute une planification que l'on désigne sous le nom de mise en marché, mieux connue maintenant sous le nom de marketing.

3.2.1 Le marketing *

Le marketing est la science qui regroupe toutes les facettes de la mise en marché à partir de la conception du produit, la description du contenant, le test auprès des consommateurs, la promotion, la campagne de lancement, la publicité, le choix des mass-media et l'annonce coopérative. En résumé, c'est tout le programme qui consiste à participer à la conception du produit, à le mener au consommateur et à maintenir sa consommation.

Cette énumération n'a rien de péjoratif et ne constitue pas une critique du marketing. Au contraire, il faut reconnaître ses mérites, sa puissance, son efficacité et sa popularité. L'efficacité du marketing est tellement reconnue qu'il est utilisé dans tous les domaines de la vie sociale, politique et économique.

Les gouvernements l'utilisent pour faire connaître leurs législations et réglementations, pour se développer une image, pour gagner leurs élections; les religions, pour démontrer leur amour du prochain; les agences de voyage, pour nous convaincre que la qualité de la vie est impossible sans un petit séjour hivernal dans le Sud.

Le marketing a donné naissance à des firmes très spécialisées et même dangereusement compétentes. C'est un instrument dont il faut user avec discernement, car il peut servir même à conditionner le consommateur. Le flash est un procédé bien connu qui, répété à satiété, est imprégné dans le subconscient du consommateur et crée l'automatisme.

---

* De plus en plus ce terme anglais tend à être francisé par l'expression *commercialisation* (N.d.l.R.).

Pour démontrer l'importance du marketing, il suffit d'énoncer quelques chiffres concernant la publicité. En 1977, les dépenses en publicité au Canada ont atteint 1 026 011 000 $. Le Québec pour sa part a dépensé 260 000 000 $. Un certain nombre d'entreprises de production ont leur propre service de marketing. D'autres font appel aux services de firmes indépendantes qui créent les messages, déterminent les types de média à utiliser et évaluent le degré d'influence publicitaire.

Il y a des centaines de nouveaux produits qui sont lancés chaque année sur le marché. Un bon nombre sont retirés parce qu'ils n'ont pas la faveur du consommateur. Il est cependant généralement reconnu que parmi ceux qui restent le marketing a joué un rôle important. Pour mieux illustrer le processus, nous tenterons de décrire le cheminement de la mise en marché d'un produit.

Partant généralement d'une recherche et d'un essai en laboratoire, le produit X désigné à être fabriqué industriellement doit d'abord faire l'objet de tests scientifiques et correspondre aux normes exigées par les ministères de la Santé ou tout autre organisme de contrôle pour la protection du consommateur. Cette première étape franchie, intervient généralement le service ou la firme spécialisée en marketing et en communication qui fait une étude du contenant, du format, de la couleur, de l'attrait, en somme de l'ensemble des points retenus pour capter l'attention du consommateur. Dans un deuxième point, le produit est testé auprès des consommateurs. Des territoires prédéterminés sont maintenant identifiés. Ces territoires vont varier avec les salaires, l'âge, les couches sociales, les ethnies et même les religions. Selon l'accueil de ces tests, le manufacturier détermine son plan de production et la firme de spécialistes étudie un plan de lancement.

Le plan du lancement comprend dans une première étape la publicité qui, selon le produit et les couches de la population visées, se fera par les médias écrits ou électroniques. Généralement une campagne de lancement comprend une publicité dans les quotidiens, les hebdomadaires, les magazines, un grand nombre de flashes à la radio et des annonces télévisées.

Dans les campagnes d'envergure, les panneaux-réclame sont utilisés le long des autoroutes ou à d'autres points stratégiques: dans les stations de métro, les wagons et les autobus. Finalement, on distribue des échantillons de produit dans les familles pour les faire apprécier.

La durée de cette opération varie entre trois et cinq semaines. C'est l'étape "création de la demande". Le produit n'est pas encore sur les rayons des magasins, pas même chez le grossiste, que déjà le consommateur commence à réclamer le produit chez son détaillant. On l'a déjà sensibilisé à un concours dont les gagnants se mériteront une automobile ou un voyage dans le Sud et beaucoup de prix secondaires, en plus de recevoir des coupons de rabais qui lui sont distribués par la poste.

L'opération "distribution chez le grossiste" est accompagnée d'un programme savamment établi et orchestré, accompagné du budget de promotion, élément irrésistible qui est le volet le plus important de l'opération "lancement" et plus tard du soutien du produit.

Le grossiste et l'acheteur de la chaîne intégrée sont pris dans un étau. Même s'ils ne veulent pas du produit, ils ne peuvent résister à la pression que le consommateur exercera en le réclamant dans le réseau de distribution volontaire ou intégré. De plus, le budget de promotion est en général si généreux qu'il serait anti-économique de se priver de cette source miraculeuse de profits.

La proposition du producteur s'approche généralement du scénario suivant: entre 1 000 $ et 10 000 $ pour faire paraître le nom du nouveau produit dans le catalogue de la chaîne ou du grossiste, un voyage à Hawaï ou ailleurs avec l'achat de tant de milliers de caisses, ou d'autres avantages comme la réduction du prix d'achat — de 1 $ à 5 $ la caisse selon le produit — lors de la commande initiale, l'achat du programme de publicité du réseau de distribution, etc.

Les programmes de publicité d'un réseau de distribution sont généralement les suivants: étalage "display" sur le plancher de vente, étiquettes de réclame sur les tablettes, posters dans les vitrines et sur les murs à l'intérieur du magasin, dépliants publicitaires distribués aux consommateurs, annonce de la semaine dans un grand quotidien, appui par un hebdomadaire régional, flashes à la radio, annonces à la télévision.

Ce plan que l'on désigne dans le langage des affaires par "package deal" est acheté par le manufacturier pour le lancement de son produit. Son prix varie entre 2 000 $ et 25 000 $ par semaine, selon l'importance du réseau de distribution. Il va de soi que c'est le manufacturier qui décide du choix des dates où l'annonce sera diffusée et où le produit sera en magasin. Il exigera souvent l'exclusivité de l'annonce en s'opposant à ce qu'un produit compétiteur soit annoncé en même temps.

Voilà pour le lancement du produit. Il reste maintenant l'annonce de soutien qui se fait toujours par l'annonce coopérative que le manufacturier paie.

À ce modèle moderne de mise en marché, il faudrait également ajouter les primes pour le volume, qui constituent la base du commerce et l'outil de prédilection pour s'assurer le maintien et le progrès du gigantisme des entreprises. Le système est le suivant: le prix de base est le même pour tous les réseaux de distribution, accompagné d'une remise basée sur le volume du réseau. Par exemple, si le prix d'une caisse est de 10 $, ce prix ne varie pas jusqu'à ce que vous ayez atteint un volume déterminé par l'entreprise de production, disons 100 000 $; alors on vous accorde une remise de 1%. Si vous atteignez 500 000 $, vous obtiendrez 3%. Cet escompte sur le volume étant progressif, il peut atteindre 5% et même davantage. Un tel système permet aux grandes entreprises qui sont assurées d'atteindre le volume maximum, de fonctionner à un coût réduit, en misant sur ces remises qui constituent une part importante de leur profit.

Ce système est heureusement atténué par les regroupements d'achat des petites et moyennes entreprises afin de bénéficier de ces escomptes de volume. Il reste cependant une administration additionnelle qui pénalise la petite entreprise.

Le marketing dans le fonctionnement des entreprises de production est devenu le point central de l'opération commerciale. C'est là que se conçoivent les politiques, que s'analysent les travers et les penchants du consommateur qui sont savamment utilisés par la suite pour satisfaire certains besoins.

La satisfaction des besoins du consommateur qui, théoriquement doit servir à inspirer les producteurs, part-elle toujours de l'intérêt du consommateur? Est-elle inspirée par l'intérêt du producteur ou rencontre-t-elle dans un équilibre parfait l'intérêt des deux groupes? Nous laissons aux consommateurs le soin de l'analyser, nous contentant d'affirmer que dans tout ce processus un seul paie la note, LE CONSOMMATEUR, car tout est ajouté au prix de la marchandise.

3.3 LE FONCTIONNEMENT DES ENTREPRISES DE DISTRIBUTION

La distribution des biens de consommation a connu une évolution rapide qui l'a métamorphosée depuis les années 1950: transformation des magasins de distribution de biens alimentaires en "self-service", invasion des centres commerciaux par les chaînes intégrées et les entreprises multinationales, transformation des détaillants indépendants et des coopératives en chaînes volontaires, spécialisation des magasins, etc.

Ces changements physiques ont aussi été accompagnés d'un changement d'opérations qui a révolutionné la distribution des biens de consommation, à savoir une réduction de la marge de profit brut pour miser sur des profits obtenus par le volume. La distribution des biens de consommation est le reflet fidèle de la production des biens de consommation. Dans une large mesure, la distribution est un prolongement de la production. Pratiquement, l'entreprise de distribution est souvent à la merci des entreprises de production et devient son fidèle serviteur.

La production industrielle cherche à réaliser un haut rendement sur le capital investi. C'est le même objectif poursuivi dans l'entreprise de distribution où le rendement sur le capital investi est basé sur le volume. Ce mode d'opération a fait diminuer les marges de profit brut au minimum. Dans un premier temps, cette opération-marketing conduite par les chaînes intégrées a provoqué de nombreuses faillites chez les indépendants qui se sont ressaisis et regroupés en chaînes volontaires pour finalement s'adapter à ce concept de prix réduits. En comptabilité, le raisonnement est le suivant: en réduisant les prix de façon radicale, le marchand double, triple et quadruple son chiffre d'affaires. Ainsi,

- 100 000 $ de ventes par année à 40% de marge brute = 40 000 $.
- 400 000 $ de ventes par année à 20% de marge brute = 80 000 $.

Il s'agit alors d'augmenter le revenu net en misant sur une entreprise dont les opérations sont basées sur le volume et la diminution des dépenses par unité de vente.

La recherche du profit basé sur le volume a fait passer les marges brutes en alimentation de 35% qu'elles étaient dans les années 50 à 12%. Ce taux s'est modifié avec la poussée inflationniste des dernières années, ne permettant plus de faire des comparaisons valables. En 1980, les marges brutes moyennes dans l'alimentation ont été de 17,3% et le profit net sur les ventes a été de 2,56%. Il y a cependant une fausse croyance lorsque l'on parle de faible rentabilité dans un magasin de détail qui opère en fonction du volume: on pense souvent que ce n'est pas payant de réaliser un pourcentage de 2,56% net sur les ventes, alors que dans le passé on réalisait un profit de 4, 5 et 6%. Cette appréciation est faussée. Il ne faut plus apprécier la mince marge de profit net sur les ventes, il faut apprécier le total du profit sur le capital investi qui est la seule et véritable mesure. À ce titre, le commerce de distribution de détail est payant, même très payant.

Cependant, cette affirmation serait faussée si l'on se référait à un petit commerce réalisant un mince chiffre d'affaires. C'est ce qui explique l'énorme différence de prix qui existe entre les dépanneurs et les chaînes corporatives volontaires (ou coopératives) qui exploitent des supermarchés. Le dépanneur n'opère pas en fonction du volume, son chiffre d'affaires étant limité aux besoins d'accommodation du consommateur. Il doit donc aller chercher une marge de profit brute élevée.

Si l'on s'en tient à cette description, on pourrait conclure que l'approche de la distribution basée sur le volume, à l'instar de la production qui fonctionne sur le même principe, constitue un avantage pour le consommateur, ce qui est strictement vrai quant au prix, mais entièrement faux pour les intérêts économiques généraux du consommateur. *La recherche du profit ne se trouve pas dans la vente des produits à prix élevé aux consommateurs, elle est dans l'espérance d'une consommation plus grande par les consommateurs et dans la diminution du coût d'exploitation des magasins*.

Cette forme de marketing a été une réussite complète. L'administration scientifique pratiquée dans le réseau de distribution a réduit les coûts d'exploitation au minimum. De même, les plans de publicité ont fabriqué des SUPER-CONSOMMATEURS qui achètent plus que leurs besoins et, dans une forte proportion, des produits inutiles.

Le consommateur est devenu un objet de profit. Le commerçant le poursuit inlassablement et le sollicite par tous les moyens subtils et psychologiques que la science du marketing moderne a inventés.

Les centres commerciaux sont venus transformer le mode de distribution des biens de consommation. Dans un premier temps, ils ont vidé ou modifié les commerces dans le centre-ville et provoqué des faillites. Leur installation en banlieue s'est fait à un rythme accéléré, au point qu'il n'est pas exagéré d'avancer qu'il y a 30% de surface de vente en trop. Plusieurs centres commerciaux ont dû fermer leurs portes, d'autres continuent au ralenti, maintenus par des grandes firmes nationales, alors que les boutiques changent de propriétaires deux ou trois fois par année, à la suite de faillites. Malgré cette situation, on en construit de nouveaux. Lorsqu'ils réussissent, c'est parce qu'ils ont enlevé de la clientèle au commerce voisin.

La construction d'un centre commercial ou l'ouverture d'un nouveau commerce n'augmente pas le pouvoir d'achat du consommateur, elle le divise et, dans une large part, le diminue.

Il faut penser au coût des services publics que les villes absorbent en permettant la construction d'un centre commercial. Qui paie pour ces services? Le consommateur, par une augmentation de ses taxes. Les faillites commerciales représentent également un coût indirect pour le consommateur, les pertes encourues faisant toujours à moyen terme l'objet de récupération par un prix plus élevé. Le partage du marché entre un trop grand nombre de commerces est également une contribution à l'augmentation des dépenses dont le budget est fondé sur les ventes, ce qui entraîne encore une augmentation des prix.

Ce contexte dans lequel évolue le commerce et la distribution au Québec est connu par les hommes d'affaires, mais peu connu du consommateur en général. Pourtant, le consommateur aurait tout intérêt à mieux le connaître afin de défendre son pouvoir d'achat et protéger ses intérêts comme consommateur.

Le Comité d'étude sur le fonctionnement et l'évolution du commerce au Québec (CEFECQ), formé par le gouvernement le 24 mars 1976, a publié un excellent rapport contenu dans quatorze volumineux dossiers qui analysent les différents secteurs du commerce au Québec. Nous en citerons quelques passages, notamment en ce qui concerne l'alimentation, en plus de quelques statistiques tirées du *Canadian Grocer* de février 1981. Au Québec, en 1980, le domaine de l'alimentation représentait un chiffre d'affaires de 5 770 629 000 $, ce qui constitue une augmentation de 9,4% par rapport à 1979 et 28,6% du marché pour tout le Canada. Ces 5,8 milliards de dollars de biens alimentaires furent vendus à 6 303 400 consommateurs qui composaient la population québécoise en 1980. Ces consommateurs disposaient chacun d'un revenu moyen de 7 343 $ dont 915,48 $ furent dépensés pour les produits alimentaires dans les épiceries ou épiceries-boucheries du Québec.

Les réseaux de distribution qui réalisèrent ces 5,8 milliards de dollars étaient formés de 11 399 magasins se répartissant de la manière suivante: les chaînes corporatives (Dominion, Steinberg, etc.), 329 magasins; les chaînes corporatives exploitant des dépanneurs, 402 magasins; les chaînes volontaires (regroupement d'épiciers indépendants et coopératives), 3 987 magasins; les magasins non affiliés, 6 681.

Ce réseau de 11 399 magasins se partageait le marché de la manière suivante:

- chaînes corporatives (Dominion, Steinberg, etc.) 39,9%
- chaînes volontaires (indépendantes et coopératives) 42,3%
- magasins non affiliés 17,8%

Ces statistiques de 1980 démontrent que le domaine de l'alimentation au Québec est occupé à 60,11% par les épiciers indépendants. Les coopératives se partagent 8,4% de cette part du marché et 5% du total québécois.

Le tableau suivant indique les profits bruts moyens réalisés en 1980 sur chaque dollar de vente chez les épiciers membres de chaînes volontaires:

	Marge brute (%)	Vente totale (%)
Épicerie	14,39	65,24
Bière	22,41	1,18
Viandes	18,48	24,89
Fruits et légumes	26,35	8,69
Profit brut moyen	17,03	100,00

Ces statistiques montrent encore une fois que le profit brut dans l'alimentation est très raisonnable, et que les profits recherchés sont basés sur le chiffre d'affaires et non sur le profit à l'unité. Ce qui est également positif, c'est la concentration du marché entre les indépendants et les coopératives, 60% du marché est entre leurs mains. Lorsqu'on parle de magasins indépendants, il faut également constater que 42,3% de ce marché se partage presque entièrement entre Provigo et Métro-Richelieu. Il dépassera 50% avec l'acquisition de la chaîne Dominion par Provigo. Ce dernier augmentera alors sa part de marché de 10%.

On peut se réjouir que la distribution alimentaire passe en majorité par un réseau à propriété québécoise. À cet aspect positif, il y a celui plus négatif des pouvoirs de marchandage énormes que confère la grande entreprise à ces propriétaires au moment de la négociation des achats. Citons à cet effet l'étude CEFECQ.

Cette partie du processus d'achat est en fait si déterminante pour beaucoup de fabricants que nous avons cru bon de la distinguer.

On constate que la négociation est fort différente selon le distributeur et selon le fournisseur.

Les petits distributeurs contactés dans le cadre de l'enquête CEFECQ se plaignent habituellement de la rigidité des grands manufacturiers de marques nationales, en ce qui concerne la négociation des termes et des conditions d'achat. Les petits distributeurs se sentent souvent plus à l'aise avec des petits fournisseurs qu'ils connaissent et avec qui ils peuvent négocier.

À l'opposé du continuum, les grands manufacturiers se plaignent de la rigidité des grands distributeurs qui, selon eux, "leur tordent de bras" pour obtenir le maximum de remise possible.

En fait, la structure d'escompte en vigueur dans l'industrie et l'usage qu'en font les distributeurs et les fournisseurs, selon leur position respective, créent des disparités et des problèmes aigus pour les parties concernées.

Nous avons vu auparavant que les escomptes réguliers varient entre 3 et 4% du prix de vente du manufacturier. Ils sont répartis ainsi:

- plan rabais - volume	de 1 à 2%
- fonds publicitaires coopératifs	de 1 à 4%
- remise au comptant	de 0 à 1%

Dans le cas de NOUVEAUX PRODUITS OU POUR DES PRODUITS QUE LES DISTRIBUTEURS MENACENT DE RAYER DES LISTES, d'autres escomptes vont s'ajouter, lesquels sont négociés selon l'importance relative des forces en présence et qu'on retrouve par exemple sous les noms de:

- allocation d'achats;
- allocation de publicité temporaire;
- allocation temporaire de volume, etc.

Le total de ces escomptes peut atteindre 22 à 25% du prix de vente, et peut élever la marge réelle jusqu'à 40% si on l'ajoute à la marge brute du magasin dans le cas des chaînes par exemple.

Il est évident que ces escomptes ne sont pas offerts à tous les distributeurs et, inversement, que tous les distributeurs ne sont pas en position de les demander. C'est ainsi que nombre de distributeurs, petits et moyens n'en bénéficient pas et que nombre de manufacturiers se font *rayer des listes* ou ne peuvent pénétrer les réseaux, parce qu'ils n'atteignent pas ces *seuils* d'escompte. On voit par exemple les distributeurs importants demander des allocations de promotions spéciales pouvant atteindre 10 000 $ par catégorie de produits et par fournisseur, sous prétexte que ces derniers les déduiront sur leur publicité nationale. Ceci est difficile à accepter pour tous les fabricants et, en particulier, *pour les PME qui n'ont pas de budgets de publicité nationale*.

On réalise de plus en plus, grâce aux entrevues réalisées par le CEFECQ, que la structure d'escomptes qui règne dans le secteur de la distribution alimentaire va à l'encontre des intérêts des fournisseurs, et en particulier des PME, et les met sérieusement en péril. En effet, exiger ce genre d'escomptes n'affecte en aucun cas la survie des distributeurs dans la mesure où il est relativement facile, pour 80% des produits, de remplacer un fournisseur par un autre.

3.3.1 Impact des changements structuraux et des politiques d'achat dans le milieu de la distribution sur le secteur manufacturier au Québec

Nous avons observé l'évolution de la distribution alimentaire et en avons tiré la conclusion que les chaînes et groupements d'indépendants forts continueront d'augmenter leur emprise sur le marché québécois. Cinq grands blocs, soit Steinberg, Dominion, Provigo, Hudon et Deaudelin et Métro-Richelieu, sont aujourd'hui omniprésents dans la distribution et contrôlent le marché du détail. Le marché institutionnel est un secteur beaucoup plus éparpillé où peu de blocs importants émergent encore tant au point de vue de l'approvisionnement (grossistes) qu'à celui de la distribution (hôtels, restaurants et institutions).

La concentration des achats et l'expansion du secteur de la consommation des aliments hors du foyer ont, sur les manufacturiers, des répercussions importantes.

La concentration des achats entre les mains de cinq acheteurs principaux au Québec place tous les fabricants, y compris les plus grands, dans une position de faiblesse relative. Nous avons vu que, même si le produit a une bonne part de marché, le manufacturier peut, à toutes fins utiles, se faire boycotter si son offre financière (escompte) n'est pas aussi bonne que celle des fournisseurs concurrents.

Cette situation place tous les fabricants, et en particulier les PME, dans une situation délicate. Leurs marques de commerce n'ont habituellement pas un impact suffisant auprès du consommateur pour pouvoir espérer être sur les listes par la simple force de l'image du produit. Ils doivent donc accepter des termes de vente qui mettent en jeu leur survie, ou se concentrer sur la marque privée, avec le même impact.

Dans un secteur aussi concentré aujourd'hui que la distribution alimentaire, la *qualité médiocre* de certains produits des PME québécoises commence à apparaître comme un handicap majeur. La concentration des achats entraîne une spécialisation dans l'achat et une recherche de la qualité (et de sa régularité) qui n'ont pas toujours existé nécessairement dans le passé. Les distributeurs importants mettent leur réputation (et leurs ventes) en jeu quand ils font affaire avec certaines PME dans le domaine agro-alimentaire au Québec. C'est pourquoi, selon plusieurs d'entre eux, les distributeurs préfèrent les manufacturiers nationaux, particulièrement pour leurs programmes de marque privée. Selon l'un d'entre eux: *«Avec les grandes compagnies, la qualité, c'est automatique»*.

Le contrôle de la qualité est également déficient dans plusieurs autres catégories de produits usinés par des PME, depuis les conserves de légumes jusqu'aux biscuits. Tous ces aspects sont importants pour le distributeur majeur et jouent à long terme contre une grande partie des PME du Québec à l'avantage des plus grandes entreprises québécoises, ontariennes ou étrangères.

Il est important d'ajouter, à la décharge de l'entreprise agro-alimentaire du Québec, que les prix plus élevés qu'on lui reproche souvent, ne sont que partiellement sous son contrôle. L'entreprise est responsable de ses coûts de fabrication, mais elle est de plus en plus contrainte à travailler avec une matière première dont le prix est fixé par les organisations de production (plans conjoints). Dans la mesure où ces organisations n'existent pas forcément ailleurs et ne transigent pas le même volume que les producteurs américains, par exemple, le prix de base des denrées produites au Québec peut être affecté sensiblement. Le fabricant doit répercuter cet excédent de prix des matières premières sur son prix de vente.

Voici d'ailleurs comme exemple quelques différentiels de prix:

Prix du marché en ce qui concerne la volaille (6 février 1978)

		Québec	Ontario	États-Unis
Dinde	la lb	0,72$	0,72$	0,60$
Poulet	la lb	0,54	0,56	0,42
Oeufs	la dz	0,75	0,71	0,60

Prix du marché en ce qui concerne la viande (26 janvier 1978)

		Calgary	Toronto	Omaha
Boeuf (vivant)	le 100 lb	44,20$	48,25$	43,60$
		Montréal	Toronto	États-Unis
Porc	le 100 lb	68,97$	69,27$	46,83$

De plus, on doit noter que le salaire minimum en vigueur aux États-Unis est nettement plus bas qu'au Québec, et entraîne une situation où le fabricant québécois est désavantagé par rapport à son homologue américain. Il en est de même concernant une autre composante du coût de fabrication, soit celle du prix d'achat de la machinerie. Celle-ci vient en général des États-Unis et coûte donc plus cher au fabricant québécois qu'au fabricant américain, à cause des frais de transport, d'entretien et du coût du dollar américain.

Ces conditions font que les marques américaines, mêmes rendues à Montréal, sont le plus souvent moins dispendieuses que n'importe quelle marque québécoise.

Comme on peut le constater, dans un premier temps c'est l'entreprise de production qui impose ses volontés au réseau de distribution. Cependant, lorsque ces derniers atteignent une taille importante, ils imposent à leur tour des conditions. Ce constat est vrai pour les petites et moyennes entreprises, mais s'avère inexact pour les entreprises nationales ou multinationales qui demeurent les chefs de file en matière de mise en marché.

Ces moyens de pression qu'exercent les grandes entreprises de distribution québécoises sur les PME sont vraiment déplorables. Jamais ces dernières ne pourront percer et se développer si les exigences des chaînes sont impossibles à rencontrer. L'intérêt du consommateur se trouve dans un équilibre production - consommation. La prospérité économique du Québec repose sur une production québécoise répartie entre les PME du Québec et distribuée par un réseau québécois.

Présentement, le réseau de distribution appartient majoritairement à des Québécois, mais il distribue une production faite ailleurs qu'au Québec. Il s'agit à ce moment d'une opération à sens unique où ce sont les actionnaires des chaînes ou les propriétaires des magasins qui en bénéficient exclusivement.

Le développement de la PME est relié à un accès au marché qui est contrôlé par les réseaux québécois de distribution. Comme ces réseaux sont orientés vers le profit, il est évident que les correctifs ne viendront pas de ce côté. Il faut casser ce système qui travaille contre le consommateur. Il y a là un champ de responsabilité qui incombe à l'État et aux coopératives. Ces dernières pourront faire beaucoup en informant les consommateurs et en les invitant à se prendre en main de façon à devenir les agents d'orientation de l'économie, laquelle est de plus en plus contrôlée par une minorité d'intérêts économiques.

Ce chapitre ne serait pas complet si nous n'abordions pas un autre aspect qui pénalise le consommateur québécois et qui, à moyen terme, deviendra *un système dans le système*: les plans conjoints où les prix sont fixés par les organisations de production. Dans le langage courant, une telle opération est illégale et est sujette à des poursuites, en vertu de la *loi contre les Coalitions*. Il y a cependant un domaine où cet état de fait est permis, encouragé et encadré par une loi: il s'agit du domaine de la production agricole où l'on donne à un syndicat de producteurs le pouvoir d'administrer les règlements qui imposent un plan conjoint dans une production désignée.

Pour qu'un tel plan soit légal, il faut faire une consultation auprès des producteurs par voie de scrutin, et celle-ci doit être adoptée par 63,3% des producteurs. Une fois un tel règlement adopté, les prix sont fixés par les producteurs en fonction des coûts de production, et la production elle-même devient réglementée, chaque producteur ayant droit à un quota qu'il ne peut dépasser.

Pour mieux comprendre le mécanisme d'un plan conjoint, référons-nous aux produits laitiers qui en sont l'objet. Le prix du beurre et du lait est fixé par le syndicat en fonction du coût de production. Par exemple, si le coût pour produire une livre de beurre augmente de deux cents, on augmente le prix de détail de deux cents. Si le coût de production du litre de lait augmente de trois cents, il y aura une augmentation de trois cents du prix de vente. Le grossiste et le détaillant doivent respecter ces prix de détail fixés par le plan conjoint, sous peine de poursuites par la Régie des marchés agricoles.

L'agriculteur, lui, est soumis à un quota de production. Cette quantité de production permise lui est payée conformément au prix fixé. Cependant, si sa production dépasse le quota, il n'a pas le droit de la vendre sur le marché à prix réduit, ce qui l'oblige à détruire son produit. C'est ainsi qu'à chaque année il y a des centaines de milliers de livres de lait qui sont jetées dans les ruisseaux, car on n'a pas encore trouvé le moyen technique d'arrêter une vache de produire.

L'automatisation ou l'équilibre obtenu par ces contrôles est efficace pour le producteur, il n'y a aucun doute. Il a même produit deux sources de revenus: le premier, dans la vente d'un produit qui comporte un revenu garanti; le deuxième, dans la vente du quota, au moment où l'agriculteur abandonne la production. Le quota est devenu tellement important qu'il se vend plus cher que les vaches. Ainsi, une vache laitière se vend présentement entre 700 $ et 1 000 $, et son quota, entre 2 500 $ et 3 000 $. Une vache, c'est du concret tandis que le quota, c'est de l'abstrait; pourtant, ce dernier est devenu un marché.

Un tel système provoque artificiellement une augmentation du coût de production, car 1) le producteur investit à partir d'une fausse valeur qui ne le pénalise pas, 2) il se remboursera en augmentant le prix de son produit. Dans les faits, tout ce qui concourt à augmenter le coût de production — investissements dans l'achat des vaches, augmentation du coût des moulées, de la main-d'oeuvre, etc. — sert de base à l'ajustement du coût de production. Jusqu'à présent, tout est normal. Cependant, quand ce coût augmente par l'achat des quotas ou par une diminution de la productivité, il est inacceptable d'en faire absorber le coût aux consommateurs.

Dans une économie agricole, artisanale et familiale, alors que l'agriculteur ne recevait jamais un juste prix pour son produit, de telles mesures auraient pu se comprendre. Mais dans une agriculture industrialisée, il semble que les règles du jeu industrielles devraient s'appliquer. Si un plan conjoint est justifié pour des produits agricoles, pourquoi ne l'est-il pas pour les secteurs mous du Québec tels que la chaussure, le textile et le meuble?

On vient d'adopter un plan conjoint pour le porc. Le prix à la livre est présentement de 0,60 $. À surveiller ce prix dans les prochains mois! Pour illustrer le déchirement qui se fait parfois chez les producteurs, nous citerons un article publié dans le journal *Le Soleil* du 1er avril 1981 et intitulé "Plan conjoint du porc — Un scrutin postal de L'OPPQ":

> *«Une forte majorité de producteurs de porcs se sont prononcés contre un plan conjoint dans l'industrie porcine, à l'occasion d'un référendum postal.*
>
> *C'est ce qu'a annoncé hier un porte-parole de la maison Price Waterhouse et Cie, monsieur Gilles Masson.*

La maison de comptables avait été préalablement mandatée par l'Office des producteurs de porcs du Québec (OPPQ) pour organiser un tel référendum.

Des bulletins de vote ont ainsi été expédiés aux quelque 8 200 producteurs québécois de porcs qui devaient les retourner à Price Waterhouse, avant le 19 mars.

Un total de 1 976 producteurs se sont prévalus du scrutin, 1 350 se sont déclarés contre le plan conjoint et 585 pour.

Le nombre de bulletins rejetés a été de 41. Une cinquantaine d'enveloppes ont en outre été rejetées, parce qu'elles sont parvenues aux bureaux de Price Waterhouse, après le 19 mars.

Les résultats de ce scrutin postal ont été retransmis à la Régie des marchés agricoles du Québec, a indiqué monsieur Masson.

DES RÉSULTATS DIFFÉRENTS

Les résultats du référendum postal supervisé par la maison Price Waterhouse sont diamétralement opposés à ceux d'un référendum décrété par la RMAQ relativement au plan conjoint du porc.

Ce référendum, qui s'est déroulé les 18 et 19 mars dans les bureaux régionaux du ministère québécois de l'Agriculture, des Pêcheries et de l'Alimentation, a attiré l'attention de 7 059 voteurs.

De ce nombre, 5 203 se sont prononcés en faveur du plan conjoint du porc et 1 821 contre. Trente-cinq votes ont été annulés.

En d'autres termes, 73,7% des voteurs se sont prononcés pour le plan conjoint, 25,8% contre et 0,5% des votes ont été annulés.

Aux termes de la Loi de la Régie des marchés agricoles, un plan conjoint est adopté quand les deux tiers des votants se déclarent en sa faveur en autant que 50% des personnes habilitées à voter se prévalent de leur droit de vote.

Le plan conjoint supervisé par la RMAQ entrera en vigueur dès sa publication dans la Gazette officielle.

Seul le référendum de la RMAQ avait valeur légale.»

À noter que les plans conjoints sont une mesure du syndicalisme agricole pour protéger ses membres, mesure qui a provoqué un conflit entre la coopération agricole et le syndicalisme agricole. Dans le contexte actuel, la Loi a donné des pouvoirs prioritaires au syndicalisme agricole et les coopératives peuvent, à moyen terme, connaître de sérieux préjudices.

En conclusion de ce chapitre, nous posons à nouveau la question: Est-ce que la primauté du consommateur dans l'économie permet à ce dernier de faire valoir ses droits et d'intervenir pour la protection de ses intérêts?

Dans quelle mesure un marketing basé sur les entreprises de production, de distribution et en même temps faisant la promotion des plans conjoints de mise en marché de certains produits agricoles, peut-il retrouver cet équilibre essentiel à une économie axée sur la primauté du consommateur?

3.3.2 Le mythe de la primauté du consommateur

Le professeur Charles Gide, grand coopérateur français, précisait que le secteur coopératif devait prendre réellement au sérieux la proclamation, par les capitalistes, de la royauté du consommateur dans l'ordre économique régissant les transactions de l'époque:

> *«Les coopératistes, eux, ne se contentent pas de dire comme les économistes: tout pour le consommateur, ils disent aussi: tout par le consommateur. C'est lui qui doit gouverner.»*[1]

Cette belle pensée mise de l'avant par les capitalistes et les coopératistes demeure de la littérature. Dans les faits, c'est du "*wishful thinking*".

Le consommateur est un être humain avec des qualités, des défauts et des tendances profondes. Parmi les tendances de l'homme et de la femme, il y a l'égocentrisme qui consiste à s'intéresser aux autres dans la mesure où on en tire soi-même profit, et l'égoïsme qui fait rechercher exclusivement le plaisir et l'intérêt personnels. *Cette philosophie d'intérêt personnel est un sentiment naturel des êtres humains contre lequel il faut se battre en permanence pour créer une société humaine basée sur l'entraide, l'amour du prochain et la justice, afin d'améliorer la qualité de la vie.*

C'est cette lutte de chaque instant qui a fait nos sociétés civilisées, sans pour autant réussir à faire disparaître la haine et à interdire les guerres qui font encore le malheur de nos civilisations. Dans la recherche de cet équilibre qui nécessite l'atténuation de cette tendance à l'égoïsme, le système capitaliste est le grand gagnant car il fait constamment la récupéra-

---

(1) LAMBERT, P. ***La Doctrine coopérative***. 3e éd. Bruxelles: Les Propagateurs de la coopération, 1964.

tion de l'égoïsme. *Ce n'est pas le système capitaliste qui est égoïste, c'est l'homme*. Le système le récupère; il fait appel à ce penchant naturel. C'est de là qu'il tire sa force. Son action n'est pas axée sur la construction d'une société, elle est orientée sur le conditionnement de l'individu à qui on promet la richesse et le confort. Le secret, c'est de faire de l'argent, beaucoup d'argent, en faisant fructifier ses dollars. Cette philosophie basée sur l'égoïsme humain est devenue le moteur de l'éducation économique dispensée dans les institutions d'enseignement du Québec. Comme leitmotiv du capitalisme, il va de soi qu'on proclame LA ROYAUTÉ DU CONSOMMATEUR, car c'est chez ce dernier que se trouve le pouvoir d'achat qu'il faut canaliser pour l'enrichissement de ceux-là mêmes qui contrôlent l'économie: les producteurs et les distributeurs.

Ceci n'est pas une charge contre le capitalisme, c'est l'évocation d'une philosophie qui a connu une grande réussite et qui a aussi produit des inégalités sociales. Tous les consommateurs ont rêvé un jour de la réussite, même de la richesse, 5% environ ont atteint l'objectif.

Le capitalisme n'a pas que des torts, il faut reconnaître sa grande réussite économique. Le pouvoir de développement dynamique qu'on lui reconnaît ne pourra jamais être dépassé par un autre système, précisément parce qu'il fait appel à la réussite individuelle où l'être humain se surpasse pour atteindre le succès. Il y a eu des abus, mais ils ont été corrigés ou atténués dans une large mesure par le syndicalisme ou l'intervention des gouvernements. Cependant, il est faux d'affirmer qu'au cours de l'âge d'or du capitalisme le consommateur a exercé une royauté. Sa primauté est un mythe. Il n'en a peut-être pas trop souffert dans le passé, peut-on espérer qu'il en sera de même dans l'avenir?

Le capitalisme est en pleine crise. Les gouvernements et les économistes sont impuissants face aux carences du système. La pire, c'est l'inflation. En 1974, la Cooperative League déclarait dans un manifeste:

«L'inflation est un destructeur pernicieux des valeurs sociales, économiques et institutionnelles; elle doit être freinée. Une stabilité raisonnable des prix est un bon moyen pour une économie qui doit employer efficacement toutes ses ressources productives en fait de main-d'oeuvre. Une économie équilibrée ne peut devenir efficace que par des contrôles économiques francs et efficaces.

Nous croyons sincèrement que notre société doit réorienter ses priorités nationales ailleurs que dans la domination par un complexe économico-militaire stérile, mais bien défini.

Les hauts taux d'intérêt pour une rareté monétaire ne bénéficient en rien au bien-être commun; bien au contraire, de telles politiques freinent la croissance économique et contribuent à l'inflation. Les coopératives et les petites entreprises sont plus particulièrement affectées par de telles politiques et ce sont leurs usagers qui en souffrent. Nous croyons que l'exécutif devrait employer ses pouvoirs garantis par le Congrès pour contrôler et faire baisser les taux d'intérêt comme un moyen essentiel pour contrôler l'inflation.»

Ce manifeste de la Cooperative League évoquait alors une situation qui est un pâle reflet de ce qui existe en 1981. Si l'inflation était pernicieuse il y a sept ans, quel qualificatif faut-il lui donner en 1981, alors qu'elle a atteint le seuil de la catastrophe en ce qui concerne les taux d'intérêt?

Le rattrapage des salaires ne compense pas l'augmentation du coût de la vie. D'ailleurs, il s'ajoute à l'inflation. Ce n'est pas lui le coupable, il n'est que le complice impuissant. Le vrai coupable, c'est le taux d'intérêt. Personne ne peut soutenir que l'on peut vivre dans un système où les taux d'intérêt oscillent entre 18% et 25%. Cependant, le moyen classique reconnu par les économistes est la hausse du taux d'intérêt qui constitue la mesure efficace pour contrer l'inflation.

C'est là qu'on découvre l'absurdité du système actuel dans lequel non seulement le consommateur est un roi sans royaume, mais aussi le jouet du système. D'un côté, il est constamment sollicité à dépenser par les messages publicitaires et le marketing habile des firmes productrices. D'un autre côté, il est invité à se serrer la ceinture car les taux d'intérêt exorbitants limitent son accès au crédit.

Ce système vicieux plonge la société dans un marasme où il deviendra de plus en plus difficile de vivre. Présentement, le consommateur moyen n'est plus capable de s'assurer un habitat construit en 1981.

Le coût de construction est tel qu'un logement neuf très modeste dépasse 300 $ par mois. C'est l'État et toujours l'État qui doit intervenir pour payer la note, que ce soit pour soutenir le logement ou l'industrie. Pour éviter la crise économique, l'État s'endette, les taxes augmentent, la situation de l'endettement s'amplifie d'année en année.

En fait, c'est toujours le consommateur qui paie. Pourtant, il ne s'implique pas. Où est donc sa primauté? Ce qui est encore plus grave, il est même devenu la source de financement indirect des gouvernements. Hier, il payait des taxes; aujourd'hui, il en paie davantage et on exploite ses penchants aux jeux de hasard. La loterie est devenu une source de financement des gouvernements. La publicité est habile, subtile et fait appel à la réussite en gagnant le gros lot. Ce conditionnement des consommateurs aux jeux de hasard est-elle normale? Parmi les drogues, l'alcool est la préférée des Québécois. Jusqu'à tout récemment, elle était vendue dans les magasins d'État, sauf la bière qui était distribuée dans les épiceries. Voilà maintenant que l'entreprise privée veut partager ce marché en ajoutant les vins et les alcools. La raison profonde est-elle le bien-être des consommateurs? Nous osons croire que non. La vraie raison, *c'est le profit*, autant pour l'État que pour l'entreprise privée.

Il ne s'agit pas de faire un plaidoyer en faveur de l'abstinence, mais de démontrer la présence de ce nouveau marketing qui consiste à avoir des débits d'alcool à tous les coins de rue et à s'étendre à la grandeur du Québec, le tout supporté par la publicité dans tous les journaux.

Pour faire de l'argent, on invite le citoyen à consommer davantage d'alcool, lui faisant ainsi perdre sa couronne de roi qui, du moins, existait en théorie.

Cette critique positive de la société actuelle est une invitation aux consommateurs à réagir. Tous admettent qu'il y a crise. Pour la corriger, il faut identifier les problèmes et inviter le consommateur à modifier ses comportements, à se prendre en main. La réaction que la publication du livre *Small is Beautiful* a provoquée chez les consommateurs démontre que notre société s'intéresse aux grandes orientations de l'économie, lorsqu'elle est sensibilisée à des problèmes cruciaux. Le succès du livre de Schumacher est dû à ce qu'il a touché du doigt le problème du gigantisme et qu'il a manifesté sa foi dans la petite entreprise. Cette approche humaine a tôt fait de devenir le credo de nombreux milieux. Le phénomène du développement rural et régional n'est pas étranger à la mise en garde soulevée dans ce best-seller de 1973.

L'évolution que connaîtra la société québécoise d'ici l'an 2000 se fera en fonction d'un système économique qui améliorera la qualité de la vie et donnera la primauté au consommateur. Cette affirmation s'appuie sur le degré d'instruction des consommateurs qui augmente et sur l'éducation économique qui devrait s'implanter de plus en plus dans notre système d'enseignement. Cet enseignement devra être objectif et démontrer la grandeur et les faiblesses des systèmes économiques. C'est ce que nous avons tenté de faire dans la première partie de ce chapitre en démontrant les points forts et les points faibles du capitalisme et l'absence du consommateur dans l'orientation de sa vie économique et sociale.

Très honnêtement, nous devons reconnaître que le bilan du capitalisme a été positif sur le plan économique. Il a été un grand créateur de productivité, à tel point qu'il a réussi à créer des surplus de production.

C'est son orientation vers la croissance maximale qui est la cause principale des problèmes actuels, avec ses répercussions sur la vie des consommateurs. Les économistes ont élevé un petit lion, il a grandi, il a été intrépide. Maintenant qu'il est devenu très grand, il est en train de nous manger. Cette caricature n'est pas une démonstration de pessimisme. Elle exprime la réalité de 1981 où tous ensemble il faut trouver une solution.

Nous n'avons pas, jusqu'à présent, fait référence à d'autres systèmes comme le socialisme d'État ou le communisme intégral qui n'ont pas eu prise au Québec, sauf chez certains qui tentent de l'implanter par les formules bien connues du noyautage des institutions de toutes sortes. La philosophie du pouvoir aux travailleurs qui anime ces systèmes part sans aucun doute de sentiments humanitaires. Cependant, l'expérience dans le monde prouve l'échec de ces systèmes totalitaires qui prônent l'égalité, la justice sociale, en enlevant toute liberté d'expression aux citoyens et en se maintenant au pouvoir par la force armée.

Il reste le système coopératif qui peut être un moyen efficace pour résoudre les problèmes économiques et sociaux que doit affronter présentement le consommateur. C'est ce que nous tenterons de prouver en faisant l'analyse des forces, des faiblesses et de la capacité de réforme du consommateur, en tant qu'agent de changement socio-économique.

3.4 LE MILIEU COOPÉRATIF QUÉBÉCOIS

L'unique raison qui a motivé la préparation de cette étude s'inscrit dans la recherche d'un modèle de société améliorant la qualité de la vie et permettant l'épanouissement de chaque être humain: le projet coopératif québécois. C'est donc avec un préjugé favorable au système coopératif que nous nous engageons dans cette voie.

C'est un travail qui demande beaucoup d'audace et de courage, car il peut soulever de vives protestations, autant de la part de l'establishment coopératif que de la part des jeunes coopérateurs qui défendent avec acharnement leur école de pensée.

Conscient qu'on ne peut parler de réforme sans déranger quelqu'un, nous continuerons notre analyse avec la même objectivité qui nous a guidé lors de l'analyse de l'évolution du capitalisme, laquelle aboutit à un cul-de-sac. Ce jugement sévère, nous le porterons également sur le mouvement coopératif québécois qui connaît le même cheminement en 1981. Cette constatation n'est pas négative, elle n'est même pas un reproche. Elle est une prise de conscience de la situation économique et sociale, et une invitation au monde coopératif à se remettre en question au même titre que nous l'avons fait à l'endroit du monde capitaliste.

Pour être bien compris, nous devons rappeler notre postulat de départ selon lequel le consommateur doit primer dans l'économie, et qu'à ce titre le coopératisme doit être un système qui transfère les pouvoirs économiques au consommateur, en l'invitant à devenir copropriétaire des entreprises. Précisons toutefois que le terme "consommateur" doit être pris dans son sens large, c'est-à-dire en tant qu'être humain, impliquant ainsi que chaque citoyen doit s'intéresser à l'économie, la posséder, y exercer des pouvoirs et l'orienter pour son mieux-être.

La première génération du mouvement coopératif québécois a joué ce rôle pleinement. Elle a permis aux Québécois en général de se bâtir un puissant réseau de coopératives d'épargne et de crédit qui ont humanisé le crédit au Québec et corrigé les abus des usuriers, des compagnies de crédit et du système bancaire.

Les coopératives agricoles ont bâti l'économie agricole du Québec et ont permis aux agriculteurs d'être propriétaires de leurs biens de production et de tirer le maximum de leurs travaux. Il est logique de croire que s'il n'y avait pas eu un système coopératif qui avait débuté vers les années 1920, l'économie agricole serait entre les mains de grandes firmes américaines.

Les coopératives de pêcheurs ont définitivement sorti les pêcheurs gaspésiens et madelinots du marasme et de l'exploitation des Robin Jones qui les ont maintenus dans l'esclavage économique au début du siècle.

Les coopératives de consommation dans les milieux ruraux ont contribué fortement à la diminution des prix des biens de consommation et, depuis une quinzaine d'années, leur présence dans les villes a eu un effet régulateur sur les prix et les méthodes commerciales.

Toutes les autres catégories de coopératives, malgré leur marginalité, ont joué un grand rôle dans leur secteur en faisant réajuster les prix de la compétition.

Ces bienfaits économiques et sociaux des coopératives sont largement reconnus dans tous les milieux, même chez les adversaires des coopératives. Cependant, les temps ont changé, les entreprises ont évolué et le système capitaliste, reconnu pour son adaptabilité, a fait un rattrapage qui a pour ainsi dire récupéré le système coopératif.

Sur le plan des institutions financières, le système bancaire, les sociétés de fiducie, les compagnies d'assurance, en somme tout le système financier capitaliste a rattrapé le système financier coopératif.

Les taux d'intérêt sur l'épargne, les prêts et les services à la clientèle sont devenus du pareil au même. Les avantages pour le membre d'une coopérative d'épargne et de crédit sont à peu près identiques à ceux d'un client d'une banque. Il en est de même pour les assurances et les autres institutions financières qui sont possédées ou non par le mouvement coopératif financier.

Le mouvement coopératif agricole, puissamment structuré, n'est presque plus en mesure d'offrir à ses membres des avantages économiques plus grands que ceux que peuvent offrir Canada Packers ou tout autre grande firme du genre.

Les coopératives de pêcheurs sont nez à nez avec l'entreprise capitaliste. Les coopératives de consommation ne vendent pas à meilleur prix que Steinberg ou les indépendants de Provigo. Leurs mesures de protection du consommateur sont copiées avec avantage par la compétition capitaliste. Il s'agit que la Fédération des magains Coop annonce une nouvelle mesure en faveur du consommateur pour qu'une chaîne de magasins l'applique et l'offre aux consommateurs, même avant les coopératives.

Les autres catégories de coopératives se font si rapidement concurrencer par l'entreprise capitaliste que leur développement est sérieusement menacé.

L'erreur actuelle du mouvement coopératif québécois est de tabler sur les valeurs du passé, de travailler à partir d'illusions. Le coopératisme a atteint son but, il a corrigé les abus du système capitaliste. Sur le plan des prix et des avantages économiques, il ne peut faire mieux que le système capitaliste. Il continue de jouer son rôle de stabilisateur et de chien de garde, mais c'est une erreur de prétendre qu'il peut encore éliminer des intermédiaires et diminuer les prix. Ses objectifs sont atteints. L'efficacité est devenue la pierre angulaire des deux systèmes.

Les arguments du passé sont désuets et illusoires. C'est maintenant de l'acquis qui peut difficilement être amélioré.

La justification et la légitimité du coopératisme, telles que prêchées au début du siècle, ne sont plus d'actualité. Elles font maintenant partie du "folklore". En 1981, il faut donner au système coopératif de nouvelles valeurs, et l'employer dans la réforme de la société pour remplacer ou réorienter le système capitaliste actuel qui s'est détruit par "ses trop grands succès".

Les coopératives doivent mobiliser les consommateurs et les inviter à régler eux-mêmes leurs problèmes, plutôt que de les laisser régler par les autres. Ils doivent trouver des solutions pour empêcher le conditionnement dont ils sont constamment l'objet. Ils doivent devenir des coopérateurs libres, propriétaires de leurs entreprises, participer à leur administration et à leur orientation, s'éduquer aux réalités de l'économie, éviter les pièges de la société de consommation, devenir les maîtres d'oeuvre de leur destin futur.

Ces nouvelles valeurs du coopératisme demandent un changement de mentalité et une volonté d'implication de la part du consommateur quant aux décisions qui le concernent.

Pour les coopératives de crédit, cela consiste à repenser le rôle de l'épargne qui doit être un générateur de prospérité pour le milieu. C'est à regret que nous devons constater l'orientation capitaliste suivie par les Caisses populaires, lesquelles invitent leurs membres à faire de l'argent par la recherche constante du plus haut taux d'intérêt. Cette approche tend vers un appauvrissement économique futur. Tôt ou tard, cette conception capitaliste devra être rejetée.

Que pensent les consommateurs en général de la compétition qui existe au sein du mouvement des caisses d'épargne et de crédit face à la sollicitation dont ils sont l'objet, pour changer d'allégeance en passant d'une catégorie de caisses à une autre? Que pensent-ils des arguments en faveur du plan d'épargne d'une fédération parce que celui-ci est plus payant que celui d'une fédération compétitive? Comme éducation économique, ce n'est pas riche, et comme éducation coopérative, c'est de l'anticoopération.

L'effondrement du mouvement des Caisses d'entraide économique devrait nous servir de leçon. Fondé sur un haut rendement du capital social investi, ce mouvement a connu un développement spectaculaire pendant une période de vingt ans pour s'écrouler en un mois, alors que les membres insatisfaits du rendement sont venus tous ensemble exiger le retrait de leur capital.

L'absence de fidélité coopérative qui a marqué les Caisses d'entraide économique n'est pas étrangère au mode de recrutement des membres, basé sur une invitation à s'enrichir personnellement par opposition à la promotion coopérative basée sur la solidarité. Le lien entre l'épargne et le développement régional qui avait été un autre élément catalyseur pour le recrutement s'est effondré en catastrophe, faisant ainsi la preuve que l'épargnant était peu motivé par le développement régional, et davantage par le rendement qui avait été le facteur déterminant pour l'adhésion aux Caisses d'entraide économique.

Le principe coopératif d'un intérêt limité sur le capital social est universellement reconnu. Il s'inspire de la philosophie même du coopératisme qui refuse de considérer le capital comme un moyen de distribution des surplus, ce qui est le propre du système capitaliste où les dividendes sont payés en fonction du capital-actions. L'égarement des Caisses d'entraide économique de ce principe de base de l'entreprise coopérative est une des causes principales de leur échec.

Dans une coopérative d'épargne et de crédit comme dans toute autre forme de coopérative, le capital social doit être rémunéré à taux limité, cet intérêt devant être considéré comme un salaire au capital et non comme un moyen de spéculation.

Lorsqu'il y a des surplus, ces derniers doivent être affectés à la constitution d'une réserve et le solde partagé de façon équitable entre les membres épargnants et emprunteurs. Toute dérogation à ce fonctionnement coopératif fait des caisses d'épargne et de crédit des entreprises capitalistes qui empruntent un masque coopératif pour se fabriquer une image coopérative.

En ce qui concerne les coopératives agricoles, il faut reconnaître qu'elles ont été *condamnées* à la centralisation. Maintenant, c'est presque du gigantisme. Il faut s'interroger sur les effets économiques et sociaux d'une telle concentration, face au phénomène du développement régional qui prend de plus en plus d'ampleur.

Les coopératives de pêcheurs ont été bouleversées et complètement transformées par la technologie. Elles ont été réduites à faire passer leurs milliers de membres à quelques centaines, pour se retrouver avec un secteur employeur. Ces salariés sont pour la plupart les enfants et la parenté des membres qui ont fait appel au syndicalisme pour défendre leurs intérêts de travailleurs, créant ainsi un malaise constant.

Une solution coopérative devrait être recherchée pour réaliser un développement harmonieux de ces coopératives. Les promesses traditionnelles voulant que les coopératives de consommation diminuent les prix et que les membres reçoivent une ristourne sont dépassées, même dangereuses. Avec la meilleure intention du monde, ces objectifs sont rarement atteints et ont des effets démobilisateurs sur les membres qui ont été sollicités avec de telles promesses, lorsqu'ils constatent plus tard que les prix demeurent les mêmes et que la ristourne ne vient pas. Une telle approche est presque de la fausse représentation.

Nous avons déjà démontré que le système capitaliste actuel est basé sur le volume. Les coopératives doivent emboîter le pas. Les surplus seront intéressants pour favoriser le développement ou donner des services, mais s'ils sont fractionnés par une distribution entre des milliers de membres, ils n'auront plus d'importance.

Le défi des coopératives de consommation est de changer les habitudes et le comportement du consommateur imposés par le système actuel. La réduction du coût de la vie doit passer par une consommation rationnelle. Dans son intérêt, le consommateur doit être invité à boycotter les produits inutiles et nuisibles et s'acharner à consommer des produits québécois, un des seuls moyens de développer la PME québécoise qui est la véritable source de prospérité économique du Québec. La réussite d'un tel programme réside dans l'implication et la participation des consommateurs comme membres des coopératives.

Le même défi doit être relevé dans toutes les autres catégories de coopératives qui, elles aussi, ont souvent tendance à copier le système capitaliste en prétextant qu'elles feront les changements plus tard. Cette approche est inefficace. La coopérative s'enracine dans le système et devient une copie de l'entreprise capitaliste. Auparavant, il était juste de dire que les coopératives du Québec contribuaient à modifier le comportement des entreprises capitalistes pour le mieux-être des Québécois. C'est avec hésitation que l'on s'aventure sur ce terrain aujourd'hui car, lorsqu'on observe un tant soit peu, on constate que c'est le système capitaliste qui récupère les coopératives, à un point tel qu'on n'arrive plus à les distinguer l'un de l'autre.

Cette description du milieu coopératif québécois en 1981 est, à notre avis, une perception exacte de la situation. Elle démontre ses succès et constitue une invitation à faire le point sur son avenir. À l'instar du système capitaliste qui est ou du moins semble dépassé, le système coopératif est arrivé à la croisée des chemins et son avenir est lié à la détermination de ses dirigeants à faire un "projet coopératif" nouveau.

Le coopératisme a des forces et des faiblesses qui ne dépendent pas du système lui-même, mais des hommes qui l'orientent. Au Québec, ce fut une réussite dans le passé. Il en sera de même pour l'avenir, si l'on s'ajuste à l'évolution économique et sociale de crise de 1981. Le coopératisme a été à la base de l'économie des pays scandinaves: Suède, Finlande, Danemark et Norvège. Il a influencé considérablement des pays comme la Suisse et la France. Il a développé une économie industrielle en pays basque espagnol. Il est le départ et la conscience d'Israël et de plusieurs autres pays plus près de nous. Il a bâti 50% de l'économie du Nouveau-Québec.

En plus de ses réussites, le coopératisme a aussi subi des échecs. Il a presque disparu de la Belgique, a été transformé en entreprises capitalistes à capital anonyme en Allemagne, a fait faillite en Hollande et a perdu beaucoup de force en Angleterre.

Ces phénomènes récents de pays pourtant très coopératistes doivent nous inciter à revenir aux sources et à défendre les véritables valeurs qui en font un système différent.

On ne pourrait terminer ce chapitre sans mentionner la nécessité de jeter un pont entre le coopératisme et le syndicalisme. Il s'agit des mêmes personnes. Pourtant, sur le plan institutionnel, elles se confrontent pour le plus grand malheur des deux parties.

Il faut que les dirigeants de coopératives étudient de nouvelles formes de relations du travail qui tiennent compte des valeurs à la fois coopératives et syndicales. La même obligation incombe aux dirigeants syndicaux de repenser leur approche face aux coopératives. Dans le type de relations actuelles, c'est le consommateur qui est perdant; et pourtant, ce consommateur est très souvent un coopérateur et un syndicaliste à la fois.

Sans vouloir ajouter aux préjugés déjà trop nombreux des deux parties, il est permis de croire que la solution viendra du consommateur seul qui se sera dépouillé du manteau coopératif et syndical pour résoudre le problème. C'est en réitérant notre foi dans le consommateur que nous terminons ce chapitre. Il nous reste à aborder le vécu quotidien dont s'entretiennent les coopérateurs et les non-coopérateurs québécois.

3.5 ANALYSE CRITIQUE DE LA DÉMOCRATIE COOPÉRATIVE ET DE LA PARTICIPATION

Il s'agit d'une question explosive, très controversée, qui fait l'objet de discussions stériles entre différentes écoles de pensée coopératives. Notre but est d'inviter les coopérateurs à s'unir dans un objectif commun qui est de *vivre la coopération dans le quotidien, plutôt qu'à l'état sporadique ou doctrinaire*. Notre analyse se veut objective et dépouillée de l'élément *émotionnel* qui caractérise ces discussions, lorsqu'elles sont faites à des moments de crise ou de conflit, alors que les participants sont dans *un véritable état d'ivresse intellectuelle* et charrient des valeurs idéologiques ou philosophiques à l'appui de leur thèse.

À la manière d'un chirurgien qui utilise son bistouri pour effectuer une opération douloureuse, nous ferons à notre tour *une opération douloureuse* en citant des faits, espérant que ceux qui se reconnaîtront dans ces images ne nous garderont pas rancune, car il ne s'agit pas de reproches mais bien d'une analyse en vue de faire une réforme pour *une véritable démocratie de participation dans les coopératives*.

Depuis quelques années, nous assistons à une critique sévère des coopératives par une nouvelle école qui accuse les dirigeants de coopératives d'avoir un comportement capitaliste, d'exercer un contrôle autocratique de la gestion et de constituer une direction monolithique débouchant sur un establishment coopératif.

Ces accusations sont-elles fondées? Pour les uns oui, pour les autres non, tout dépend de l'école à laquelle on adhère. Une chose est certaine, les deux écoles ne s'entendent pas. Là où l'on s'entend, c'est sur l'existence du problème. Les tenants des deux écoles sont traumatisés, et dans chaque camp on a la conviction de posséder la vérité, ce qui n'est pas de nature à favoriser un rapprochement.

Cette situation a un effet négatif sur le développement. Les questions auxquelles nous devons répondre sont: Qui a raison, la nouvelle école ou l'ancienne? Quelles solutions devons-nous apporter pour régler ce problème? Pour en faire l'analyse, nous utiliserons la méthode active.

Accusation N° 1

Les coopératives sont devenues des entreprises capitalistes.

Analyse

Cette accusation n'est pas sans fondement. Il y a une bonne part de vérité, parce que le coopérateur ne voit plus la différence qui existe entre une entreprise de type capitaliste et une autre de type coopératif. Les deux ayant les mêmes modes de fonctionnement, le comportement du personnel est identique et les services sont similaires. Bref, nous sommes presque devenus la copie de l'organisation capitaliste.

La seule différence réside dans la structure et la forme juridique qui donnent droit aux membres d'assister aux assemblées générales et de choisir un conseil d'administration. Cette différence pourtant *très importante* sur le plan structurel n'est pas suffisante pour sensibiliser les membres à militer au sein du coopératisme. À preuve, la contestation continue et l'on taxe toujours nos coopératives traditionnelles de *capitalistes*.

Solution

Se redéfinir comme organisation authentiquement coopérative, identifier tous les points qui font la différence entre l'organisation coopérative et l'organisation capitaliste, adopter un comportement propre à la philosophie du coopératisme *et mettre à point un modèle nouveau qui fasse la différence*.

Cette solution paraît très simple, c'est la solution de tous ceux qui critiquent. Concrètement, comment relever un tel défi? Une chose est certaine, c'est le temps qui peut corriger cette situation grâce à l'éducation des membres. Idéalement, cette éducation économique et coopérative devrait débuter à l'école. Des membres ainsi formés aux connaissances coopératives prendraient leurs responsabilités et ne seraient pas gênés d'intervenir dans leur propre entreprise.

Cette formation n'existe pas à l'école. Il faut envisager des moyens à privilégier. Le premier est la formation coopérative du personnel, car il y a là un potentiel de ressources inutilisées. L'acquisition de connaissances coopératives, le développement d'un militantisme et d'un comportement procoopératif auraient tôt fait de transformer la coopérative en un milieu où le membre se sent chez lui.

Le deuxième moyen, c'est un marketing coopératif ayant un contenu coopératif qui remplacerait la forme capitaliste utilisée présentement, le tout allié à un style de gestion axé sur des valeurs qui reconnaissent concrètement les membres comme propriétaires de la coopérative en leur donnant l'occasion de participer, par différents moyens, à la vie de leur coopérative.

Accusation N° 2

Les coopératives traditionnelles ont une gestion autocratique. Ce ne sont plus des coopératives véritables, car dans une vraie coopérative ce sont les membres gèrent.

Analyse

La gestion autocratique où le directeur général est le "maître après Dieu", tout comme un capitaine sur son navire, a contribué à créer cette critique émanant de coopérateurs qui veulent jouer un rôle dans la gestion des coopératives.

Cette tendance du membre à vouloir gérer directement sa coopérative provient d'une école nouvelle qui propage l'idée de l'autogestion. Cette implication directe a fait jusqu'à présent plus de ravages que de bien, car pour s'autogérer efficacement il faut être informé des problèmes économiques et sociaux, ce qui n'est pas le cas de la majorité des Québécois. Instruits ou non, nous sommes *pauvres* pour ne pas dire *vides* de connaissances économiques, ce qui rend difficile pour ne pas dire impossible l'autogestion. Les modèles que l'on veut copier existent dans certains pays où l'éducation économique du citoyen devance de cinquante ans celle du Québec.

Il faut également noter que ce style de gestion, applicable à des niveaux différents, est possible et souhaitable dans une coopérative ouvrière de production. Il est pratiquement impossible de l'appliquer pour une caisse d'épargne et de crédit ou une coopérative de consommation. Il y a l'expérience des clubs coopératifs de consommation et des petites coopératives d'habitation qui tentent de prouver le contraire. Cette expérience est riche comme formation pour les membres, mais l'entreprise piétine. De plus, elle démontre que cette formule est possible uniquement avec des groupuscules tels que ces petites coopératives.

L'autogestion ne signifie pas une absence de direction et une remise en cause quotidienne, système qui paralyse la coopérative et qui conduit à l'anarchie. Au contraire, c'est la participation concrète des membres à l'orientation de la coopérative sur le plan des politiques commerciales et administratives, laissant aux gestionnaires le soin de les appliquer.

Compte tenu de ces remarques, il faut reconnaître que le style de gestion et le comportement des conseils d'administration sont dans une large mesure responsables de cette situation qui provoque la contestation par une attitude professionnelle du "moi, je connais ça". Cette attitude amplifie de plus en plus la critique des coopérateurs qui finissent par devenir contestataires et recherchent des solutions de changement, qui débouchent parfois sur des mesures radicales qui freinent le développement coopératif. Dans la promotion de l'idée d'autogestion, il faut rejeter la tendance marquée à considérer le *gérant* de coopérative comme un fonctionnaire peu important que l'on peut changer selon nos caprices, ce qui est *la plus grave des erreurs*. Dans les faits, la coopérative repose sur la compétence du gérant. *C'est ce dernier qui bâtit ou détruit la coopérative*.

L'expérience prouve qu'une coopérative peut fonctionner efficacement avec un gérant compétent et *un mauvais conseil d'administration*, mais le contraire est impossible. De là, l'importance de découvrir et de garder un des éléments importants à la gestion d'une coopérative: *un bon gérant*. Mais la gestion démocratique d'une coopérative implique de la part des gérants une nouvelle approche, une attitude mentale modifiée et une véritable recherche du respect des demandes et des droits des membres.

Solution

Il faut reconnaître que très souvent il y a une conduite autocratique du gestionnaire. Ceci est dû à son *manque de formation à la philosophie coopérative*. Souvent, il a été formé à une école capitaliste de gestion. Sur le plan académique, nos cours d'administration forment un gestionnaire capitaliste. Sur le marché du travail "learning by doing", le gestionnaire a pris son expérience dans l'entreprise capitaliste. Avec cette formation, le gestionnaire transforme la coopérative en entreprise capitaliste. S'il a été recruté chez Provigo, Métro ou Steinberg, il fait de nos coopératives de consommation des Provigo, des Métro ou des Steinberg. S'il a été choisi à la Banque royale, de Montréal, etc., il transforme nos caisses en banques.

Très souvent, ce sont d'excellents gestionnaires, mais incomplets. Il leur manque la formation coopérative et malheureusement, le mouvement n'a pas *l'école* pour la lui donner.

La situation présente peut être changée en modifiant ce qu'il y a dans la "tête des gestionnaires". C'est une question d'attitude face à un style de gestion dont le but n'est pas de faire un profit pour les actionnaires, mais *de protéger les membres* et les faire participer à l'orientation de la coopérative. Ces deux grands objectifs doivent passer par leur éducation. Le gestionnaire *devient alors conscient qu'il a une mission d'éducateur* et qu'il doit faire de tous les membres des citoyens évolués sur le plan économique, coopératif et social.

Lorsque le gérant aura cette dimension coopérative, il inventera lui-même les modèles de communication pour faire comprendre aux membres le bien-fondé de certaines politiques commerciales. Il prendra des mesures pour informer et former ses membres, en collaboration avec son personnel et de façon privilégiée, dans la coopérative même *qui est le véritable lieu de formation des sociétaires*.

Accusation N° 3

Nos conseils d'administration sont capitalistes et monolithiques. Ils administrent l'entreprise comme si elle était leur propriété.

Analyse

Des situations comme, par exemple, des présidents qui conservent leur poste pendant vingt-cinq ans, des administrateurs quasi nommés à vie, des dirigeants d'entreprises capitalistes qui deviennent administrateurs sans avoir une connaissance élémentaire de l'administration d'une coopérative, ont contribué à créer l'image d'une direction monolithique et capitaliste. Il faut reconnaître que dans les faits cette accusation est souvent fondée, et que sans le savoir *ces conseils d'administration constituent une barrière au recrutement des coopérateurs qui veulent participer à la vie de leur coopérative*.

Solution

Les règlements des coopératives sont à réviser pour limiter la durée du mandat du président, pour préciser les qualités des administrateurs, pour prévoir une forme de stage d'apprentissage à la direction. Pour accéder à la direction d'une coopérative, il faudrait un minimum de connaissances coopératives. Il devrait être obligatoire que le candidat ait milité dans une activité au sein de la coopérative qui deviendrait une espèce de transition obligatoire à la formation du futur administrateur.

- une commission de recrutement;
- une commission de communication;
- une commission d'éducation coopérative, etc.

Ces commissions formées par le conseil d'administration avec une structure permanente et un mode de fonctionnement adéquat pourraient être un moyen efficace de former un futur administrateur. A-t-on déjà fait un effort dans ce sens? Il semble que cette possibilité prévue dans la loi ait été peu exploitée.

Accusation N° 4

Les coopératives traditionnelles ne favorisent pas la participation qui est la base de la démocratie.

Analyse

La participation a pris un sens de "face à face" dans l'esprit des coopérateurs. On demande souvent de rendre des comptes, des explications sur tout ce qui a trait aux fonctions techniques, commerciales, administratives.

Cette participation peut paraître agaçante. Elle provient du décalage entre le besoin de connaître propre à un propriétaire-usager et l'absence de moyens de communication adéquats offerts par la coopérative.

Solution

Adopter un modèle coopératif propre à l'idéologie du coopératisme dont le but principal est l'éducation de l'homme, former les dirigeants et le personnel à cet idéal coopératif, mettre sur pied des mécanismes de communication pour informer les membres, demander leur avis sur les orientations à prendre, constituent les lignes de force du développement coopératif.

La participation est et demeurera la valeur de base du coopératisme, car c'est elle qui éduque le consommateur et va en faire un citoyen évolué. La responsabilité des dirigeants est de préparer les membres à une participation concrète, intelligente et éclairée de façon à ce qu'ils décident des orientations à donner à leurs entreprises coopératives dont ils sont les propriétaires et dont ils assument le contrôle. C'est pour cela que l'on devient membre d'une coopérative et c'est aussi l'argument dont les promoteurs se servent pour le recrutement. La logique et la sincérité imposent donc que l'on réalise cet objectif. COMME ON NE LE FAIT PAS, cet argument est devenu un boomerang et il se retourne contre nous.

Le problème le plus épineux provient du fait que les membres sont incapables de participer rationnellement parce qu'ils ne sont pas sensibilisés aux problèmes économiques et coopératifs. Éventuellement, cela peut susciter *de l'agitation, qui est confondue avec la participation*. Les vrais responsables de cette situation ne sont pas les membres mais plutôt les *administrateurs et les gestionnaires* qui ont oublié que l'entreprise dans laquelle ils oeuvrent est une *coopérative*; et celle-ci est faite d'humains ayant une âme, une vie intellectuelle, et lorsqu'on ne correspond pas à ces réalités, d'autres prennent notre place et notre leadership à l'aide de moyens discutables qui sont souvent des moyens d'amateurs, résultant du manque de formation à l'économique et au coopératisme.

La vraie solution pour la participation, c'est d'informer les membres sur tous les plans, tous les jours de l'année, par tous les moyens que l'esprit inventif des administrateurs et des gestionnaires éclairés pourront mettre à la disposition des membres. Les techniques de communication nous laissent le choix pour utiliser les plus efficaces. Ainsi informés, il est possible d'inviter les membres à donner leur opinion sur les questions pertinentes à leur entreprise, questions auxquelles ils pourront répondre intelligemment, parce qu'ils auront été informés, qu'ils connaîtront les problèmes et seront devenus des citoyens évolués.

Pourquoi les membres ne seraient-ils pas invités à se prononcer sur les produits qui devraient être vendus dans leur réseau de distribution, sur les services, dans leur coopérative d'épargne et de crédit, etc.?

Avec le bagage actuel des connaissances du consommateur, de telles consultations ne feraient que refléter les besoins artificiels auxquels ils ont été conditionnés depuis les vingt-cinq dernières années. Cette situation serait rapidement changée, si les coopératives adoptaient un marketing coopératif.

Une campagne d'information sur la provenance des produits, leur contenu, leur valeur, leur prix, avec une indication des avantages que tel produit apporte sur le plan de la santé, sur les budgets et la prospérité économique d'une région ou d'une province, sur les effets néfastes des hauts taux d'intérêt dans l'économie aurait tôt fait de faire de chaque membre une personne aussi renseignée que les gestionnaires dans une coopérative. Munis de ce bagage de connaissances, les membres pourraient prendre des décisions intelligentes sur des questions ayant trait à leur santé, à leur budget et sur les grandes orientations administratives propres au développement économique de leur milieu.

La participation est uniquement une question d'éducation économique, et la responsabilité de cette éducation relève de la coopérative qui est l'école et le laboratoire pour les expertises. Quand aurons-nous les animateurs pour prodiguer cet enseignement et le marketing pour créer cette image? *Ce sont là de nouveaux défis pour les administrateurs, les cadres et le personnel.*

Accusation N° 5

Les assemblées générales sont *pactées** , il est donc inutile de se déranger. Notre présence ne changera rien, on refuse de répondre à nos interventions.

Analyse

L'assemblée générale a été le parlement des coopératives jusqu'aux années 60. Les membres recevaient des réponses à toutes leurs questions; tout était mis en oeuvre pour une mise à jour totale de l'administration.

Ces méthodes ont changé sous le prétexte que certains types d'information pourraient servir la compétition. On a ainsi développé une nouvelle approche qui peut paraître des manoeuvres pour cacher certains renseignements.

1. Le rapport annuel est incomplet, souvent il n'est plus remis aux membres et certaines questions n'ont pas de réponse.
2. L'ordre du jour ne permet pas certaines interventions jugées irrecevables.
3. L'élection des administrateurs est faite par des propositions entre amis.

Cette perception des membres contestataires est assez juste. Cependant, l'accusasion de *pactage* est fausse. Il s'agit d'un mode de

---

* Cette expression est un régionalisme. On dit d'une assemblée qu'elle est pactée lorsque son déroulement a été prémédité et que les décisions qui y sont prises ont été déterminées à l'avance (N.d.I.R.).

fonctionnement qui s'est institutionnalisé et que la direction devrait tout simplement changer pour créer un climat de confiance général.

Solution

Le rapport annuel devrait être distribué aux membres, et des réponses claires et précises devraient être données sur tous les points.

Il devrait toujours y avoir des élections d'administrateurs, en procédant à de nombreuses mises en nomination par voie de scrutin.

L'élection des administrateurs est souvent le seul geste concret que le membre pose dans une coopérative. On doit prendre toutes les mesures pour ne pas le priver de ce droit qui a une très grande importance pour la création d'un climat de confiance général.

Accusation N° 6

La démocratie est une farce parce qu'il y a une très faible assistance aux assemblées générales.

Analyse

Il est vrai que l'assistance aux assemblées générales est très faible. Doit-on en conclure que la démocratie est une farce? Pourquoi l'assistance est-elle si peu nombreuse? Nous ne croyons pas que cette situation soit imputable aux dirigeants des coopératives. Au contraire, ils font souvent de très grands efforts pour obtenir l'assistance nécessaire: prix de présence, personnalités invitées. Si ces artifices réussissent parfois à attirer des membres, est-ce que cela améliore la qualité de la démocratie? Cinq cents membres dans une salle qui écoutent la lecture du rapport annuel et qui prennent connaissance de ce qui s'est passé pendant l'année, en plus des études portant sur les projets de la prochaine année, peuvent-ils assimiler tout ce contenu au cours d'une assemblée de deux à trois heures?

Durant une assemblée générale, quelle est la valeur du vote pris par le membre qui, en cinq minutes, doit prendre une décision sur une question à l'étude depuis un an par le conseil d'administration?

Dans toute question le moindrement controversée, à caractère idéologique, quelle est la compétence d'une assemblée générale nombreuse, si l'on considère que l'âge mental d'une foule est d'environ dix ans, et peut-être huit dans l'état de développement accéléré des enfants d'aujourd'hui?

Compte tenu de ces remarques, la vraie question n'est-elle pas: Qu'est-ce que la démocratie? Faut-il la repenser?

Solution

Donner à la démocratie son vrai sens, sa vraie dimension. La démocratie est l'essence même de la coopération. Il ne saurait être question de la remettre en cause, car sans elle il n'y aurait pas de coopératives.

Pour donner à la démocratie son vrai sens, il faut la rendre vivante, il faut l'animer par différents moyens tels que:

1. L'information permanente de la vie courante de la coopérative qui acquiert une transparence: c'est le seul moyen qui permette aux membres d'évoluer et d'avoir une opinion juste pour prendre des décisions sensées.
2. L'aménagement des assemblées de district avec les membres et l'adoption du système de délégation pour l'assemblée générale afin de faire des communications dans les deux sens qui permettraient aux membres de s'exprimer librement et qui sensibiliseraient les délégués aux désirs des membres. Une telle mesure favoriserait une meilleure participation dans les grandes coopératives.
3. L'assemblée générale, étant réduite pour un meilleur exercice de la démocratie, devrait être renforcée par un congrès annuel par secteurs où seraient étudiées toutes les questions concernant la protection des membres. À ce congrès, assisteraient les membres, les non-membres, les représentants du gouvernement et d'autres corps publics. Le congrès aurait un rôle consultatif.

Accusation N° 7

La coopérative est capitaliste parce qu'on n'y parle que de rentabilité en oubliant l'aspect social.

Analyse

Cette discussion stérile entraîne un gaspillage de ressources chez les coopérateurs, et son effet négatif contribue à freiner le développement. Il y a deux écoles coopératives qui s'affrontent présentement: les tenants de l'économique et ceux du social. Ces deux écoles sont bien intentionnées, mais elles ont toutes deux tort et raison. Ce paradoxe découle de l'idéologie du coopératisme *qui est social*, mais qui doit passer obligatoirement par l'entreprise *qui est économique.* La coopérative est une forme d'organisation de l'entreprise qui est d'abord économique, ses activités étant centrées sur le service offert aux membres et sur la protection de leurs intérêts, ce qui lui donne une vocation sociale qui s'exerce concrètement dans l'activité économique. Il y a cependant une cause à cette confrontation, qui consiste en un style de gestion développé par nos dirigeants qui ont copié l'entreprise capitaliste.

Les coopérateurs, de plus en plus évolués et éveillés à la participation, n'acceptent plus ce style capitaliste. En contrepartie, ces mêmes coopérateurs manquent d'éducation économique et très souvent ne connaissent pas suffisamment le coopératisme. Ils font partie de la vague sociale qui anime présentement la société québécoise et réclame des réformes. Ils ne sont pas à blâmer, compte tenu de l'état actuel de leurs connaissances. *Les vrais coupables sont les dirigeants actuels qui maintiennent le style capitaliste dans la gestion des coopératives.*

Solution

Encore une fois, c'est une absence d'éducation coopérative et économique qui engendre de tels comportements. L'instauration de mécanismes qui permettent de réaliser une démocratie vivante, aura tôt fait d'assurer cet équilibre coopératif: *économique plus social.*

En terminant ce chapitre sur l'analyse critique de la démocratie coopérative et de la participation des membres, nous espérons qu'elle provoquera une réaction positive de la part des coopérateurs, car il s'agit en fait d'une invitation à réformer ce principe de base afin de lui redonner sa vraie valeur. L'expression du droit de vote à l'occasion d'une assemblée est un pouvoir que nous confère la démocratie en nous permettant de choisir nos dirigeants et de décider des orientations à prendre. Dans la pratique, la démocratie doit se vivre. En coopération, elle doit véhiculer un mode de vie qui s'exerce dans le quotidien et qui devient la participation dont on parle tellement. La participation consiste à prendre connaissance de la vie de l'entreprise par l'information systématique qu'elle donne, à s'exprimer par des mécanismes de la communication dans les deux sens établis à cette fin, à accepter ou à rejeter des projets, et à adopter des politiques dans l'intérêt collectif des membres. Le vote, c'est tout simplement le processus de décision que l'on exprime individuellement par *oui* ou *non*.

Toute forme de décision dans laquelle le membre n'a pas été impliqué par une bonne information est un simulacre de démocratie et le maintien d'un système d'ignorance.

CONCLUSION: Le projet coopératif, une proposition concrète

Le Québec est souvent présenté comme un château fort coopératif parce que, sur une population de 6 millions, 4 millions sont coopérateurs étant membres d'une coopérative.

Les données les plus récentes, soient celles de 1979, indiquent que les trente-deux catégories de coopératives diverses qui oeuvrent au Québec regroupent 385 033 membres, laissant ainsi plus de 3,5 millions au secteur des caisses d'épargne et de crédit.

Si l'on définit le développement économique comme un tout équilibré dans l'expansion des secteurs primaire, secondaire et tertiaire, il devient difficile de parler d'un Québec coopératif en fonction du développement économique. En fait, c'est uniquement le secteur financier coopératif qui occupe à peu près toute la place, la deuxième position étant détenue par le secteur coopératif agricole.

Le développement économique par les coopératives implique qu'il va falloir pénétrer dans toutes les formes d'activités qui contribuent à bâtir un système. Dans son travail, *Les Coopératives en l'an 2000*, A.F. LAIDLAW traite de cette importante question:

> *«Il nous faudra désormais réserver plus d'attention à ce que l'on pourrait appeler l'architecture du système coopératif, sa forme et son modelage, l'agencement de ses éléments composants et leurs relations les uns aux autres.*
>
> *Premièrement, en ce qui concerne le type ou le genre de coopérative, une évidence s'impose: le mouvement coopératif de demain se composera d'une très grande variété de différentes coopératives, parmi lesquelles certaines qui n'existent pas encore aujourd'hui ni en fait ni en théorie.»*[2]

Nous souscrivons à la proposition de cet éminent coopérateur canadien, et nous croyons fermement en cette nouvelle approche qui invite à innover et à élargir nos horizons. Dans cette nouvelle forme de coopérative, nous voulons souligner la place privilégiée que l'on devrait accorder aux coopératives ouvrières de production, aux entreprises communautaires, aux garderies d'enfants, aux centres de loisirs, etc.

Au cours de cette réflexion, lorsque nous avons abordé le thème de la primauté du consommateur, nous avons voulu analyser les facteurs qui

---

(2) LAIDLAW, A.F. ***Les Coopératives en l'an 2000***. Moscou: Congrès A.C.I., 1980.

peuvent freiner un tel projet qui propose une réforme de notre société.

L'essentiel de notre message porte sur la croyance que nous avons en la petite et moyenne entreprise, le développement régional et surtout la foi que nous mettons dans les hommes et les femmes à prendre en main leur développement avec une dimension humaine. Cette approche nous a amené à identifier la coopérative comme formule à privilégier dans l'avenir.

Aux critiques constructives que nous avons faites des coopératives pour se préparer à ce "projet coopératif", il faut reconnaître un autre point faible qui résulte encore une fois du manque de connaissances qui bloquent les régions dans leur développement. À ce propos, nous citerons le professeur M. Laflamme de l'IRECUS:

> «*De façon générale, la communauté ne possède pas une vision suffisante de sa situation et on n'est pas en mesure de comprendre l'origine de ses maux. Essentiellement, des groupes de base sont fréquemment freinés dans leur autodéveloppement par les appareils centralisés. Alors, les membres se contentent du* statu quo, *d'une rationalité et d'une satisfaction minimale.*»[3]

Ce constat met le doigt sur le vrai problème. Il est essentiel que le mouvement coopératif exerce un leadership pour canaliser les forces vives de ces milieux vers le développement coopératif. Il y a à cette étape un travail de dialogue et de concertation dans le milieu avec le citoyen, pour formuler les vrais objectifs, faire de l'animation et créer ce "projet coopératif" qui sera utopique, théorique ou réaliste.

On écrit beaucoup au sujet de la coopération et il se fait beaucoup de discours. Notre réflexion ne viendrait qu'ajouter un nouveau texte coopératif à ce qui existe déjà, si nous ne terminions pas sur une suggestion pratique et surtout, si nous n'arrivions pas à intéresser les jeunes qui auront à vivre dans la société de demain. Pour renforcer notre argumentation, nous nous référons de nouveau à Ralph Nader qui, au cours d'une interview parue dans *Coop Magazine*, répondait à la question suivante:

Q. - Que doivent faire les coopératives pour attirer les jeunes?

R. - Il faudra voir plus vaste et plus grand. C'est la philosophie de la coopération qui motive les gens à adhérer à ce mouvement. Dans le passé, le mouvement coopératif est resté sur la défensive et s'est montré beaucoup trop sensible. Il n'y a pas eu de

---

(3) Voir le chapitre 6 de ce volume.

prosélytisme. Prenons l'inflation, par exemple. Le mouvement ne s'est jamais manifesté pour dire que les coopératives étaient une solution à l'inflation. Il n'y a jamais eu de porte-parole des coopératives à Meet the Press. Il faut que les coopératives fassent leur entrée sur les principales scènes politiques.

Les coopératives ne seront jamais une force dynamique si elles n'attirent pas les jeunes. Il faut que les coopératives montrent comment elles entendent régler les problèmes des retraités qui vivent d'un revenu fixe, qu'elles montrent comment elles entendent développer de nouveaux systèmes de communication, qu'elles montrent comment elles entendent résoudre, de façon raisonnable, les problèmes de l'énergie.

Cette argumentation de Ralph Nader repose sur le contexte de l'économie américaine. Elle ne s'applique pas intégralement au contexte québécois. Cependant avec quelques ajustements, nous pouvons poser les mêmes questions qui sont des plus pertinentes. Il faut s'impliquer et faire du prosélytisme, en s'attaquant à des problèmes pratiques et en tentant de les résoudre à une échelle réduite, à une dimension qui peut impliquer le citoyen. Le développement régional semble être un élément de solution, pourquoi ne pas l'aborder, le maîtriser? Ce pourrait être la réponse à cette réforme dont tout le monde parle, mais que personne n'entreprend.

Que chaque région du Québec devienne, dans une large mesure, le maître d'oeuvre de son destin, que des relations économiques articulent les régions entre elles, et on aura tôt fait de développer un modèle nouveau qui pourrait être coopératif ou fortement inspiré par cette philosophie.

Le problème est d'abord économique. Il faut créer des emplois pour faire vivre décemment les populations régionales, les affranchir de l'assistance sociale et créer des conditions de vie intéressantes qui stopperont la migration vers les grandes villes et même attireront le citoyen vers les milieux ruraux.

Chaque région économique du Québec devra entreprendre son analyse "terre à terre". Quelle est sa vocation? Quels produits récolte-t-elle ou fabrique-t-elle? Quels produits additionnels pourrait-elle fabriquer ou cultiver? Quels produits exporte-t-elle? Quels produits importe-t-elle? Quelle place les coopératives de différents types occupent-elles dans ces marchés? À partir des réponses obtenues de ces recherches, elle adoptera une stratégie de développement qui provoquera un changement de comportement et de mentalité de chaque région.

Il faudra sensibiliser le citoyen à consommer d'abord les biens de consommation produits dans sa région et donner priorité à toute production régionale nouvelle qui pourra être mise de l'avant.

Produire dans la région, consommer les biens de la région, investir dans la région doivent constituer le moteur pour la réussite d'un tel projet. À partir de l'autosuffisance dans certains domaines, l'exportation des produits pourra se développer. Une planification interrégionale pourra être effectuée en fonction des intérêts parfois différents mais complémentaires des régions, aboutissant à une économie à plus grande échelle.

Cette proposition de développement à partir des régions n'élimine pas le développement urbain et les grands centres industriels. C'est une proposition échelonnée sur plusieurs étapes dont la première doit débuter dans les régions. Ces dernières étant de plus en plus vidées de leur contenu, il ne s'agit pas de détruire pour reconstruire, mais de redéployer un type de développement conçu par la population et administré par elle, grâce à des entreprises coopératives ou communautaires.

L'espèce de mystère qui entoure le coopératisme, la coopération et les coopératives étouffe leur développement. Ce n'est pas une religion, mais un système économique reposant sur la propriété des entreprises par ses membres qui en sont les utilisateurs. C'est une philosophie qui vise à assurer un mieux-être économique à chacun de ses membres par opposition à l'enrichissement et à la création de nouveaux millionnaires. C'est la propriété des entreprises par "le vrai monde", c'est-à-dire par toutes les collectivités regroupées selon des centres d'intérêt.

Le développement économique par les coopératives, c'est reconnaître l'intelligence du citoyen, ses aptitudes à posséder ses entreprises, à les administrer et à planifier l'économie pour un mieux-être collectif. Pour en arriver à cet objectif, il faut apporter une forme d'assistance pour briser le cercle vicieux de la dépendance que les régions subissent dans le système actuel. Le citoyen est habitué à être dominé par un monde de fonctionnaires, une société bureaucratique qui a pris toute la place depuis plusieurs décennies. Il faut changer cette forme de dépendance pour remettre les pouvoirs aux citoyens des régions. Cette transformation ne se fera pas seule, il va falloir la provoquer. Pour ce faire, il faut des organisateurs partisans des coopératives, tout en ayant des connaissances profondes de l'économie. Jusqu'à maintenant, ces rôles d'organisateurs ont été joués par les Chambres de commerce, les commissariats industriels, les Conseils de développement régionaux (C.R.D.). Ce sont d'excellentes organisations regroupant des gens compétents, préoccupés du développement économique régional en fonction d'un modèle basé sur la promotion industrielle et commerciale qui consiste à inviter et à provoquer par toutes sortes de moyens l'implantation d'entreprises dans les régions.

Ce modèle incite les propriétaires ou les promoteurs étrangers à s'implanter dans la région par la création de conditions favorables à leur développement, identifiant ainsi les régions à des marchés de main-d'oeuvre. Cette approche des agents de développement déjà mentionnée ne laisse pas de place à un développement coopératif dont l'essence même est la prise en charge par le milieu. À cette philosophie de développement basée sur la venue d'entreprises attirées par des offres alléchantes, il faut ajouter que même si les coopératives ne sont pas exclues des Chambres de commerce, des commissariats industriels et des C.R.D., leur présence est marginale, leur effet est nul et le modèle lui-même est anticoopératif. Il n'est pas étonnant de constater que le développement coopératif est étouffé dans ce cadre de développement classique adopté par les régions depuis au moins deux décennies.

La formule coopérative est en soi un agent de développement économique qui fait appel au milieu et qui repose essentiellement sur lui. Son développement doit donc reposer sur un modèle d'organisation qui lui est propre, avec des organisateurs qui font confiance aux citoyens du milieu. Un conseil régional des coopératives, formé dans chaque région économique du Québec, pourrait jouer ce rôle et remplir le vide qui existe présentement. Regroupant chacune des coopératives de sa région et se donnant une vocation de développement, ce conseil deviendrait "l'organisateur" des coopératives et chaque coopérative se trouverait liée à un mouvement d'intercoopération.

Le développement coopératif s'est fait jusqu'à présent à bout de bras, en *tassant* les opposants qui interviennent avec des préjugés ou par intérêt personnel. Si nous reconnaissons la coopérative comme étant une formule efficace de développement de la PME au Québec, il faudra créer un environnement favorable à son éclosion. Le message qu'Alfred Rouleau adressait aux membres de la Confédération des Caisses populaires et d'économie Desjardins, lorsqu'il a quitté la présidence de ce mouvement, situait très bien le développement coopératif quand il affirmait: *«La formule coopérative demeure pour le Québec et les francophones une troisième voie dans le développement économique et social».*

Cette troisième voie, il faut maintenant lui donner droit de cité, éviter les embûches qui lui bloquent la route et remettre aux citoyens des régions — aux coopérateurs de la base — les pouvoirs nécessaires pour se prendre en main par la formule coopérative.

L'application d'une telle politique aura tôt fait de paver cette troisième voie d'un réseau de PME coopératives, et démontrera l'aptitude du citoyen et des régions à assurer leur développement économique et à instaurer un climat social sain, propre aux nations qui comptent sur elles-mêmes pour se développer.

Cette approche peut paraître étroite et partisane. Aussi, nous empressons-nous d'ajouter que nous ne demandons pas de privilèges. Il s'agit tout simplement d'établir une situation normale où le développement coopératif serait confié à ceux qui y croient, au lieu de maintenir la formule actuelle où le développement coopératif est "piégé". Le regroupement des coopératives de chaque région économique encadrées dans un conseil des coopératives conçu en fonction d'un développement coopératif régional nous apparaît être la solution à la création de PME qui seront de plus en plus responsables de l'avenir économique du Québec.

C'est l'orientation que les citoyens doivent prendre pour bâtir *le projet coopératif québécois* et pour donner un sens véritable à la primauté du consommateur.

Chapitre 4

Éducation permanente et éducation coopérative

par Gilbert Leclerc

«L'éducation coopérative retournerait à ses origines et à sa spécificité en célébrant sa noce avec l'éducation permanente.»
Desroches, H. ***Le Projet coopératif.***

INTRODUCTION

Lier éducation permanente et éducation coopérative n'est pas de la dernière originalité. Bien que récent, le rapprochement a déjà été ébauché par certains penseurs et praticiens[1].

En revanche, personne, à notre connaissance, n'a jusqu'ici mis en parallèle les deux mouvements sur le plan de leurs utopies respectives, ni entrevu toutes les conséquences que pourrait entraîner leur jonction.

Quand on met en parallèle les principes coopératifs et ceux de l'éducation permanente, on se rend vite compte qu'on est en présence de deux mouvements sociaux dont les points communs sont si nombreux qu'on reste étonné que si peu de tentatives aient été faites jusqu'à maintenant d'un côté comme de l'autre, pour établir le dialogue et amorcer la coopération.

---

(1) DESROCHES, H. ***Le Projet coopératif.*** Paris: Éditions ouvrières, 1976, p. 412; ***Apprentissage en sciences sociales et éducation permanente.*** Paris: Éditions ouvrières, 1971; ***Apprentissage 2, éducation permanente et créativités solidaires.*** Paris: Éditions ouvrières, 1978.

Il se peut que la nouveauté relative de l'idée d'éducation permanente en soit en bonne partie responsable. Même si de récentes études[2] en retracent l'origine jusqu'à Platon, l'idée, dans son acception moderne, n'a vu le jour qu'au début des années 60 et n'a reçu sa consécration officielle de la part des organismes internationaux, des gouvernements et des institutions éducatives qu'à partir des années 70[3]. On peut donc affirmer que, jusqu'à tout récemment, l'idée était confinée au cercle plutôt marginal des penseurs et praticiens de l'éducation des adultes ou dans la sphère plutôt élitiste des grands organismes nationaux ou internationaux. Il n'est donc pas étonnant qu'elle mette un certain temps à retrouver ses affinités avec un mouvement fleurissant principalement dans les milieux populaires. De leur côté, les entreprises coopératives apparaissent souvent dans les faits beaucoup plus préoccupées par les problèmes de recrutement, de concurrence et de profit que par l'idéal de participation et la formation à l'autogestion qui aurait pu les conduire à chercher appui du côté de l'éducation permanente.

Ce n'est donc pas par hasard que l'éducation permanente et l'éducation coopérative apparaissaient pour la première fois côte à côte comme sous-thèmes d'un colloque de l'université coopérative internationale consacré à la formation coopérative, en septembre 1978. C'est peut-être la première fois que se trouvaient réunies les conditions nécessaires pour qu'une réelle interpénétration commence à s'accomplir. En disant cela, je n'ignore pas que de nombreuses expériences, s'inspirant directement des principes d'éducation permanente, ont lieu un peu partout dans le monde coopératif. Je veux simplement rappeler que l'idée d'éducation permanente, telle qu'elle doit être comprise, entraîne des changements beaucoup plus globaux et radicaux qu'on ne l'imagine habituellement, et ce, non seulement au plan de l'éducation coopérative, mais également au plan plus général du projet coopératif lui-même. Tant qu'on en restera à de simples réaménagements pédagogiques, une réelle jonction avec le mouvement de l'éducation permanente ne pourra pas se faire.

L'objet de cet exposé est d'esquisser les traits d'un projet coopératif qui aurait accepté de faire siens les objectifs de l'éducation permanente. Nous espérons y parvenir en indiquant, brièvement d'abord, ce que nous entendons par éducation permanente et en mettant en parallèle les principes de l'éducation permanente avec ceux du projet coopératif. Ensuite, nous indiquerons les conséquences qui découleraient pour l'éducation

---

(2) PINEAU, G. ***Éducation ou aliénation permanente?, Repères mythiques et politiques***. Montréal: Coéd. Sciences et Culture et Dunod,1977, p. 17-24.

(3) ***Ibid***. p. 167.

coopérative et pour le mouvement coopératif dans son ensemble, de l'adoption de l'éducation permanente comme visée éducative intégrée à son projet.

4.1 UTOPIE ÉDUCATIVE ET UTOPIE COOPÉRATIVE

La Conférence générale de l'Unesco tenue à Nairobi en 1976 définit ainsi l'éducation permanente:

> *«Un projet global qui vise aussi bien à restructurer le système éducatif existant qu'à développer toutes les possibilités formatives en dehors du système éducatif; dans un tel projet, l'homme est agent de sa propre éducation par l'interaction permanente entre ses actions et sa réflexion; l'éducation loin de se limiter à la période de scolarité, doit s'élargir aux dimensions de l'existence vécue, s'étendre à toutes les compétences et à tous les domaines du savoir, pouvoir s'acquérir par des moyens divers et favoriser toutes les formes de développement de la personnalité; les processus éducatifs dans lesquels sont engagés au cours de leur vie, sous quelque forme que ce soit, les enfants, les jeunes et les adultes, doivent être considérés comme un tout.»* [(4)]

Comme on peut le constater, l'expression éducation permanente est trompeuse. Elle semble ne viser en premier lieu que la continuité de l'éducation dans le temps: l'expression ne désignerait alors qu'une éducation qui ne se limite pas à la jeunesse mais s'étend à toute la durée de l'existence. En réalité, le concept d'éducation permanente a une extension qui déborde largement cette première acception. Il désigne, comme le dit la Conférence de Nairobi, un projet global qui ne prétend rien de moins que de transformer profondément la société actuelle pour en faire une société éducative [(5)]. Dans celle-ci, non seulement le système éducatif aurait été restructuré, mais toutes les composantes de la société seraient devenues conscientes de leur fonction éducative et auraient pris les moyens pour l'assumer entièrement.

C'est par ce premier trait que l'éducation permanente s'apparente le plus profondément avec le projet coopératif. Les deux ont en effet l'ambition commune de proposer une société qui offre des choix. Les deux trouvent leur origine dans l'imaginaire social et leur forme d'expression dans une utopie écrite ou pratiquée.

---

(4) UNESCO. ***Éducation des adultes, notes d'information***. Unesco, 1977, p. 2.

(5) FAURE, E. et coll. ***Apprendre à être***. Paris: Fayard, 1972, p. 183-187.

Dire que l'éducation permanente et le mouvement coopératif sont des utopies n'a rien de péjoratif. Cela signifie tout simplement qu'ils ont en commun le désir d'un nouvel ordre social fondé sur un certain nombre de principes qui contrastent avec ceux qui prévalent dans la société présente. Le mot utopie tel qu'entendu ici ne dit rien du caractère réalisable d'un tel projet. Il affirme seulement que celui-ci vise ultimement un changement social d'importance.

Henri Desroches a bien mis en évidence l'inspiration utopique du projet coopératif et la permanence de celle-ci tout au long de la pratique coopérative[6]. J'ai pour ma part tenté de démontrer dans une thèse encore inédite le caractère utopique du projet de société éducative qui exprime bien l'objectif essentiel de l'éducation permanente[7].

À cause de cette commune aspiration à modifier en profondeur les règles du jeu de la société actuelle, l'éducation permanente et le mouvement coopératif auraient intérêt à se rencontrer, ne serait-ce que pour confronter leurs visées respectives.

Mais il y a plus. Il existe entre les deux projets une telle parenté de vues quant au type de société dont ils rêvent, qu'on peut se demander s'ils ne puisent pas tous deux au même vieux fonds d'aspirations de l'homme pour une société où chacun serait enfin pleinement conscient et maître de sa destinée personnelle et collective.

Qu'on en juge.

Dans la société coopérative, tous et chacun sont à la fois propriétaires et usagers; tous ont à exercer une responsabilité individuelle et collective vis-à-vis de l'entreprise. Toute forme de monopole de l'avoir, du savoir ou du pouvoir est bannie. Dans la société éducative, l'éducation est aussi une affaire collective en même temps qu'individuelle. Aucun élément de la société ne peut se décharger sur d'autres de sa fonction éducative, ni la monopoliser. Par exemple, le système éducatif n'a pas la responsabilité exclusive de l'éducation. D'autres, telles les grandes industries, la fonction publique, les médias de masse, les transports, les organisations professionnelles ou syndicales, etc., ont aussi une responsabilité éducative à l'égard de leurs employés ou de leurs membres, comme envers le reste de la société.

---

(6) DESROCHES, H. ***Le Projet coopératif***. Paris: Éditions ouvrières, 1976, p. 35-49.

(7) LECLERC, G. ***Éducation permanente et utopie***. Sherbrooke, 1978. (Thèse non publiée.)
Thèse présentée à l'université de Montréal en vue de l'obtention du doctorat en éducation (andragogie).

La société coopérative vise également à susciter la participation aussi pleine que possible de chaque sociétaire pour tout ce qui touche à la gestion de l'entreprise. Chaque sociétaire devrait être informé et formé de manière à devenir pleinement libre et autonome dans l'exercice de sa responsabilité. Idéalement, la gestion devient une autogestion collectivement partagée par tous les membres.

La société éducative désire pour sa part que chacun devienne l'agent de sa propre éducation par l'interaction permanente entre ses actions et sa réflexion, que l'éducation se transforme en auto-éducation, permettant ainsi à chacun de conserver à tout moment l'autonomie et la liberté dans le choix de ses objectifs, de son cheminement et de son rythme d'apprentissage.

La société coopérative repose entièrement sur le principe de l'égalité foncière de tous les membres, aussi bien en ce qui concerne la propriété des biens qu'en ce qui regarde la diffusion de l'information, le pouvoir de décision ou de contrôle; chaque sociétaire a un droit égal, quel que soit le capital qu'il a investi.

La société éducative telle que l'imagine l'éducation permanente considère également que tous les citoyens ont un droit strict à l'éducation, à tous les âges et dans toutes les circonstances de la vie. En conséquence, chacun doit non seulement avoir une égalité d'accès aux moyens éducatifs, mais également une égalité de chances d'y réussir. L'éducation ne doit jamais devenir, plus ou moins subrepticement, le privilège d'une élite ou d'une classe sociale.

De par sa nature même, la société coopérative abolit le clivage habituel entre les vues et les intérêts des propriétaires et ceux des usagers. En faisant de chaque usager un propriétaire à part entière, elle tend à rapprocher au maximum la gestion de l'entreprise de la situation réelle vécue par les gens de la base. En principe, un tel mode de gestion réunit les conditions idéales pour lutter contre la dichotomie entre la gestion et l'action dans le milieu de vie réel.

Dans la société éducative, il doit aussi en être ainsi. L'éducation n'est plus séparée de la vie; la vie toute entière est devenue éducative et l'éducation est devenue vie puisque, d'une part, tous les moments et tous les milieux de vie sont devenus éducatifs, et d'autre part, chacun est en mesure d'assurer de manière autonome sa propre éducation dans et par toutes les situations de son existence. L'expérience vécue par chacun est à l'origine d'un nouveau bond en avant dans son éducation, et celle-ci suscite à son tour des formes d'expériences inédites. L'interaction constante de l'action et de la réflexion est à la fois la source et le moyen pour chacun d'assurer son autoéducation permanente.

En résumé, la société coopérative et la société éducative ont en commun le désir de remettre le plus possible entre les mains de chaque membre le plein exercice de sa liberté et de son autonomie et l'entière responsabilité de sa destinée individuelle aussi bien que collective, de considérer chaque personne comme ayant un droit foncièrement égal devant la société peu importe ses coordonnées personnelles, sociales ou politiques, et de faire appel le plus possible à la participation éclairée de chacun. Elles partagent également l'ambition de rapprocher l'entreprise économique ou l'action éducative de la réalité concrète qui constitue à la fois leur terrain d'intervention et leur lieu de ressourcement.

On peut facilement déduire que tout ce qui précède suppose ou entraîne une société autre que celle que nous connaissons.

La société qui se dessine en filigrane dans les modèles mis de l'avant par le mouvement coopératif et par l'éducation permanente, est une société démocratique favorisant la participation et l'autonomie à tous les paliers de l'appareil politique et respectant ou suscitant l'autonomie, la liberté et la responsabilité de la personne. C'est aussi une société égalitariste, en ce sens qu'elle considère les citoyens comme foncièrement égaux, qu'elle supprime les inégalités dans le partage des ressources et des pouvoirs, qu'elle favorise l'égalité d'accès aux diverses ressources économiques, sociales et culturelles et qu'elle abolit les monopoles et les privilèges.

Le rapprochement que nous venons de faire entre le mouvement coopératif et l'éducation permanente appelle deux remarques.

La première est que sur aucun point nous n'avons pu déceler de divergence entre les principes fondamentaux de la coopération et ceux de l'éducation permanente. Au contraire, il apparaît que les postulats sur lesquels reposent les uns et les autres sont fondamentalement les mêmes: égalité, autonomie, participation démocratique, autogestion, liens avec le milieu et l'expérience vécue, lutte contre les monopoles et les privilèges. Il est clair cependant que certains principes spécifiques à la coopération ne se retrouvent pas en éducation permanente et vice versa.

Cela ne constitue pas un désaccord, mais une simple différence due à des champs d'application très différents. En ce qui regarde les orientations de fond, l'accord est si remarquable qu'on est en droit de se dire qu'ils puisent sans doute à un vieux fonds utopique commun.

La deuxième remarque que suggère ce rapprochement est que par les principes qui la fondent et par le projet global de société éducative qu'elle met de l'avant, l'éducation permanente est la seule conception de l'éducation qui subsume en tous points les principes coopératifs et qui l'inscrive dans un projet de société correspondant parfaitement aux traits de son idéal utopique primitif.

On dirait que les objectifs de l'éducation permanente ont été taillés sur mesure pour répondre aux exigences de l'éducation coopérative. J'oserais même dire que l'éducation coopérative ne peut trouver sa vraie dimension que si elle fait cause commune avec l'éducation permanente. Mais cela ne va pas sans entraîner un certain nombre de conséquences importantes dans la manière de concevoir l'éducation coopérative aussi bien que le fonctionnement du système coopératif dans son ensemble. C'est ce qu'il nous faut indiquer maintenant.

4.2 ÉDUCATION PERMANENTE ET ÉDUCATION COOPÉRATIVE

Le projet "éducation permanente" peut être défini par trois grands objectifs: l'unité entre l'éducation et la vie, la participation autonome de l'individu à sa propre éducation et l'égalisation des chances.

Le premier objectif, l'unité entre l'éducation et la vie, donne lieu à un premier principe, très important dans le cas présent, celui de l'isomorphisme. Ce principe exige qu'il y ait identité entre les attitudes et les comportements attendus de l'individu dans une situation d'apprentissage et ceux qu'on attend de lui dans la situation réelle pour laquelle on le prépare. Par exemple, un programme d'agents de coopération élaboré sans aucune participation de l'étudiant à la formulation des objectifs, à la définition du contenu, de la méthode et du cheminement de l'apprentissage ne forme pas vraiment à la coopération. Elle est une sorte de contradiction dans l'acte éducatif lui-même. Il est démontré en effet que l'étudiant tend à reproduire les situations d'apprentissage qu'il a vécues plus encore que ce qu'on lui a enseigné. Ayant vécu une situation de formation où la part laissée à son autonomie était congrue, il tendra fatalement à imposer le même modèle quand viendra le temps pour lui d'appliquer les acquisitions faites durant le temps de sa formation. S'il proteste contre le modèle autoritaire qu'on lui impose, c'est peut-être le meilleur signe qu'il a vraiment compris quelque chose au modèle coopératif.

Mais l'objectif va plus loin. Il n'exige pas seulement qu'il y ait identité de vues entre la situation d'apprentissage et la situation réelle, il requiert également que ce soit la vie réelle ou du moins les problèmes, questions et expériences issus de la vie elle-même qui soient la matière même de l'apprentissage.

Ainsi, pour prendre encore l'exemple de la formation des agents de coopération, il faudra que le programme prenne comme point de départ l'expérience, les questions, les conceptions et les représentations de chaque individu pour déboucher sur un savoir plus théorique, ou, à l'inverse, partir d'un savoir théorique pour ensuite susciter une action ou une expérience vécue. C'est de cette manière qu'on pourra assurer l'interaction constante entre l'action vécue et la réflexion.

L'éducation des nouveaux membres d'une coopérative ne devrait pas être conçue différemment. Si on désire les former à l'autonomie, à la responsabilité, à la liberté, à la participation et au respect de l'égalité foncière des membres, il faut que la situation éducative elle-même soit construite de telle sorte que le coopérant ait déjà à exercer son autonomie, sa responsabilité, sa liberté, sa participation et son acceptation de l'égalité foncière des membres. La mise en place d'une situation éducative qui réponde à toutes ces exigences devient très difficile. Elle n'en reste pas moins très importante si l'on ne veut pas que l'éducation coopérative prêche en paroles ce qu'elle renie en actes.

Un second objectif de l'éducation permanente est la participation de l'individu à sa propre formation. Encore ici, c'est l'isomorphisme de la situation d'apprentissage et de la situation réelle qui commande que dans le choix des moyens pédagogiques propres à favoriser l'autonomie de l'étudiant, on lui laisse la plus grande marge de liberté possible au point de devoir parler d'autoformation assistée. Cette option change de manière radicale toute la pédagogie éducative et le rôle du professeur. Il faut alors placer au centre du projet éducatif de l'étudiant l'exercice du choix, ce qui implique que l'étudiant puisse non seulement déterminer les moyens de son apprentissage (par exemple, sous la forme d'un contrat passé entre le formateur et l'étudiant, et où celui-ci est associé à la définition des objectifs), mais soit responsable également de son propre rythme, puisse partir de son expérience sans avoir à court-circuiter le tâtonnement et l'erreur (à cause de leur valeur éducative) et puisse évaluer de plus en plus par lui-même l'atteinte de ses objectifs.

L'autoformation ne va pas cependant sans une assistance accrue qui peut prendre, selon B. Schwartz, quatre formes différentes:

a) une relation d'assistance technique où le maître devient le médiateur des moyens qui servent à communiquer le savoir;

b) une relation d'assistance pédagogique qui assure le suivi pédagogique de l'étudiant tant au plan des contenus et des objectifs possibles qu'au plan des moyens et procédures d'évaluation;

c) une relation d'assistance, sur le plan des attitudes cette fois, qui a essentiellement pour but de l'aider à réfléchir sur ses propres attitudes et à se libérer des modèles véhiculés par le formateur lui-même;

d) une relation d'assistance par équipe de professeurs dont les buts principaux sont de permettre une meilleure souplesse dans le fonctionnement des professeurs, d'assurer une plus grande variété dans la supervision et l'orientation des étudiants et de proposer à ceux-ci plusieurs modèles d'identification[(8)].

Un troisième objectif majeur de l'éducation permanente est de favoriser au maximum l'égalisation des chances. On perçoit immédiatement toute l'importance que peut avoir un tel objectif dans le mouvement coopératif. Celui-ci, nous l'avons vu, a adopté comme postulat de base l'égalité foncière de tous les membres dans la possession et dans la gestion de l'entreprise. Une éducation qui voudrait favoriser une telle égalité ne pourrait pas se contenter de favoriser une égalité d'accès à l'information et aux services offerts par la coopérative. Elle devrait en outre prendre tous les moyens pour vulgariser l'information, c'est-à-dire la rendre compréhensible par tous, la dépouiller de son vocabulaire trop technique, trop abstrait ou trop ésotérique. Enfin, et c'est là le plus important, elle devrait même fournir aux plus défavorisés sur les plans de la compréhension, de l'expression et de la communication, les moyens de rattraper les autres et d'avoir une réelle égalité de chances d'influencer la marche générale de l'entreprise. Comme le rappelle en effet le rapport Faure: *«Assurer loyalement des chances égales à chacun ne consiste pas, comme on s'en persuade généralement aujourd'hui encore, à garantir un traitement identique pour tous, au nom de l'égalité, mais bien à offrir à chaque individu une méthode, une cadence, des formes d'enseignements qui lui conviennent en propre*[(9)]*.»*

4.3 SOCIÉTÉ ÉDUCATIVE ET SOCIÉTÉ COOPÉRATIVE

Isomorphisme des situations d'apprentissage et des situations de la vie réelle, unité entre l'éducation et la vie, entre l'action et la réflexion, autodidaxie, égalité des chances, voilà autant de paramètres de l'éducation permanente qui, appliqués à l'éducation coopérative, seraient capables de la renouveler en profondeur et peut-être de lui faire retrouver quelque chose de son idéal primitif.

---

(8) SCHWARTZ, B. ***L'Éducation demain***. Paris: Aubier - Montaigne, 1973, p. 180-187.

(9) FAURE, E. et coll. ***Apprendre à être***. Paris: Fayard, 1972, p. 87.

Plus encore, c'est le mouvement coopératif dans son ensemble, et non seulement l'éducation coopérative, qui pourrait avoir à se transformer par un contact avec l'éducation permanente.

N'oublions pas en effet que l'éducation permanente est un projet global qui ne se préoccupe pas seulement de ce qui est proprement éducatif, mais de tout ce qui, de près ou de loin, peut avoir des incidences sur l'éducation. Ainsi, elle ne peut rester indifférente au mode de fonctionnement général d'une société au plan économique, social ou politique, si elle veut prendre en considération le fait éducatif dans sa globalité avec son caractère polymorphe. Elle ne peut non plus fermer les yeux sur le problème des disparités locales ou régionales, socio-économiques ou sociopolitiques, ni sur ceux du chômage, des transports, de l'environnement, etc. Il en est de même vis-à-vis du mouvement coopératif. À partir du moment où celui-ci déciderait de s'inscrire dans la foulée du projet de l'éducation permanente, il lui faudrait accepter de reviser sous cette lumière certaines de ses orientations et certains de ses modes d'organisation et de fonctionnement.

Sans aller jusqu'à dire quelles transformations devraient être faites, on peut indiquer un certain nombre de conséquences découlant du principe de l'éducation permanente qui risquent d'affecter plus ou moins profondément les systèmes coopératifs.

Ces conséquences, je les ai tirées, en les adaptant, d'un livre intitulé *Société éducative et pouvoir culturel*. Dans un des chapitres, les deux sociologues qui en sont les auteurs, J. Dumazedier et N. Samuel, retracent l'émergence d'une société éducative et d'un pouvoir culturel dans la ville d'Annecy de 1957 à 1974. La fin du chapitre éclaire bien notre propos. Elle décrit les traits qui caractériseraient une société éducative telle que l'envisage l'éducation permanente. Avec quelques adaptations, on peut facilement transposer et appliquer ce qu'ils disent de la société urbaine à la société coopérative[10].

La société coopérative pourrait devenir pleinement éducative moyennant cinq conditions:

a- Elle devrait faire une place permanente à la réalisation de chacun. Quel que soit son objectif premier (produire, distribuer, gérer ou administrer), elle ne devrait jamais oublier d'éliminer tout ce qui dégrade ou peut dégrader les individus. Elle reconnaît que l'entreprise n'agit pas seulement pour produire des objets, mais pour former des hommes.

---

(10) DUMAZEDIER, S. et SAMUEL, N. ***Société éducative et pouvoir culturel***. Paris: Seuil, 1976, p. 156-159.

La société éducative tend à transformer les conditions et les modes de travail, non seulement en fonction des critères de rentabilité mais aussi en fonction des besoins des travailleurs selon leur personnalité. Dans la distribution, la consommation de masse n'est plus l'unique objet; la société éducative a pour souci d'informer, d'éduquer les consommateurs, afin que la consommation soit au service de l'homme et non l'inverse. Les institutions coopératives n'ont pas seulement pour objectif de recruter des adeptes par la propagande, mais de favoriser l'information libre de chacun.

b- Dans une société coopérative, ce ne sont pas seulement les cadres ou les jeunes, mais tous les membres qui doivent pouvoir bénéficier à tout âge d'activités de perfectionnement personnel ou professionnel. Chacun a le droit de pouvoir cultiver ses possibilités de développement durant toute sa vie.

c- Chaque société coopérative devrait dépenser une part de plus en plus importante de ses revenus pour le divertissement, l'information et le perfectionnement de ses membres. Les dépenses dites culturelles ne devraient plus constituer une part isolée de la comptabilité des entreprises; elles devraient être assimilées à tous les autres types de dépenses de production, de distribution, d'action sociale, etc. Elles devraient contribuer à améliorer, dans tous les secteurs d'activités, la qualité de la vie.

d- Une société coopérative devrait tendre à adjoindre aux cadres responsables des cadres éducateurs ou animateurs chargés d'informer, de former, de perfectionner et de divertir les membres. Les éducateurs peuvent être permanents ou temporaires, ils peuvent être bénévoles, semi-bénévoles ou professionnels. Ce qu'il faut souligner surtout, c'est que la structure éducative n'est plus seulement interne au système scolaire ou parascolaire, elle s'insère dans toutes les institutions sociales.

e- Enfin, dans une société coopérative, il devrait y avoir de plus en plus une autonomie des fonctions éducatives par rapport à l'institution. Cette autonomie est le plus souvent relative et apparaît à la suite de conflits et de tensions, tantôt manifestes, tantôt latents. S'alimentant directement aux sources de la connaissance la plus novatrice, la fonction éducative entre fréquemment en opposition avec la routine, les stéréotypes et les préjugés d'où une lutte pour l'autonomie. Dans les entreprises qui axent leur politique sur la formation, le service responsable tend à être fonctionnel et non pas hiérarchique; dans le comité d'entreprise, il faut à l'animateur de la formation une certaine indépendance par rapport aux parties en présence: cadres, gestionnaires et simples coopérants.

On le voit, une société coopérative qui accepterait vraiment de devenir une micro-société éducative, selon les visées de l'éducation permanente, serait touchée profondément dans la manière de concevoir son rôle vis-à-vis de ses membres. Elle n'aurait pas bien sûr à changer ses objectifs économiques, mais à les envisager d'une manière toute nouvelle, en considérant cette fois que chacun de ses actes a une dimension éducative en même temps qu'économique.

CONCLUSION

Serait-ce trop hardi de dire en terminant que le projet coopératif en tant que projet utopique court présentement le risque, dans beaucoup de cas, d'une trop grande acculturation? Il a si bien su s'adapter aux exigences de la société de production et de consommation qu'il ne porte plus dans ses flancs le projet d'une contre-société comme c'était le cas à l'origine. Il s'est institutionnalisé, il fait partie de la société sans être vraiment un ferment de changement au sein de celle-ci.

Et serait-il trop ambitieux de la part d'un praticien de l'éducation permanente de prétendre que des épousailles avec la jeune utopie de l'éducation permanente seraient en mesure de lui redonner la ferveur originelle?

C'est à deux plans que l'éducation permanente serait en mesure de lui infuser ce renouveau.

Premièrement, au plan d'un projet global de société. Le mouvement coopératif a pris naissance comme projet utopique; c'est dire que ce qu'il caressait à l'origine n'était ni plus ni moins que le rêve d'une société coopérative, une sorte de grande république communautaire. La boutique coopérative n'était qu'une étape. Or, il semble qu'après un siècle et demi d'existence ce soit la boutique qui est restée. La république coopérative s'est évanouie. L'éducation permanente serait en mesure de ressusciter ce rêve en redonnant au mouvement coopératif à la fois l'image et le goût d'une société nouvelle répondant aux principes de base de la coopération.

Deuxièmement, au plan d'un renouvellement de chaque cellule coopérative. Nous venons de montrer comment chaque société coopérative pourrait être profondément renouvelée dans sa manière d'être et d'agir en devenant elle-même une micro-société éducative. Trop souvent en effet, on ne voit aucune différence entre les institutions coopératives et les autres institutions économiques de la société capitaliste. Les unes et les autres sont alignées sur des objectifs d'efficacité, de rendement et de profit. Les unes et les autres semblent tenir pour quantité négligeable auprès du développement économique de la coopérative la participation et le développement des coopérants eux-mêmes. En accueillant dans sa pensée et dans son organisation l'idée de société éducative telle que l'entend l'éducation permanente, la société coopérative commencerait vraiment à se distinguer des autres institutions économiques et introduirait au sein de la société actuelle l'image en même temps que le ferment d'un autre type de société.

Il semble que le moment soit venu pour les deux mouvements de faire alliance. Leurs affinités réciproques la réclament depuis déjà plusieurs années. Une telle alliance ne pourrait être que bénéfique à chacune des deux parties. Effectivement, il manque peut-être au projet de l'éducation permanente le fait d'être plus coopératif, et au projet coopératif celui d'être plus éducatif.

Les lignes qui précèdent ont surtout cherché à esquisser comment le mouvement coopératif pourrait devenir plus éducatif. Je laisse à d'autres le soin de vous dire comment l'éducation permanente pourrait devenir plus coopérative.

Chapitre 5

Coopération et développement régional

par Paul Prévost

INTRODUCTION*

Bien ancrées dans un milieu local, les coopératives québécoises se présentaient à l'origine comme des forces économiques nouvelles au service de la communauté. Puis, peu à peu contraintes par un système économique dominant axé sur la concurrence, elles se sont regroupées, quittant un ancrage spatial pour adopter une stratégie de développement sectoriel. Si cette stratégie a permis des réussites économiques spectaculaires, elle a par contre éloigné les coopératives des préoccupations des communautés locales et régionales de base.

En période de croissance rapide les effets d'un tel choix stratégique se sont fait peu sentir, mais la succession et la stagnation des dernières années a ramené ce problème au coeur de l'actualité économique. Aujourd'hui, surtout en région périphérique où les coopératives forment un des leviers les plus importants aux mains des populations locales, on questionne une stratégie qui a souvent évacué inutilement des régions, des moyens économiques et décisionnels importants.

Comment donc concilier la concurrence et le développement coopératif pour marier le développement sectoriel et le développement régional? ... C'est un défi que le mouvement coopératif doit relever car les coopérateurs, s'ils sont par définition membres de leur coopérative, sont

* Cet article a déjà été publié dans la revue ***Protée*** à l'automne 1980 (vol. VIII, n° 3).

avant tout membres de leur communauté locale et régionale.

Fait à partir de réflexions sur l'expérience du Saguenay—Lac-Saint-Jean, ce travail est un essai qui, nous l'espérons, servira à alimenter positivement ce débat. Il comprend les sept parties suivantes:

1. De l'action à la théorie
2. La notion de développement économique
3. La notion de région
4. La notion de développement économique régional
5. Un modèle de développement économique régional
6. Vers un système de développement coopératif régional
7. De la théorie à l'action

5.1 DE L'ACTION À LA THÉORIE

Après un décollage économique fulgurant au début du siècle, la région du Saguenay—Lac-Saint-Jean ne parvient pas, depuis la Deuxième Guerre mondiale, à trouver un second souffle et à soutenir une croissance économique qui assurerait au moins de l'emploi à toute sa population.

En effet, les avantages comparatifs qui ont permis à la région du Saguenay—Lac-Saint-Jean de décoller économiquement ont pratiquement disparu pour laisser un appareil économique hyperspécialisé, désarticulé, extraverti et presque complètement dominé de l'extérieur: un appareil économique qui, entraîné dans un processus de rationalisation, ne génère plus d'emplois nouveaux dans cette région.

Le gouvernement a bien cherché par divers moyens à relancer l'économie de la région: mission de planification, financement de projets... Toutefois, l'inconvénient de ses interventions fut de déterminer par le haut les meilleures voies et de développer une dépendance de plus en plus grande envers l'État omnidécisionnel, sans pour autant régler les problèmes de développement du Saguenay—Lac-Saint-Jean.

Aujourd'hui, il apparaît clairement que la population régionale possède peu de leviers économiques et décisionnels nécessaires pour participer à la relance et à l'articulation de son propre développement. Malgré ce constat, nous devons cependant reconnaître que le mouvement coopératif, bien que timide à ses débuts, a fait des progrès économiques au Saguenay—Lac-Saint-Jean, pour devenir le troisième employeur de la région (près de 3 000 employés). Comme les coopératives sont par définition un médium de développement régional totalement aux mains des membres, elles sont donc naturellement apparues comme des solutions potentielles à la faiblesse économique et décisionnelle de la population régionale.

Toutefois, en raison d'un environnement et d'un contexte légal particuliers, les coopératives ne se sont pas développées de façon égale dans tous les domaines. Au Saguenay—Lac-Saint-Jean, si le mouvement coopératif s'est enraciné dans tous les patelins du territoire, ses activités sont surtout liées à l'agriculture, la foresterie, l'agro-alimentaire et les services tels l'épargne et le crédit, et la consommation. Malgré certaines expériences d'autogestion, les coopératives de travailleurs et de production industrielle y sont très peu nombreuses. Toutefois, s'il semble difficile de créer des coopératives dans les secteurs à forte intensité capitalistique, il n'est pas certain que nous ayons déjà épuisé toutes les avenues dans les secteurs utilisant beaucoup de travailleurs ou liés à de larges groupes de consommateurs. Dans ce cas, la mise en évidence des besoins de la population régionale et des conditions socio-économiques nécessaires à l'émergence et au développement de coopératives présente donc des pistes de recherche intéressantes pour le développement coopératif.

Les coopératives d'épargne et de crédit, comme dans toutes les régions du Québec, illustrent probablement, quantitativement, la plus belle réussite coopérative au Saguenay—Lac-Saint-Jean. Ancrées sur tout le territoire régional, génératrices de nombreux emplois directs, organismes de regroupement des forces vives locales, elles ont servi de support essentiel à la consommation locale. Par contre, sans minimiser leur impact réel sur le développement économique local et régional, elles furent en tant qu'institutions financières très peu impliquées — exception faite des Caisses d'entraide — dans le financement direct du développement économique, soit le prêt à l'investissement industriel et commercial. Il existe tout un contexte historique et légal justifiant cette situation. Les groupes concernés sont conscients du problème, des expériences précises (la SID) sont actuellement tentées, et des projets sont discutés à différents niveaux. Compte tenu de l'importance de ce secteur d'activités pour le développement régional et de l'implication nécessaire des populations locales et régionales dans leur propre développement, des recherches devraient être entreprises pour formuler un modèle coopératif de financement du développement adapté à la problématique régionale.

Sur le plan décisionnel, les coopératives ont réussi à décentraliser une certaine forme de prise de décision économique dans toutes les localités où elles se sont implantées. Il s'agirait d'analyser maintenant la qualité de cette prise de décision et son impact sur le développement local. L'idée de développement est-elle un concept présent dans les conseils d'administration des coopératives du Saguenay—Lac-Saint-Jean? ... D'un point de vue plus global, le mouvement coopératif régional est peu présent dans les grands débats régionaux. Le Conseil régional de l'intercoopération a rarement pris position au nom des coopérateurs sur les problèmes de cette région. En fait, les coopératives sont fondues dans des organismes sectoriels, tel l'UPA, qui s'occupent plus précisément de leurs activités premières. Cette absence nuit probablement à l'émergence d'une conscience et d'une fierté coopératives régionales nécessaires à tout leadership...

Par contre, il ne faudrait pas minimiser l'influence sociale des coopératives locales et surtout rurales sur leur milieu. En effet, les conseils d'administration, composés de 1 300 bénévoles, regroupent une grande partie des leaders naturels du milieu. En fait, il n'est pas rare de voir un dirigeant de coopérative siéger au conseil municipal, à la commission scolaire ou dans de nombreux autres organismes locaux. Il faudrait maintenant vérifier quelle idéologie véhiculent ces leaders, à quelle classe sociale ils appartiennent, etc.

Bref, si en théorie la coopération constitue une forme économique, sociale et décisionnelle particulièrement conforme à des objectifs de développement et d'implication populaire dans les réalités économiques d'une société régionale, la pratique est quelque peu différente et l'adoption de la stratégie coopérative comme moyen de développement régional nécessite encore des recherches et des précisions sur nombre d'aspects. En pratique, deux problèmes se posent:

Comment faciliter la création de nouvelles coopératives et comment s'assurer que chaque coopérative existante optimise son rôle d'agent de développement régional?

Dans le premier cas, nous connaissons mal les facteurs historiques, les conditions tant externes qu'internes qui ont permis aux coopératives d'émerger au Saguenay—Lac-Saint-Jean. Les modèles explicatifs sont rares et aucun n'a encore été appliqué dans un contexte régional québécois, bien qu'un groupe de recherche des HEC travaille actuellement sur une application à l'ensemble du Québec du modèle de Claude Vianney du Collège coopératif de Paris. Dans le deuxième cas, les coopératives en région périphérique, lorsqu'elles ne s'en vantent pas, cherchent manifestement à promouvoir par leur action le développement régional. Le problème, c'est qu'elles n'ont pas de vision précise de ce que peut être une coopérative qui optimise son rôle d'agent de développement et que de plus, par voie de convergence, elles n'ont aucun moyen pour évaluer leurs actions. Donc, il faudrait d'abord déterminer une forme de développement régional qui respecterait l'esprit coopératif, et ensuite élaborer une grille correspondante pour évaluer l'action des coopératives. C'est à ce deuxième volet que s'adresse plus particulièrement ce projet de recherche.

Une revue de la littérature coopérative a tôt fait de mettre en évidence les lacunes théoriques de ce système de pensée économique sur le sujet. N'ayant pu s'inscrire en système dominant comme le socialisme et le libéralisme, le coopératisme se limite à une philosophie sociale et à une théorie de l'organisation centrée sur la notion de démocratie économique qu'elle opérationalise par quelques principes très généraux. En fait, on a l'impression que la pensée économique coopératiste est restée au niveau de la microéconomique et qu'elle fait encore appel à la "main invisible" pour le reste. Alors que les deux systèmes dominants pour faire face à une réalité de plus en plus complexe ont développé un appareillage conceptuel et théorique correspondant, la coopération soumise à une réalité plus simple n'a pas su faire le même chemin et s'est graduellement tournée vers la notion de *démocratie économique*.

Cependant, l'ajout d'une responsabilité socio-économique plus large que la simple démocratie économique, soit le développement en région périphérique, ramène à la surface ce problème de sous-développement conceptuel. Deux solutions se présentent: le rattachement aux modèles conceptuels de l'un ou l'autre système dominant, ou l'élaboration d'un cadre conceptuel nouveau qui s'enracinerait dans les concepts fondamentaux de la pensée coopérative.

En nous appuyant sur les travaux de M. Henri Desroches[1], lesquels structurent la pensée coopérative autour des concepts de *créativité*, de *solidarité* et de *subsidiarité*, nous avons choisi la deuxième voie. C'est ainsi que nous avons interprété la littérature existante sur le phénomène régional, pour retenir tout particulièrement les travaux d'auteurs comme Armand Frémont et Jacques Attali.

La définition de la région comme un "espace vécu", selon A. Frémont, représente un point d'ancrage pertinent avec le concept de solidarité, alors que la notion de *développement implosif*, élaborée par Jacques Attali dans son livre *La Parole et l'outil*, concorde très bien avec le concept de subsidiarité.

À l'aide de ce support théorique, nous avons tenté de préciser les concepts pertinents à notre étude et de concevoir un modèle de développement régional typiquement coopératif.

---

(1) DESROCHES, H. ***La Pensée coopérative***. Conférence donnée à l'UQAC en septembre 1980; vidéothèque UQAC.

5.2 LA NOTION DE DÉVELOPPEMENT ÉCONOMIQUE

D'après Celso Fertado, la notion de développement économique se réfère à l'accroissement d'un ensemble de structures complexes, alors que la notion de croissance se réfère à une structure économique simple où la demande n'est pas auto-engendrée, comme dans le cas d'une entreprise ou d'un secteur productif spécialisé. Le concept de développement contiendrait donc l'idée de croissance.

Cette complexité stucturale n'est pas une simple question technologique, elle traduit en réalité la diversité des formes sociales et économiques qu'engendre la division du travail social. Elle subit l'action permanente d'une multitude de facteurs sociaux et politiques qui échappent à l'analyse économique traditionnelle. C'est d'ailleurs dans cette optique que François Perroux a défini le développement comme *«la combinaison des changements mentaux et sociaux d'une population qui la rendent apte à faire croître cumulativement et durablement son produit réel global*[2] *»*. Le développement économique implique donc accroissement et changement de structure, et engage une société sous tous ses aspects.

Cette définition du développement économique est tellement large qu'elle est généralement acceptée en sciences sociales. Cependant, elle n'est pas opérationnelle et ne suggère pas de type d'action précis. C'est à ce point de vue que les écoles de pensée divergent. Si vous êtes libéral ou socialiste, cette définition sera interprétée différemment dans la réalité. De plus, à l'intérieur de ces deux grandes idéologies il y a aussi des "sous-écoles" qui proposent une panoplie de modèles explicatifs.

Dans notre cas, comme nous voulons nous soumettre à l'idéologie coopératiste, nous devrons interpréter le développement selon les concepts de *créativité*, de *solidarité* et de *subsidiarité*, et c'est ainsi que le développement économique devient auto-développement.

La notion d'auto-développement repose sur la recherche d'une certaine auto-centration du développement sur les populations locales ou nationales, et cherche à rompre les termes d'un échange inégal et la dépendance de certaines sociétés envers d'autres sociétés. Jacques Attali[3] a qualifié ce type de développement d'implosif, c'est-à-dire basé sur la valeur d'usage produite sur et pour un territoire donné, dans une conception collective et spatiale du développement.

---

(2) PERROUX, F. ***L'Économie du XXe siècle***. 2e éd. Paris: PUF, 1965, p. 155.

(3) ATTALI, J. ***La Parole et l'outil***. Paris: PUF, 1976, p. 34 (Coll. "Économie en liberté").

5.3 LA NOTION DE RÉGION

Contrairement à la géographie, la science économique s'est intéressée assez tardivement au phénomène régional en tant qu'espace social. En fait, il a fallu attendre à l'après-guerre avant de voir poindre à l'horizon les premières grandes écoles d'économie régionale (Isard aux États-Unis, Perroux-Boudeville en France, etc.). Cette situation pour le moins surprenante à première vue s'explique toutefois assez facilement. En effet, il faut savoir que la théorie économique classique, qui a longtemps inspiré nos économistes, reconnaissait comme postulat entre autres la mobilité parfaite de la main-d'oeuvre et la connaissance tout aussi parfaite des conditions du marché. Ces deux conditions interdisent donc l'existence à long terme de toutes disparités régionales, car les régions riches attireront toujours tous les surplus de main-d'oeuvre des régions plus pauvres, entraînant par le fait même un équilibre interrégional. On a certes reconnu la nécessité de certaines interventions à court et moyen terme pour rendre plus supportable l'atteinte de l'équilibre. C'est ainsi, par exemple, que conseillés par les économistes les gouvernements ont introduit des mécanismes de répartition qui redistribuent une partie des surplus de revenus des régions riches vers les régions pauvres*, sans toutefois affecter pour autant la redistribution du potentiel de production et la recherche d'un optimum global...

Cependant, l'immobilité relative de la main-d'oeuvre, les problèmes liés au surdéveloppement des régions industrialisées et, plus généralement, la perpétuation et dans certains cas l'aggravation des disparités régionales dans un même pays ont amené les économistes à se pencher sérieusement sur le phénomène régional considéré comme espace social pour développer ou adapter un bagage de notions, de concepts et d'outils d'analyse et d'interventions proprement régional.

La pensée économique est redevable à F. Perroux de la notion d'espace comme système abstrait. C'est vrai pour deux types d'espace qu'il évoque, mais pas pour le troisième.

5.3.1 La région homogène

C'est un espace abstrait caractérisé par une certaine uniformité du point de vue d'un ou de plusieurs attributs, tels les ressources naturelles, la structure économique, le revenu per capita, etc. Comme on le voit, l'espace homogène est relatif à un certain niveau d'agrégation spécifique à

---

* La péréquation entre les provinces canadiennes.

une certaine structure, à une certaine pratique et à un certain contexte.

5.3.2 La région polarisée

C'est un espace abstrait dont les diverses composantes sont complémentaires et entretiennent entre elles et plus spécialement avec le pôle dominant plus d'échanges qu'avec les régions voisines. La région polarisée se définit par sa cohérence, c'est-à-dire par l'interdépendance de ses diverses parties. Ce concept d'espace polarisé correspond aux notions de *pôle de développement* et de *pôle de croissance*, et aux relations qu'entretient le pôle avec son arrière-pays. Ce sont les flux établis entre le pôle et sa zone d'influence qui déterminent l'étendue d'une région polarisée (transactions bancaires, réseau routier, réseau téléphonique, échanges commerciaux, etc.). Citons à ce propos un passage significatif écrit par F. Perroux:

> *«Les nations ne sont ni des espaces de mobilité des facteurs de la production, ni des approvisionnements de facteurs homogènes de la production; elles sont des constellations de pôles de développement avec leur milieu de propagation; elles forment des combinaisons d'unités motrices et actives et d'ensembles comparativement passifs et mus, elles sont des ensembles économiques structurés, et moins une théorie tient compte de leur structure, plus elle les traite comme des ensembles uniformes et homogènes, moins elle rend compte des risques et des chances pratiques de la vie économique des Nations.»*[4]

D'autre part, selon A. Liepietz:

> *«Tout espace est en un certain sens polarisé et homogène: par exemple, polarisé du point de vue du mode de produire et de sa structure, homogène du point de vue du mode d'échange et de son espace de représentation.»*[5]

5.3.3 La région-programme ou la région-plan

La région-programme correspond à des critères d'actions et de politiques économiques; elle est l'endroit géographique choisi par un gouvernement pour atteindre un objectif précis d'économie politique ou l'aire

---

(4) PERROUX, F. ***Op. cit.*** p. 183.

(5) LIEPIETZ, A. ***Le Capital et son espace***. Paris: François Maspéro, 1974, p. 121 (Coll. "Économie et Socialisme", n° 34).

de prospection de la firme pour un projet spécifique. Il ne s'agit plus de théorisation du réel.

L'intérêt de la région-plan est d'ordre décisionnel. On cherche dans ce cas-ci à localiser des centres de production. Il ne s'agit donc plus ici d'un concept scientifique, mais d'une notion pratique et technique.

L'intérêt fondamental de la région homogène est la détermination de la région-plan, car en fait cette dernière est le résultat concret des mesures prises pour développer la région homogène. D'autre part, en déterminant la région-plan, on cherche à déterminer la frontière et la structure de ce qui deviendra la région polarisée, car la philosophie générale de la détermination de la région-plan est le développement des centres d'activités intenses qui constitueront de futurs pôles.

5.3.4 La région, un espace vécu

Ces notions de régions ont toutes un point commun, elles constituent des cadres d'interventions économiques pour un gouvernement central aux prises avec des problèmes de disparités régionales. Mais pour la population régionale, la région est plus qu'un espace économique, c'est une entité cohérente, hétérogène, constituant une société, c'est un espace vécu. Le monde autour de l'individu est multidimensionnel, il comprend des espaces économiques, historiques, physiques, sociaux et autres. Ces dimensions sont interreliées:

> *«La chaîne des interrelations est telle qu'une composante ne peut changer sans que des conséquences en résultent sur l'ensemble du système.»*[6]

Dans chaque dimension composant cet espace, il existe une hiérarchie des éléments, un écosystème physique, un réseau urbain, une combinaison de relations sociales, etc. Enfin, chaque dimension a son échelle d'interventions, d'où la notion d'espaces emboîtés.

Frémont distingue cinq espaces emboîtés. Il s'inspire des observations de Moles et Hohmer:

«1) L'espace infralocal

2) Le lieu

3) L'espace social

---

(6) FRÉMONT, A. ***La Région espace vécu***. Paris: PUF, 1976, p. 89 (Coll. SUP, "Le géographe", n° 19).

4) La région

5) Le grand espace ou domaine»[7]

Malheureusement, les réflexions de Frémont demeurent théoriques et les expériences pratiques appliquant ces concepts sont rares. *Elles constituent néanmoins une invitation à employer l'approche systémique dans les futures études régionales et à privilégier une vision de l'intérieur*.

À partir du tableau théorique qui vient d'être rapidement brossé, la région pourrait se définir comme un système social capable de générer ses propres objectifs et de se définir par rapport au cadre national et aux autres régions. C'est un système composé de valeurs, d'hommes, d'institutions, d'activités et de ressources, le tout organisé sur un territoire donné, à une époque donnée. C'est une définition beaucoup plus exigeante pour l'économiste, qui devra désormais inclure dans son analyse l'ensemble des variables non économiques qui influencent fortement l'activité économique régionale. De plus, comme elle implique une vision de l'intérieur, c'est aussi une définition beaucoup plus exigeante pour le pouvoir central qui, pour éviter la colonisation des périphéries par le centre, devra donner aux régions les leviers nécessaires à leur implication dans leur propre devenir.

5.4 LA NOTION DE DÉVELOPPEMENT ÉCONOMIQUE RÉGIONAL

Maintenant, si on garde à l'esprit les considérations précédentes, nous pourrions définir le développement économique régional comme le processus historique par lequel une *société* régionale fait et refait *harmonieusement*, et en interrelation avec son environnement national et international, ses structures de façon à obtenir les leviers appropriés, économiques ou non, nécessaires pour *influencer* ou même élaborer son propre devenir économique et l'accroissement de son bien-être.

Le concept de *société* utilisé ici est celui de Talcott Parsons:

> *«Une société est un type de système social, dans n'importe quel univers de systèmes sociaux, qui atteint le niveau le plus élevé d'autonomie, en tant que système en relation avec son environnement.»*[8]

---

(7) ***Ibidem***. p. 96, 97.

(8) PARSONS, T. ***Societies: Evolutionary and Comparative Perspectives***. Englewood Cliffs: Prentice Hall, 1966.

La notion d'*harmonie* est utilisée ici dans un sens écologique, c'est-à-dire que l'on entend par là un développement économique en harmonie avec les autres aspects du développement régional, soit le développement culturel, le développement social, le développement politique et l'aménagement du territoire. Un développement économique harmonieux est celui qui s'insère de façon systémique dans l'ensemble du développement régional.

La notion d'*influence* économique s'inspire de cette définition d'autonomie économique de Jacques Attali:

> *«L'autonomie économique d'une zone n'est possible que si d'une part, une ou plusieurs entreprises produisant sur le territoire assurent des fonctions ou rendent des services technologiquement (ou financièrement) nécessaires à plusieurs autres pays, et si d'autre part, la zone n'est pas elle-même dépendante d'un nombre trop réduit d'entreprises et de centres de recherches étrangers remplissant des fonctions irremplaçables, dans l'état du marché, par le reste de la production mondiale.»*[9]

Quoique le point de vue de Jacques Attali soit mondial, sa définition est suffisamment générale pour s'adapter totalement dans son esprit à une problématique régionale.

5.5 UN MODÈLE DE DÉVELOPPEMENT ÉCONOMIQUE RÉGIONAL

5.5.1 La structure du modèle

L'analyse des réalités économiques est en permanence faussée par l'utilisation d'un cadre de pensée inadéquat, forgé par une tradition scientifique relevant des sciences exactes. Celle-ci nous a légué l'habitude de raisonner en fonction de systèmes fermés, isolant de la pratique économique les notions pourtant essentielles de territoire, de décision et de culture. Or, dans la réalité, notamment au niveau régional, les systèmes humains sont des systèmes ouverts. Les modèles traduisant leurs comportements doivent donc restituer cette réalité. En conséquence, la structure économique d'une région ne devient qu'un élément de l'ensemble des mécanismes du développement économique dans le temps et dans l'espace. Le développement économique devient donc un système dont les éléments constitutifs se recrutent dans tout le système régional.

---

(9) ATTALI, J. ***Op. cit.*** p. 217.

Le modèle ci-dessous en donne la structure fonctionnelle. Les principaux éléments en interrelation sont: les preneurs de décision, les activités socio-économiques, le système financier, le système spatio-démographique et le système socio-culturel.

FIGURE 5.1: La structure du modèle de développement économique régional

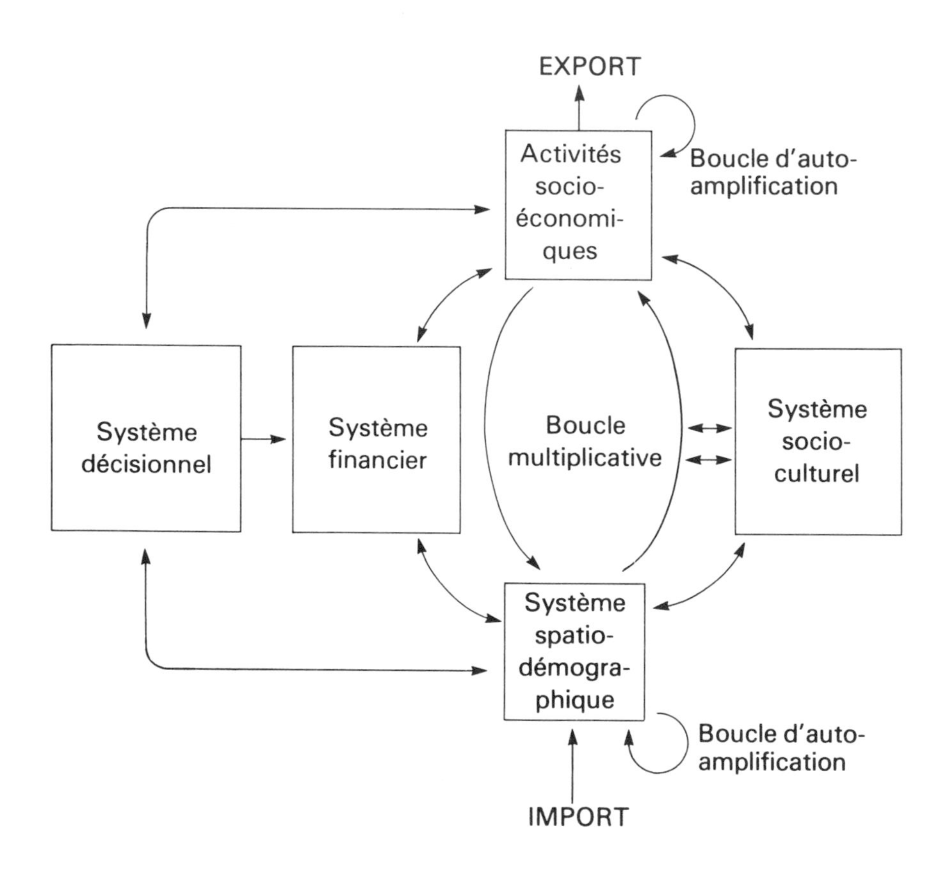

Le système d'activités socio-économiques comprend l'ensemble des activités de production de biens et services réparties sur le territoire régional. Il se subdivise en trois blocs interreliés:

- le bloc local comprend les entreprises travaillant directement ou indirectement pour le marché régional;
- le bloc exportateur est constitué des entreprises exportatrices

des biens et services; cet ensemble réalise une injection nette de revenus dans la région;

- le bloc intermédiaire regroupe les activités en amont et intermédiaires, communes au bloc exportateur et au bloc local.

Le système spatio-démographique englobe les populations et les ressources organisées sur un territoire. Celles-ci, réparties dans l'espace régional, sont interreliées par un réseau de transport. D'autre part, la population s'organise en armature urbaine.

L'armature urbaine et les réseaux de transport assurent la propagation du progrès économique sur l'ensemble du territoire en permettant l'ouverture des marchés, la diffusion de l'information et la spécialisation.

Enfin, cette population régionale constitue un marché, un bassin de main-d'oeuvre et une source d'épargne.

Les liaisons entre le système spatio-démographique et le système d'activités socio-économiques forment un circuit et s'exercent au niveau du marché des biens et services, au niveau du marché des facteurs de production, et au niveau structurel par la création d'externalités économiques positives ou négatives. Une structure de circuit fonctionne en multiplicateur. Toute injection nette supplémentaire de revenus de période en période dans le circuit est amplifiée par celui-ci. Le degré de cette amplification est fonction de l'importance des fuites (importations...). Les activités exportatrices jouent ainsi le rôle de déclencheurs d'effets d'accroissement de revenus réalisés par le circuit interne.

L'ensemble des relations de déclenchement et de relance des systèmes socio-économique et spatio-démographique provoquent chez ceux-ci la formation de boucles d'auto-amplification internes. Ainsi, l'accroissement de l'activité économique entraînera une division du travail plus rationnelle, une meilleure utilisation des équipements disponibles et en conséquence des économies d'échelle. D'autre part, au niveau régional, une augmentation de la population et une meilleure utilisation des ressources favoriseront des économies d'infrastructures et de superstructures (services supérieurs)[10].

Le système financier constitue les circuits d'épargne et de financement qui relient le système d'activités socio-économiques au système spatio-démographique. Les entreprises et les ménages génèrent lors du processus de croissance une épargne intrarégionale qui sert à financer l'investissement et la consommation. Le système financier représente donc le

(10) Les boucles d'auto-amplification pourront aussi être négatives.

système de financement du développement. Selon l'organisation financière nationale, le circuit épargne-financement régional est plus ou moins autonome par rapport à l'extérieur (capacité des institutions financières de mobiliser et d'affecter l'épargne sur une base régionale). Les fuites seront contrôlées par le système décisionnel de façon à ce que le système financier joue un rôle de moteur et non de frein au développement régional.

Le système décisionnel comprend les responsables des stratégies, des programmes et des décisions qui orientent, règlent et contrôlent le fonctionnement et le développement des autres sous-systèmes régionaux. On y trouve non seulement les administrations publiques mais aussi les administrations privées. Le gouvernement de par sa position politique joue cependant un rôle prépondérant dans ce système, dans le sens où il influence ou contrôle non seulement les autres sous-systèmes régionaux mais aussi les preneurs de décision privés. Sur le plan régional, les administrations publiques et privées sont plus ou moins autonomes par rapport aux centres décisionnels extérieurs, et peuvent posséder ou non suffisamment de leviers pour jouer efficacement leur rôle de régulateur du système.

Quatre catégories d'intervenants sont particulièrement importantes dans le développement économique, soit les entrepreneurs, les travailleurs, les investisseurs et les fonctionnaires. Le système socio-culturel comprend donc l'ensemble des institutions, des valeurs, des attitudes et des relations sociales entre chacune de ces catégories d'acteurs. Selon les conditions prédominantes, ces éléments seront des empêchements ou des "actifs" dans le contexte d'un projet de développement régional. Enfin, et peut-être est-ce l'élément le plus important dans l'optique d'une reprise en main du développement régional par la population, on trouve dans le système socio-culturel l'idée de communauté régionale qui regroupe, motive et implique une population dans ses propres affaires.

5.5.2 Le comportement du modèle

Enfin, comme la région est un système entièrement ouvert sur son environnement national et international, les organisations spatiales de chacun de ses sous-systèmes ne recouvrent pas nécessairement le même espace. En fait, l'aire de quatre des cinq sous-systèmes décrits plus haut dépassera plus ou moins largement les frontières régionales selon le degré d'autonomie économique déjà atteint. La recherche d'une certaine forme de couplage systémique (n'ayant rien à voir avec l'autarcie) compatible avec la réalité du phénomène régional permettra le développement de leviers typiquement régionaux et accentuera la régionalisation du développement.

Dans ce modèle, une activité orientée vers le développement serait celle qui optimise le couplage de l'ensemble des sous-systèmes composant le système régional. Et vice versa, une activité qui désarticulerait le système régional en accentuant la dépendance serait porteuse d'un germe de sous-développement.

Le développement économique régional n'est donc pas un processus téléologique et linéaire mais un processus continu, sans fin, non linéaire. Un processus historique de développement peut être renversé, arrêté ou encore redémarré. Plusieurs auteurs dans la littérature du développement ont proposé à partir d'exemples historiques des modèles explicatifs du développement et du sous-développement.

FIGURE 5.2: Le modèle de développement économique régional

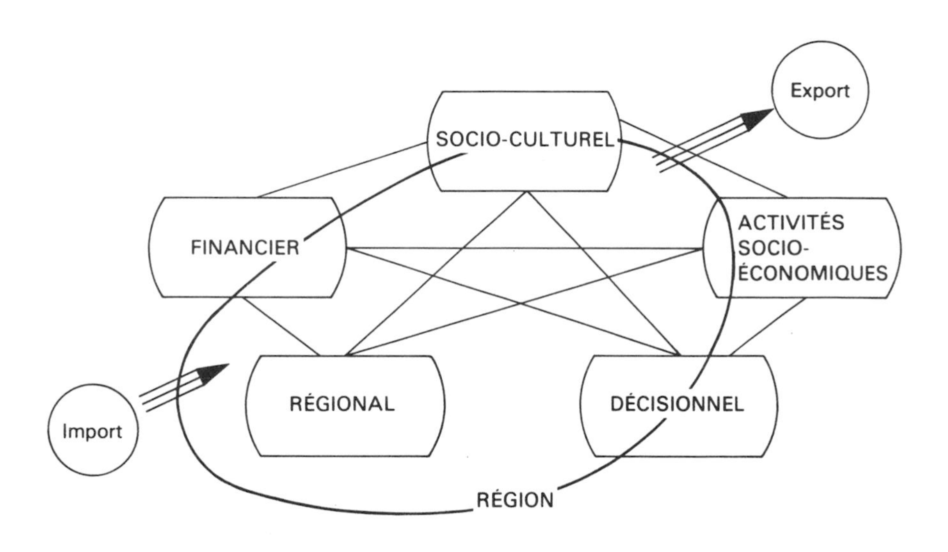

5.6 VERS UN SYSTÈME DE DÉVELOPPEMENT COOPÉRATIF RÉGIONAL

Comme au Québec les régions sont des recoupements territoriaux administratifs sans responsabilité devant les populations régionales et que, de plus, l'institutionnalisation d'un gouvernement régional capable éventuellement de planifier le développement s'avère impossible à court terme, il faudra faire appel aux coopératives elles-mêmes pour favoriser, par l'entremise de leur projet et de leurs stratégies de développement, le couplage systémique des différents éléments du système régional. Toutefois, privées d'un cadre législatif pour orienter leurs activités, elles ne pourront assumer l'auto-développement régional que dans la mesure où elles auront les connaissances et l'information appropriées. Donc, toute stratégie de développement coopératif régional devra, faute de moyens plus incitatifs, faire appel à la diffusion de la connaissance et de l'information.

FIGURE 5.3: Un système de développement coopératif régional

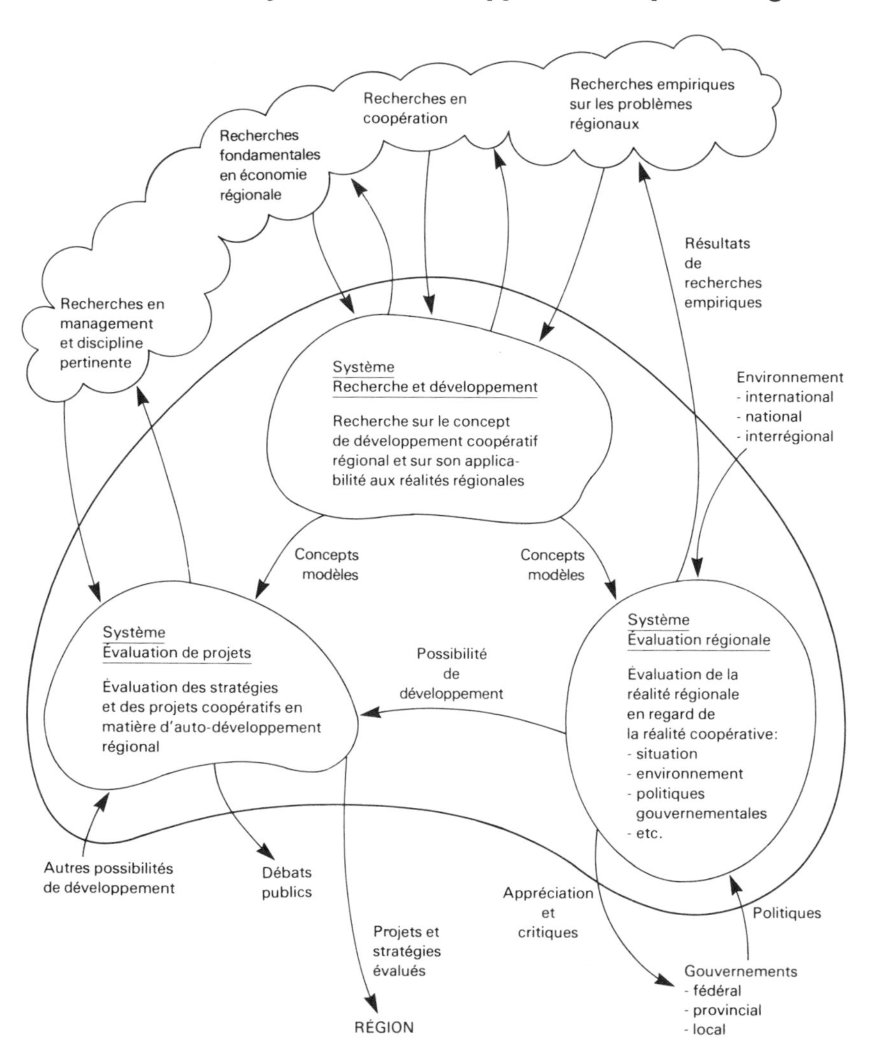

Ces quelques réflexions suggèrent la conception d'un système de développement coopératif régional dont l'ensemble des activités visera à permettre aux coopératives d'obtenir l'information, l'expertise et les outils nécessaires à l'optimisation de leurs actions en matière d'auto-développement régional. La figure 5.3 présente le premier niveau de conception d'un tel système.

La première activité en est une de recherche et de développement pour conceptualiser et reconceptualiser un modèle d'auto-développement régional, et pour acquérir et développer l'expertise académique et professionnelle pertinente. Ce système s'alimente dans les publications sur la coopération et la recherche fondamentale, et sur la recherche appliquée en sciences régionales qu'il enrichit de nouvelles études en retour. De plus, il produit les concepts et les cadres théoriques nécessaires au fonctionnement des autres composantes du modèle conceptuel.

FIGURE 5.4: Système de recherche et développement

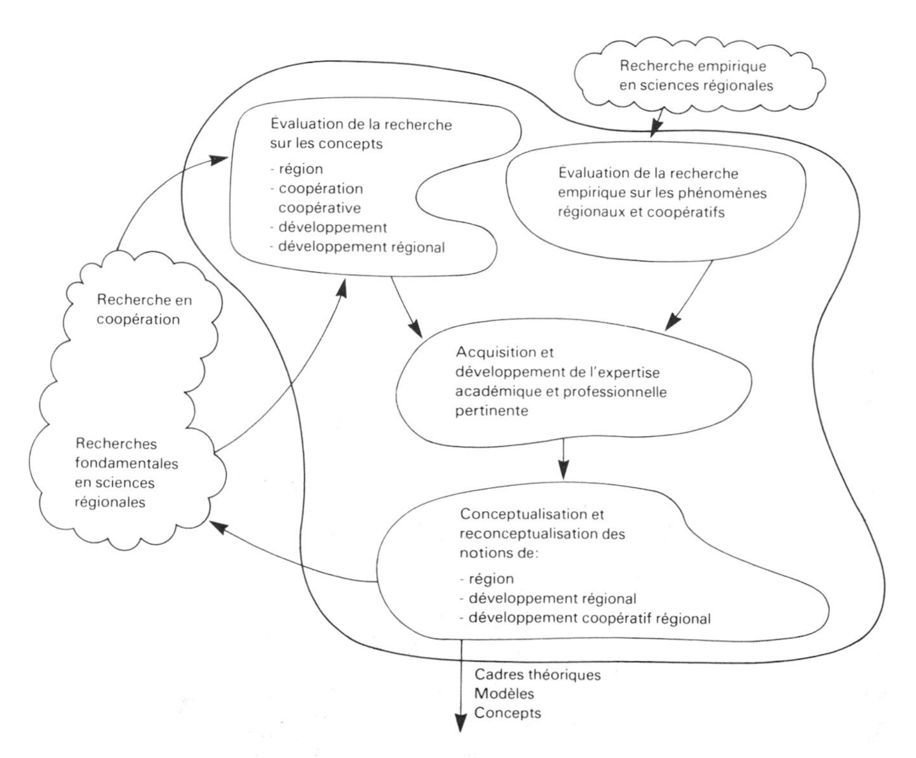

La deuxième activité majeure du système de développement coopératif régional se concentre sur l'évaluation de la situation régionale

FIGURE 5.5: Système d'évaluation régionale

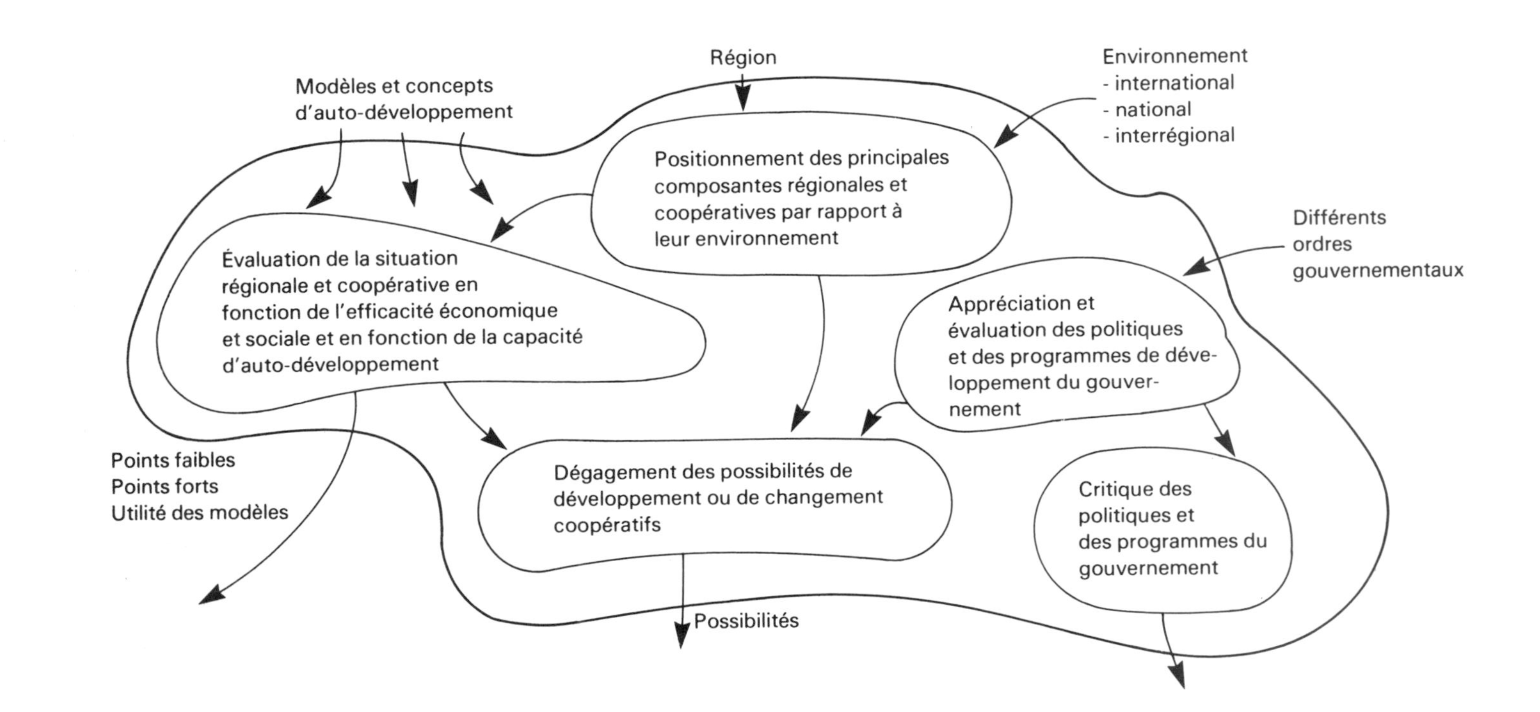

FIGURE 5.6: **Système d'évaluation de projets**

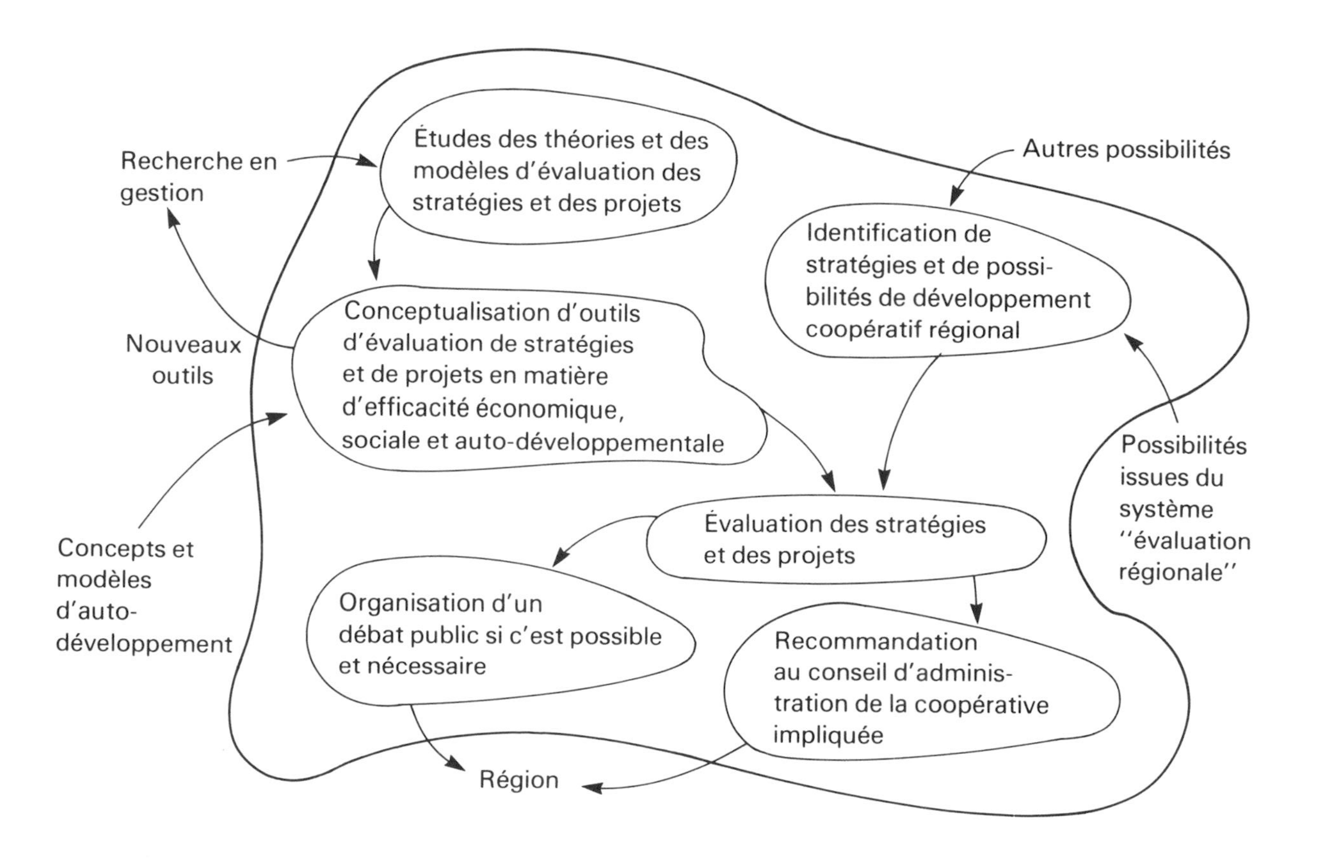

en regard de la situation des coopératives et des principaux éléments susceptibles de les influencer dans leur développement. Il s'agit donc dans ce système, à l'aide des concepts et des modèles développés dans le système de recherche et développement, d'évaluer cette problématique en fonction de l'efficacité économique et sociale, et en fonction de la capacité d'auto-développement. De cette façon on pourra dégager, en s'appuyant par exemple sur les politiques et les programmes de développement régional et coopératif des différents ordres du gouvernement, des possibilités de développement ou de changement coopératifs susceptibles de favoriser le couplage systémique des différentes composantes de la région.

Les activités de ce système permettront aussi de mettre en évidence les points forts et les points faibles de la région et de ses coopératives, de vérifier l'utilité empirique des concepts et des modèles élaborés par le système de recherche et développement, et enfin de critiquer si nécessaire les politiques et les programmes des différents ordres gouvernementaux.

La troisième activité du système de développement coopératif consiste premièrement en l'évaluation exhaustive des stratégies et des projets de développement des coopératives — lesquels sont générés par le système "évaluation régionale" ou émanent de toute autre source interne ou externe — à l'aide des modèles de gestion disponibles en sciences de l'administration ainsi que des modèles et des concepts d'auto-développement élaborés par le système "recherche et développement", et deuxièmement en la conceptualisation de nouveaux outils d'évaluation, de stratégies et de projets plus pertinents à l'objet de notre étude. Cependant, comme notre système de développement coopératif régional ne s'encadre pas dans un appareil législatif avec pouvoir d'incitation, la production du système d'évaluation ne pourra être qu'une recommandation au conseil d'administration de la ou des coopératives impliquées, ou encore une critique qui pourra entraîner un débat public lorsque cela s'avérera possible et nécessaire.

5.7 DE LA THÉORIE À L'ACTION

Pour s'assurer qu'une réflexion conceptuelle comme celle qui a été menée jusqu'ici puisse demeurer liée de façon réaliste à la pratique, P.B. Checkland suggère de se questionner sur la présence ou l'absence des trois types d'intervenants suivants dans le système modelé: les acteurs du système, les usagers et les propriétaires. Selon lui, le débat suscité par ces interrogations encadre avantageusement toute stratégie d'implantation et peut même aller jusqu'à remettre en cause toute la réflexion conceptuelle et théorique. Or, qui sont les acteurs, les usagers et les propriétaires du système de développement coopératif régional élaboré dans la section précédente?

5.7.1 Les acteurs

Les acteurs du système sont les coopérateurs et les groupes de recherche et de formation de la région. Les coopératives assument totalement le développement coopératif. Elles apprécient leur environnement, sélectionnent des possibilités de développement, les évaluent et implantent les projets retenus dans la région. Les groupes de recherche et de formation sont recrutés dans les coopératives, les universités, les cégeps et certaines agences gouvernementales. Ils ont la responsabilité d'étudier la réalité coopérative et régionale, de développer la connaissance, les modèles, les méthodes et les outils d'analyse, et de former des spécialistes capables non seulement d'appliquer cette appareillage théorique mais aussi de le critiquer quant à sa pertinence au problème étudié.

5.7.2 Les usagers

L'usager du système de développement coopératif régional est la société régionale en général. Les coopératives peuvent très bien se développer de façon sectorielle et diminuer leur ancrage régional. Le développement coopératif régional et non seulement sectoriel est un choix stratégique parmi d'autres pour les coopératives, et le retenir peut ne pas optimiser leur rendement économique. En conséquence, le principal bénéficiaire de ce choix stratégique sera d'abord la société régionale qui y verra un moyen d'internaliser les effets multiplicateurs du développement pour augmenter les emplois et les revenus.

5.7.3 Les propriétaires

Dans une entreprise ou encore dans un pays ou une province, il n'est pas difficile d'identifier l'autorité responsable du développement. Par contre, dans une région où l'autorité est diffusée horizontalement entre un certain nombre d'agents plus ou moins formellement interreliés, cette tâche est plus difficile. En fait tous les acteurs du système assument une part de cette responsabilité, et leur action respective ne peut se coordonner autrement que par la concertation. Toute planification incitative ou coercitive ne peut se réaliser au niveau régional. Or, ces acteurs, coopérateurs et groupes de recherche et de formation, se retrouvent pour la plupart réunis autour de la table du Conseil régional de l'intercoopération, qui est une table de concertation. Par conséquent, ils pourraient assumer collectivement la responsabilité du fonctionnement du système de développement coopératif régional.

Ces quelques réflexions autour des notions d'acteurs, d'usagers et de propriétaires nous ramènent rapidement à des considérations plus pratiques et laissent entrevoir de nombreux points de discussion, dont le rôle du Conseil régional de l'intercoopération. D'autre part, elles nous permettent aussi de percevoir que, moyennant une volonté politique des acteurs concernés, volonté qui dépasserait le discours, les coopérateurs pourraient collectivement et individuellement, de façon consciente et cohérente, assumer en région périphérique le rôle de véritables développeurs régionaux.

CONCLUSION

Le développement régional et le développement local sont des défis que le mouvement coopératif québécois doit assumer pour actualiser son rôle social. Les communautés de base, assujetties à un appareil économique téléguidé de l'extérieur, se retournent aujourd'hui vers leurs coopératives pour leur restituer des moyens de s'impliquer dans leur propre devenir. Les solutions ad hoc et les gestes ponctuels ne sont plus satisfaisants parce que le temps a souvent démontré que leurs effets secondaires sont plus coûteux que les bénéfices primaires. Le mouvement coopératif québécois devra, dans les années à venir, élaborer une véritable stratégie de développement régional appuyée sur un cadre théorique pertinent, c'est-à-dire coopératif.

Ce travail se veut un humble apport à ce débat. Consciente que beaucoup de raffinement est encore nécessaire pour évaluer scientifiquement ces réflexions, toute une équipe de recherche du LEER-Coop[11] de l'Université du Québec à Chicoutimi s'affaire présentement à ce travail. Chaque composante du modèle de développement régional présentée dans la section 5 a été subdivisée en dimensions et en indicateurs, et fait présentement l'objet d'une analyse expérimentale. D'autre part, des études sont déjà en cours pour conceptualiser les processus de gestion et les grilles d'évaluation d'impact qui opérationnaliseront le système de développement coopératif régional.

---

(11) LEER-Coop: Laboratoire d'études économiques et régionales, division des études coopératives, Université du Québec à Chicoutimi.

BIBLIOGRAPHIE

ANGERS, F.-A. ***La Coopération, de la réalité à la théorie économique***. Tome I. Montréal: Fides, 1977.

ANGERS, F.-A. ***L'Activité coopérative en théorie économique***. Tome II. Montréal: Fides, 1977.

ATTALI, J. ***La Parole et l'outil***. Paris: PUF, 1976 (Coll. "Économie en liberté").

BOISVERT, M. ***La Correspondance entre le système urbain et la base économique des régions canadiennes***. Conseil économique du Canada, 1978.

BOUDEVILLE, J.-R. ***L'Économie régionale: espace opérationnel***. Pub. ISEA, 1958.

CHECKLAND, P.B. "Towards a Systems Based Methodology for Real-World Problem Solving". ***Journal of Systems Engineering W72***. vol. 3, n° 2, p. 100.

CHECKLAND, P.B. "Using a Systems Approach: the Structure of a Root Definition". ***Journal of Applied Systems Analysis***. Nov. 1976, vol. 5, n° 1, p. 77.

DESROCHES, H. ***Le Projet coopératif***. Paris: les Éditions ouvrières, 1976 (Coll. "Développement et organisation") éd. "Économie et Humanisme", 1976.

FRÉMONT, A. ***La Région espace vécu***. Paris: PUF, 1976 (Coll. SUP, "Le Géographe", n° 19).

FRIEDMAN, J. ***A General Theory of Polarized Development***. Symposium on Growth Center, University of Texas, 1969, non publié.

FRIEDMAN, J. ***Regional Development Policy***. Cambridge: MIT Press, 1966.

FRIEDMAN, J. et A. ***Regional Development and Planning***. Cambridge: MIT Press, 1969.

HIGGINS, B., MARTIN, F. et RAYNAULD, A. ***Les Orientations du développement économique régional dans la province de Québec***. Ottawa: MEER, 1970.

HIRCHMAN, A.O. ***The Strategy of Economic Development***. New Haven, Connecticut: Yale, 1968.

ISARD, W. ***Methods of Regional Analysis: an Introduction to Regional Science***. Cambridge: MIT Press, 1960.

LAPOINTE, A., PRÉVOST, P. et SIMARD, J.-P. ***Économie régionale du Saguenay—Lac-Saint-Jean***. Chicoutimi: Gaëtan Morin éditeur, 1981.

LEVITT, K. "Métropole et Interland". ***La Capitulation tranquille***. Montréal: Réédition-Québec, 1972, p. 109-136.

LIEPIETZ, A. ***Le Capital et son espace***. Paris: F. Maspéro, 1974 (Coll. "Économie et socialisme", n° 34).

MOISSET, J.-J. ***L'Alcan et la croissance économique au Saguenay—Lac-Saint-Jean (Québec)***. Thèse. Suisse: université de Fribourg, 1972.

OPDQ. ***Prospective socio-économique du Québec, rapport-synthèse: Sous-système urbain et régional du Québec, 1977.***

PARSONS, T. ***Societies: Evolutionnary and Comparative Perspectives***. Englewood Cliffs: Prentice Hall, 1966.

PERRIN, J.-C. ***Le Développement régional***. Paris: PUF, 1974.

PERROUX, F. ***L'Économie du XXe siècle***. 2e éd. Paris: PUF, 1970.

RAYNAULD, A. ***Le Développement économique***. Leçon inaugurale. Univ. de Montréal: Presses de l'université de Montréal, 1967.

RICHARDSON, H.W. ***Regional Growth Theory***. London: MacMillan, 1974.

ROSTOW, W.-W. ***Les Étapes de la croissance économique***. Paris: Éd. du Seuil, 1969.

SALLON, M. ***Histoire économique contemporaine***. Paris: Éd. Masson et Cie, 1972.

VÉZINA, J.-P., JOUANDET-BERNADET, R. et FRÉCHETTE, P. ***L'Économie du Québec***. Montréal: HRW, 1975.

WATKINS, M.H. "A Staple Theory of Economic Growth". ***Canadian Journal of Economic and Political Science***. 24 février 1963.

Chapitre 6

Coopération et développement communautaire

par Marcel Laflamme

INTRODUCTION

Nos ancêtres vivaient selon une économie domestique où chacun était en quelque sorte le pourvoyeur de tout ce qui était nécessaire à sa subsistance: nourriture, habitation, vêtement, etc. Progressivement, avec l'économie marchande, les individus ont perdu leur souveraineté au profit des forces anonymes du marché.

Ainsi, le Québec a été largement tributaire du capital étranger pour promouvoir son développement économique, si bien qu'actuellement les francophones ne maîtrisent qu'environ 25% de l'économie dont les principaux secteurs sont contrôlés par les étrangers: mines, textile, pulpe et papier, chimie, métallurgie, etc. Si l'avantage des multinationales est de créer des emplois et d'implanter une technologie moderne, elles peuvent par contre miner la vitalité économique nationale par le débalancement de la structure industrielle (surspécialisation dans les secteurs mous par exemple), la domination d'une élite étrangère, l'élimination des ressources naturelles sans transformation interne, le déséquilibre régional, l'intrusion des politiques de la compagnie mère souvent étrangère, etc. Un capitalisme sauvage et contrôlé de l'extérieur peut entraîner toutes sortes d'inconvénients comme le gaspillage, la pollution, la dégradation du climat social et l'aménagement irrationnel du territoire. Aujourd'hui même la concurrence se meurt, laissant ainsi libre cours aux trusts et aux monopoles qui asservissent les couches populaires.

En plus de la dimension strictement économique, le principal problème consiste en la restauration des valeurs humaines dans un monde qui tend à les écraser. Dans les deux systèmes prédominants, capitaliste et socialiste, on observe une inhibition de l'essence même de l'individu par les forces économiques. Le déterminisme économique et le matérialisme entraînent au sein de la collectivité une détérioration profonde des valeurs de la civilisation.

Face à une société léthargique en matière socio-économique, un nationalisme sain impliquerait le rapatriement des centres décisionnels et la réforme des organisations selon les valeurs et les besoins nationaux. À cet effet, la coopération constituerait un puissant moyen d'affranchissement des Québécois.

> *«Ce qui est important dans notre société, affirme Gérald Fortin, c'est de redonner à la population un objectif collectif, lui donner le sentiment d'une construction communautaire et non d'une consommation individuelle».* [1]

Le défi de bâtir un pays a pour point d'ancrage la réappropriation des leviers décisionnels par les communautés de base. Des forces nouvelles poussent les hommes à intervenir en marge des sociétés marchandes ou étatiques fortement déshumanisées. Les collectivités locales veulent prendre leurs activités en main afin d'améliorer leur mode de vie. À cette fin, selon l'expression de M. Yves Martin, la solidarité protectrice du mouvement coopératif doit se muer en une "solidarité dynamique.

Le but de ce chapitre est d'examiner la contribution du mouvement coopératif au développement communautaire en abordant les aspects suivants:

- problématique contemporaine;
- mission coopérative;
- notion de développement communautaire;
- processus cyclique de développement communautaire;
- conclusion.

6.1 PROBLÉMATIQUE CONTEMPORAINE

L'état de crise dans lequel se trouve notre société révèle clairement que quelque chose cloche quelque part. Pour exposer succinctement la si-

(1) FORTIN, G. ***La Société de demain: ses impératifs, son organisation***. Annexe 25 du rapport Castonguay-Nepveu, p. 30.

tuation actuelle, nous suivrons un cheminement qui emprunte quatre étapes consécutives:

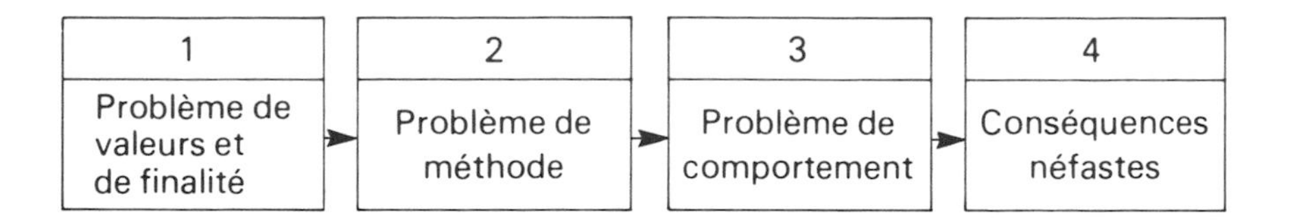

Problème de valeurs et de finalité

La société, fondée sur la technicité et le mercantilisme, constitue un système productiviste auquel toutes les autres fonctions de la société sont relativement soumises. L'unique finalité étant la croissance pour la croissance, la logique du système se fonde sur le gigantisme, la puissance et le pouvoir afin de mieux faire tourner l'appareil de production. Quant aux consommateurs, on stimule leur appétit de lucre et de jouissance.

La civilisation industrielle parachève une vie flottante attachée à peu de valeurs profondes. Il n'y a plus de raison de vivre, il n'y a que des moyens. Peu à peu, l'homme perd le sens de son existence, de ses traditions, de sa responsabilité et de sa place dans l'Infini. Un phénomène de prolétarisation culturelle caractérise le coulage de toutes les classes de la société dans le moule unique du "royaume de la marchandise".

Problème de méthode

Sur le plan opérationnel les membres de la technostructure, constituée par une minorité d'experts, sont chargés d'obtenir les meilleurs rendements. L'application des principes de centralisation, de standardisation, de surspécialisation du travail et de l'adaptation de l'homme à la machine font de l'usine une vaste mécanique. Dans cette course programmée de façon unidirectionnelle, les travailleurs (la zérostructure) se sentent de plus en plus bousculés par une minorité de spécialistes. De plus, les organisations ont tendance, pour parvenir à leurs fins, à utiliser des moyens dénudés de responsabilité sociale: manipulation des goûts et des besoins, désuétude intentionnelle des produits, dégradation de la nature, etc. Le consommateur se fait consommer quand son subconscient fait l'objet d'un bombardement publicitaire constant et quand les rapports humains se réduisent uniquement au signe de piastre.

Problème de comportement

Les organisations récupèrent le dynamisme de la base, ce qui entraîne une léthargie générale. Dans et hors du milieu de travail, les citoyens sont amputés de leurs virtualités. Bon nombre de gens ne réussissent pas à s'intégrer au milieu et à retrouver le sens de la mutualité qui gratifierait leurs efforts et leur procurerait un sentiment d'appartenance. Ainsi, une multitude d'individus indifférents, irresponsables et instables font face à une société anonyme qui ne parvient pas à canaliser et à donner un sens à leurs aspirations.

Conséquences néfastes

Le fossé géant créé entre la dynamique économique et les valeurs humaines et sociales fait inévitablement régresser la civilisation. La loi de la jungle de Darwin porte des fruits amers en engendrant des déséquilibres sur plusieurs fronts:

- *Déséquilibre dans la nature*

  Pollution de l'air et de l'eau, gaspillage de l'énergie, multiplication des nuisances, menace d'épuisement des ressources naturelles, etc.

- *Déséquilibre économique*

  Hypertrophie du secteur tertiaire, croissance chaotique, chômage et inflation, régression de l'agriculture, inégalités régionales, etc.

- *Déséquilibre social*

  Déracinement, éclatement des milieux de vie, dégradation des qualités intellectuelles et morales, maladies de civilisation (stress, toxicomanie), etc.

La dégradation du climat social au Québec s'explique en partie par le manque de participation des travailleurs, des consommateurs et de certains groupes (chômeurs, assistés sociaux, handicapés, etc.) au processus économique. Parfois des localités entières, satellites des métropoles économiques, sont atteintes d'anémie. Les fermetures en série d'usines vont-elles s'étendre à des localités, à des municipalités entières?

6.2 LA MISSION COOPÉRATIVE

Le dépérissement national tire ses origines, en partie, de l'assujettissement de la collectivité à une forme de colonialisme interne. Pour contrer cette anémie collective, il faut aider les communautés locales à retrouver leur capacité d'action dans la résolution de problèmes communs. Constituer des associations d'individus afin d'en faire les acteurs de leur propre promotion sociale et économique, voilà le but essentiel de la coopération.

Les régions ont intérêt à remplacer un développement économique inadapté et contrôlé de l'extérieur par un développement basé sur une conception qui utilise à fond les forces vives du milieu. La formule coopérative a pour avantage de susciter de nouvelles motivations économiques collectives et de stimuler la volonté du peuple à s'organiser conformément à ses aspirations, à ses besoins et à ses conditions. Actuellement, chacune des régions du Québec compte des centaines de coopératives qui exercent une pression significative sur la structure économique. Grâce à l'intercoopération, la communauté pourrait accéder à un développement régional plus autonome, contrôlant progressivement les capitaux, les ressources locales, l'agriculture, l'habitat, les marchés, etc.

En plus d'aider les collectivités locales à reprendre en main leurs activités communes, la coopération doit devenir le fer de lance dans l'oeuvre de rénovation du milieu de vie. Nous sommes à la fin d'une époque de consommation effrénée; une nouvelle lumière doit à tout prix être faite dans le sens de la reconversion qualitative de l'économie. Le tableau 6.1 comprend dix sphères indiquant le changement de cap nécessaire.

L'humain étant le principal souci des coopératives, celles-ci sont appelées irréductiblement à *faire du bon travail*, selon l'expression si chère à Schumacher[2]. Jouer la carte communautaire deviendra certainement l'une des planches de salut du peuple québécois. Chaque coopérative, chaque secteur coopératif et les fédérations doivent favoriser la reconstitution des diverses dimensions de la vie. De grands défis restent à relever concernant l'éducation économique, la qualité de la vie au travail, la participation des membres, l'instauration d'une éthique économique supérieure et la "coopérativation" d'une large part de l'économie.

Aussi la coopération doit-elle exercer un leadership pour susciter les initiatives populaires et la participation à l'expression sociale, culturelle et politique de la communauté. Il reste à accomplir des tâches exhaltantes comme la mise en valeur des groupes marginaux: chômeurs, assistés sociaux, handicapés, etc. À cet effet, les citoyens pourraient bénéficier de l'Opération solidarité économique et de ses différents programmes créa-

---

(2) SCHUMACHER, E.F. ***Good Work***. Paris: Seuil, 1980.

teurs d'emplois, le Programme d'intégration des jeunes à l'emploi (PIJE), le Programme d'aide au travail pour les assistés sociaux (PAT) et le Programme de création d'emplois communautaires (PACLE). En 1980-81, 185 millions de dollars ont été versés à ces fins par le gouvernement provincial. Le gouvernement fédéral offre lui aussi un programme de création d'emplois communautaires.

Dans une société de consommation et de gaspillage, la coopération veut implanter une société de participation et d'équilibre. Cette réforme organique de l'appareil économique résultera de l'application des valeurs coopératives suivantes: 1) remplacer la lutte par l'union, 2) se conformer aux besoins primordiaux de l'homme et non aux créations artificielles de la

TABLEAU 6.1: La reconversion qualitative de l'économie

Stratification sociale et société de classes	1 →	Société organique, sens communautaire
Croissance quantitative: produire plus et n'importe quoi	2 →	Croissance qualitative: produire mieux des objets plus durables et plus utiles
Amour-propre et auto-satisfaction	3 →	Conscience sociale et souci du bien commun
Exploitation de l'homme par le capital	4 →	Exploitation du capital par l'homme
Chosification et "standardisation" des individus	5 →	Repersonnalisation et valeurs esthétiques: Bien, Beau, Vérité
Bureaucratie et technocratie	6 →	Démocratie, participation et administration minimale
Grandes unités de production centralisées	7 →	Petites et moyennes unités décentralisées
Technologie lourde	8 →	Technologie intermédiaire et à l'échelle humaine
Travail à la chaîne	9 →	Artisanat et enrichissement des tâches
Pollution et gaspillage	10 →	Économie et recyclage

publicité, 3) localiser les pouvoirs de décisions économiques selon les besoins, et 4) se servir du progrès non comme une fin mais comme un moyen de bâtir un pays qui nous convienne.

6.3 QU'EST-CE QU'ON ENTEND PAR DÉVELOPPEMENT COMMUNAUTAIRE?

L'expression "développement communautaire" aurait été créée et consacrée en 1948 par l'Office colonial britannique. Initialement conçue pour remplacer l'expression "éducation des masses", elle a pris depuis plusieurs significations plus ou moins nuancées.

Il nous paraît utile de citer plusieurs définitions afin d'en faire ressortir les différentes nuances.

> *«Le développement communautaire [...] est un processus grâce auquel une communauté identifie ses besoins ou ses objectifs, leur donne un ordre de priorités, accroît sa confiance en elle et sa volonté de travailler à satisfaire ces besoins ou ces objectifs, trouve les ressources internes et/ou externes nécessaires à leur accomplissement ou à leur satisfaction, agit en fonction de ces besoins ou de ces objectifs, manifeste des attitudes et des pratiques de coopération et de collaboration dans la communauté».* (3)

> *«Le développement communautaire est le processus social par lequel les êtres humains deviennent plus compétents et peuvent accepter de contrôler dans une certaine mesure les aspects locaux d'un monde changeant et frustrant. La croissance de la personnalité par l'intermédiaire de la responsabilité du groupe en est la perspective centrale».* (4)

> *«Le développement communautaire est un processus social où les citoyens prennent en main leur destin collectif et se rendent capables de faire face aux principaux problèmes de leur communauté urbaine ou régionale, ce qui n'exclut pas l'apport et le contrôle des instances supérieures en vue d'un bien commun plus large».* (5)

---

(3) ROSS, M.G. et LAPPIN, B.W. ***Community Organization: Theory, Principles and Practice***. 2e éd. New York: Harper and Row Publishers, 1967, p. 40.

(4) BIDDLE, W.W. "The "fuzziness" of definition of community development". ***Community Development Journal***. London: Oxford University Press, avril 1966, n° 2.

(5) GRAND'MAISON, J. ***Vers un nouveau pouvoir?*** Montréal: Éditions HMH, 1970, p. 58 (Coll. "H").

Bref, le développement communautaire est un effort délibéré identifié à un processus, un programme ou un mouvement par lequel une communauté 1) acquiert une plus grande confiance en elle-même, 2) manifeste plus d'objectivité et de lucidité face à son vécu, 3) accroît son sens de l'autonomie et 4) développe une capacité à résoudre ses problèmes.

Le développement communautaire n'est pas:

- un don fortuit;
- une assistance visant à entretenir, au sens servile du mot, la communauté;
- une activité sporadique;
- un processus imposé à une minorité par l'État;
- une manipulation des citoyens;
- un développement sauvage.

Caractéristiques du développement communautaire:

1. Processus social de croissance des individus et des groupes.
2. Technique particulière de coopération de la collectivité.
3. Série d'actions successives grâce auxquelles une collectivité tente d'améliorer son sort sur les plans économique, social et culturel.
4. Meilleure utilisation des ressources locales mises à la disposition d'une collectivité.
5. Effort délibéré de reconstruction sociale dont le but est l'accession à l'autonomie des êtres humains.
6. Élément unificateur mettant de l'ordre dans le chaos et rendant possible un progrès collectif.
7. Utilisation de certaines phases rationnelles menant à l'identification des besoins prioritaires, la recherche de solutions, la planification des changements et l'organisation des ressources dans la prise en main du destin collectif.

En plus de ces éléments de base, les *cinq assertions fondamentales* suivantes nous aident à mieux comprendre la spécificité du développement communautaire.

1. Généralement, les communautés sont artificiellement bloquées dans leur développement.

De façon générale, la communauté ne possède pas une vision suffisante de sa situation et n'est pas en mesure de comprendre l'origine de ses maux. Les groupes de base sont fréquemment freinés dans leur autodéveloppement par les appareils centralisés. Les membres se satisfont alors du minimum: statu quo et rationalité restreinte.

2. L'animateur communautaire aide à la cohésion des groupes et des efforts.

   L'agent de développement communautaire doit être le catalyseur qui facilite les processus d'interaction et motive les groupes pour résoudre des problèmes précis. Cet animateur diffuse les connaissances, développe les modes de communication, suscite la participation et aide la communauté à avoir confiance en elle-même.

3. La communauté doit se faire une représentation fidèle de sa réalité propre.

   Le processus de croissance communautaire est activé dans la mesure où les membres envisagent lucidement leur potentiel collectif ainsi que leurs aspirations. Ils doivent donc non seulement souhaiter se développer mais aussi participer activement à l'élaboration de leur destin collectif.

4. Le développement communautaire s'appuie sur l'utilisation concertée des ressources locales.

   L'autodéveloppement créateur devient possible par la canalisation des ressources humaines, physiques et financières, au sein d'organisations dotées d'une technique appropriée. Trois groupes d'individus doivent se concerter afin d'utiliser de façon optimale les ressources disponibles: ce sont les animateurs qui sensibilisent la population, les gestionnaires qui organisent les activités, et les techniciens qui font fonctionner l'appareil de production.

5. Un système de valeurs spécifiques inspire le développement communautaire. Il comprend:

   - la confiance: conviction des communautés de disposer des ressources nécessaires pour mener à bien leur propre développement;
   - l'éducation et l'actualisation: valorisation des tendances positives et des potentialités individuelles et collectives;
   - le réalisme: recherche de la satisfaction de besoins précis suivant certaines phases rationnelles;

- la démocratie: accent mis sur l'authenticité et la participation des membres; refus d'être manipulés;
- le souci de la qualité de la vie: rénovation du cadre de vie à différents points de vue: personnel, familial, professionnel, civique, etc.

Afin d'alléger le texte, les postulats de base de l'organisation communautaire sont expliqués dans l'annexe 1.

Critères d'efficience communautaire

À partir des notions de base explicitées ci-dessus, nous pouvons passer à la phase d'évaluation de l'efficience communautaire. Le tableau 6.2 constitue un exemple où ont été sélectionnés quinze (15) points d'analyse. Ces facteurs feront l'objet d'une évaluation sur un continuum de 1 à 5, selon qu'ils favorisent la désorganisation ou l'efficience communautaire. À l'aide de cette grille nous pourrons tirer la courbe du profil approximatif du degré de fonctionnement d'une communauté.

TABLEAU 6.2: Critères d'efficience communautaire

Grille d'analyse

CRITÈRES D'ÉVALUATION	MESURE DES CRITÈRES						
	Désorganisation communautaire	1 -	2 -	3 -	4 -	5	Efficience communautaire
1) Ressources naturelles	Insuffisance de développement. Contrôle étranger.						Mise en valeur sur place. Développement endogène.
2) PME + coopératives (secteurs primaire, secondaire et tertiaire)	Absence d'entrepreneurship. Inégalité du développement. Exploitation de l'homme par le capital.						Entrepreneurs locaux. Développement équilibré. Exploitation du capital par l'homme.
3) Technologie	Lourde et dévastatrice.						Technologie appropriée.
4) Nature du travail	Spécialisation, production massive, bureaucratie.						Artisanat, polyvalence, actualisation.

5) Revenu et emploi	Chômage chronique. Misère.						Absorption de la main-d'oeuvre locale.
6) Infrastructure et transport	Pauvreté des équipements.						Services publics adéquats.
7) Famille Population	Éclatement de la famille. Émigration des jeunes.						Croissance et cohésion de la famille.
8) Structure sociale	Individualisme. Assujettissement. Anomie.						Sens communautaire. Participation. Partage. Solidarité.
9) Éducation	Sous-scolarisation. Sous-qualification.						Éducation permanente disponible.
10) Culture	Acculturation à une société "mécaniste" ou superficielle.						Sauvegarde des valeurs fondamentales.
11) Habitat	Taudis. Insuffisance de commodités.						Logement en quantité et en qualité convenables.
12) Santé	Pénurie de soins. Maladies industrielles.						Clinique sur place. Sécurité et santé au travail.
13) Loisirs	Manque de temps libre et d'équipement.						Disponibilité de temps libre et d'équipement.
14) Gestion gouvernementale	Centralisée, coûteuse, négative.						Locale, régionale, dynamique.
15) Environnement	Pollution, gaspillage, épuisement des ressources.						Qualité de vie. Valeurs esthétiques.

Stratégies de développement communautaire

La communauté constitue un système ouvert dont le comportement figure à l'intérieur d'un réseau de forces et de relations. Les notions de pouvoir et de finalité prennent de l'importance lors de la mise en application du plan de développement. Le comportement stratégique s'établit fort différemment selon les acteurs, les idéologies et les situations. Il existe plusieurs façons de classer les comportements stratégiques: stratégie défensive, stratégie consensuelle, stratégie de négociation, stratégie revendicatrice, stratégie conflictuelle contestataire, stratégie conflictuelle révolutionnaire. Pour les fins présentes, nous privilégions une typologie par référence aux trois grands systèmes économiques.

- Capitalisme: stratégie libérale et d'intégration.
- Coopératisme: stratégie de revendication pacifique.
- Socialisme marxiste: stratégie révolutionnaire.

1. Stratégie libérale

Le cadre de référence est la société globale qui prévaut actuellement. Il n'y a pas de remise en question concernant la répartition du pouvoir et des richesses au sein de la société, ni des finalités axées sur l'accumulation et la consommation matérielles. L'approche consiste à intégrer les minorités au sein de la communauté globale avec un minimum de heurts et de conflits. La stratégie libérale rejette l'action politique directe; elle vise à refaire le consensus social à partir des appareils et des élites existants.

2. Stratégie coopérative

Cette approche vise une transformation significative des structures socio-économiques. Entre les systèmes capitaliste et étatique, la stratégie coopérative débouche sur une troisième voie en offrant une autre solution au problème du partage des pouvoirs et des richesses. En effet, ce modèle permet aux masses de s'organiser sur une base le plus autonome possible. La conquête des moyens de production et de distribution des biens et services se réalise directement par l'individu à la base, soit en tant que travailleur soit en tant que consommateur. Cette école est un instrument d'apprentissage de la démocratie, un moyen de "lutte pacifique", un lieu valorisant l'éthique des moyens, la confiance mutuelle et l'union des individus.

3. Stratégie révolutionnaire

La solution des problèmes sociaux par la transformation totale du régime économique et politique est l'objectif à long terme de cette stratégie. On insiste sur la nécessité de politiser la population et de constituer une puissance par l'organisation stratégique et l'augmentation du nombre d'adhérents. Aussi s'agit-il d'employer des tactiques de harcèlement afin de créer des conditions visant à ébranler les structures socio-politico-économiques prédominantes. Le mouvement est violent et s'accompagne de radicalisme dans l'action. Si cela s'avère nécessaire et opportun, le renversement du pouvoir s'opérera par la force et la guérilla.

6.4 PROCESSUS CYCLIQUE DE DÉVELOPPEMENT COMMUNAUTAIRE

Le développement communautaire fait appel à la capacité d'un groupe donné de résoudre ses problèmes courants. Or, pour que la collectivité prenne une décision réfléchie, il lui est nécessaire d'emprunter un cheminement structuré. À cet effet, nous suggérons une approche séquentielle en six phases comprenant chacune un certain nombre d'étapes spécifiques. La figure 6.1 schématise le processus cyclique du développement communautaire.

1. Reconnaissance du besoin de changer

C'est à cause de difficultés majeures et persistantes que la communauté désire un changement. Une convergence d'intérêts naît à la suite d'une prise de conscience de la collectivité face à certains problèmes, et partant, déclenche un besoin d'entraide et de responsabilité commune. Quelquefois, le mécontentement s'exprime sous forme de revendications collectives intenses telles que *l'opération dignité* en Gaspésie. Le tableau 6.3 illustre certains problèmes communautaires qui peuvent engendrer un profond désir de changement. La concrétisation des attentes collectives en vue de bâtir un autre type de développement peut s'effectuer à partir d'un noyau composé de membres actifs.

2. Constitution d'un noyau et animation

Lorsque le désir collectif de changement s'est manifesté, un premier groupe de volontaires motivés s'organise. Cette micro-association comprend généralement des membres représentatifs oeuvrant facilement ensemble et confiants dans l'amélioration que la solidarité collective peut apporter à la situation locale. Ce groupe primaire peut être supporté et financé par d'autres organisations existant dans la région (ex.: coopératives). Le comité de base essaie d'aider la communauté à diagnostiquer ses problèmes, à préciser le programme du travail, le mode d'organisation, l'échéance et les coûts prévus. Le comité exerce en particulier certains rôles-clés: diffusion interne et externe de l'information, implication d'autres groupes, explication du processus de fonctionnement et mise en valeur du désir manifeste de la communauté. La phase d'exploration et de diagnostic plus précis des problèmes communautaires fait suite à cette première étape.

FIGURE 6.1: Processus cyclique de développement communautaire

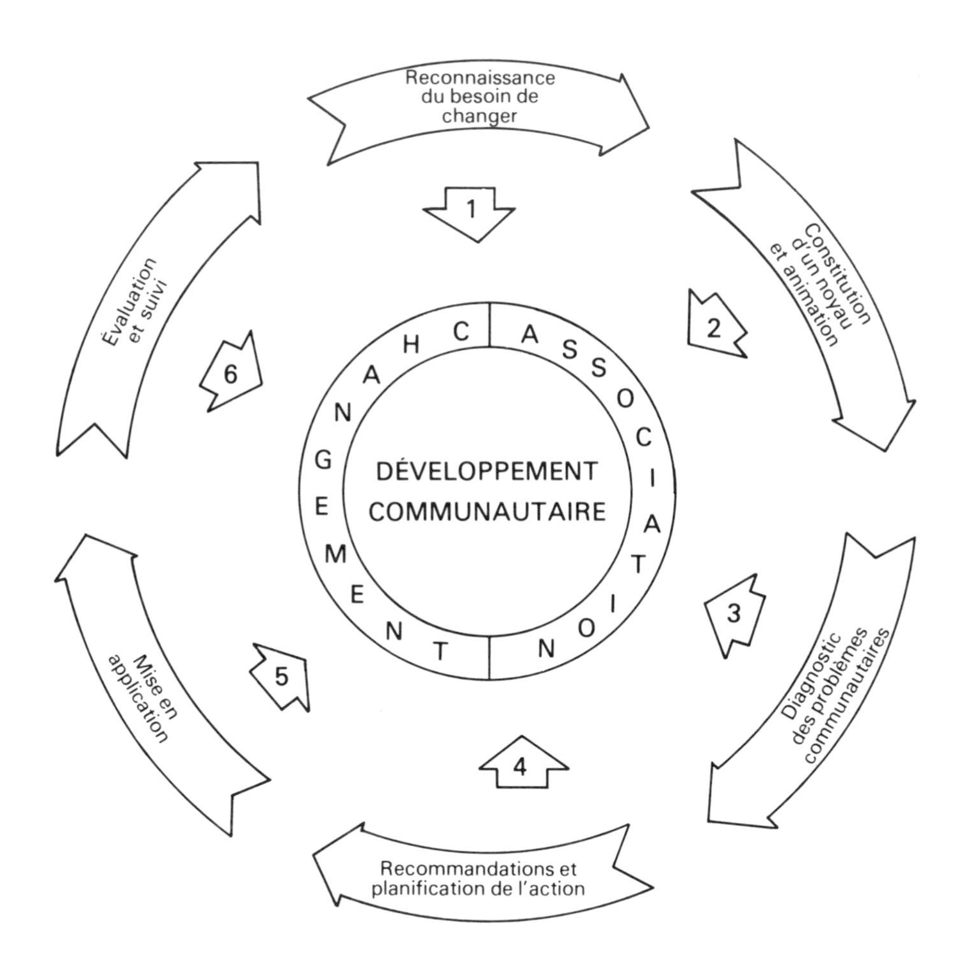

3. *Diagnostic des problèmes communautaires*

Le diagnostic peut être posé par un groupe primaire puis, progressivement soumis et expliqué à la communauté pour approbation. Un animateur peut aider les participants à faire le point, à dépersonnaliser les conflits et à parvenir à un consensus au-delà des divergences.

La recherche-action est engagée à partir de l'exploration systématique du vécu communautaire selon ses différentes sphères: économique, socio-éducative, culturelle et politique. La figure 6.2 présente un schéma

TABLEAU 6.3: Quinze problèmes communautaires types

- Déracinement et régression du secteur rural.
- Industrialisation sauvage et contrôle étranger.
- Émigration des épargnes et des éléments jeunes et dynamiques.
- Bureaucratisation et concentration des organisations privées et publiques.
- Inégalités sociales, chômage chronique, insuffisance de revenus.
- Aliénation sociale et mentale de la vie urbaine contemporaine.
- Désagrégation de la cellule familiale et du voisinage.
- Problème d'habitat, taudis.
- Pénurie de soins médicaux.
- Sous-qualification des travailleurs.
- Problèmes propres aux milieux désagrégés: divorce, délinquance, toxicomanie, etc.
- Exploitation de la personne par le capital et monétarisation des rapports humains.
- Appauvrissement des moeurs et des valeurs esthétiques du Beau et du Bien.
- Manipulation des attitudes et des comportements par les médias de masse.
- Insuffisance de loisirs valorisants.

d'approche du vécu communautaire.

L'attention est portée sur les aspects sociaux prioritaires qui présentent une déficience et qu'il importe avant tout d'améliorer. L'analyse-synthèse des facteurs critiques permet d'identifier plusieurs sous-problèmes, plusieurs types de causalités dont il faut dégager l'enchaînement possible (séquence moyens-fins) au regard de la structure des objectifs de la communauté. En fait il s'agit 1) d'apprécier la nature, la localisation et l'ampleur des problèmes, 2) d'examiner les changements déjà apportés dans le passé, et 3) de connaître la perception des différents groupes ou organisations face aux problèmes. Le tableau 6.4 fournit certains éléments de base à la problématique du développement communautaire.

FIGURE 6.2: Schéma d'approche du vécu communautaire selon quatre sphères

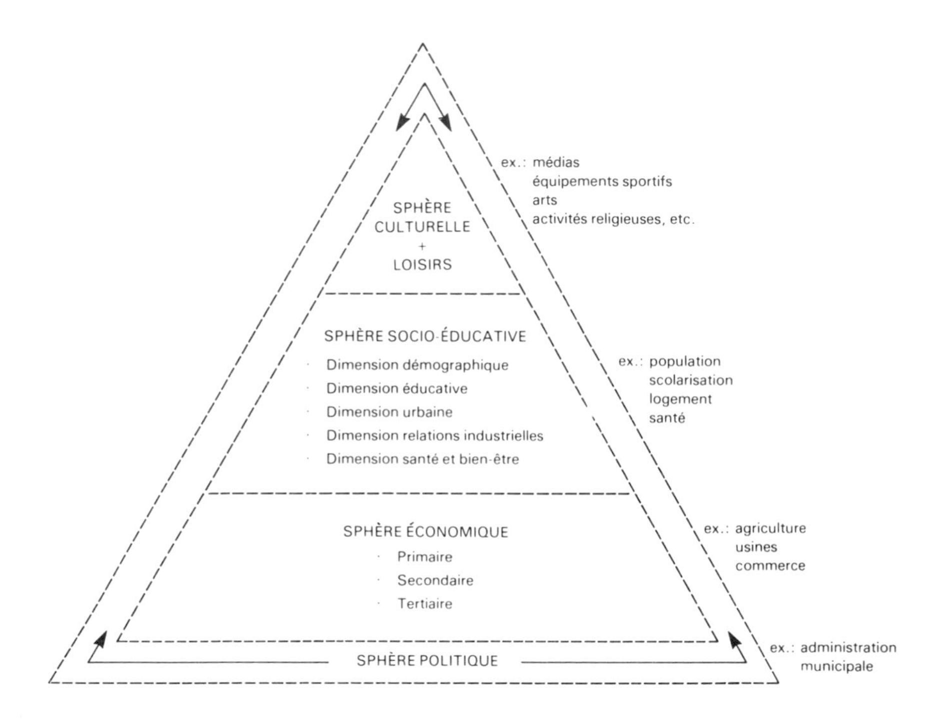

4. *Recommandations et planification de l'action*

À partir d'un ordre de priorité établi à la faveur d'un consensus, il s'agit d'abord de fournir un ensemble cohérent de projets d'amélioration, puis d'en élaborer les plans de réalisation. À cette fin, nous pouvons utiliser un cheminement en huit étapes:

- Définir le plus de solutions éventuelles possibles.
- Évaluer les avantages et les inconvénients des diverses solutions en fonction des valeurs et des objectifs poursuivis. La figure 6.3 présente certains critères de choix en matière de développement communautaire, selon une base éthique.
- Décider des recommandations et des projets à entreprendre.
- Présenter les projets en spécifiant les activités, les étapes à franchir et les objectifs à poursuivre.

TABLEAU 6.4: Essai de problématique du développement communautaire

1) PROBLÈMES POLITIQUES
   - Jeux subtils des intérêts privés ou publics
   - Aide gouvernementale engendrant la sécurité dans le laisser-faire sans s'attaquer aux problèmes de fond
   - Contrôle jaloux de l'information
2) MANQUE DE LEADERSHIP ET D'ORGANISATION
   - Manque de leaders socio-économiques
   - Faible noyau
   - Centralisation des principaux leviers décisionnels
3) ABSENCE DE CONSCIENCE COOPÉRATIVE ET COMMUNAUTAIRE
   - Individualisme et confort personnel
   - Formation de cliques et égoïsme de petits groupes
   - Formation de castes dominantes
4) OBSTACLES PSYCHOLOGIQUES
   - Dépendance et manque de confiance dans les possibilités d'apport volontaire des citoyens
   - Factions et rivalités
5) PROBLÈMES D'ANIMATION
   - Objectifs mal formulés, peu constructifs
   - Réunions mal dirigées
   - Phénomène de compensation limité au blâme
6) INSUFFISANCE DE CAPITAL À LA BASE
   - Fossé majeur entre les buts poursuivis et les ressources disponibles
7) GESTION DÉFICIENTE
   - Diagnostic incomplet des problèmes et des potentialités
   - Incoordination
   - Faiblesse du suivi
8) ORIENTATION EXCLUSIVEMENT QUANTITATIVE DU DÉVELOPPEMENT
   - Prédominance du technicisme et des appareils
   - Assimilation et chosification des individus
   - Industrialisation et urbanisation sauvages

- Identifier les ressources et les groupes de support, et répartir les tâches pour chaque projet.
- Évaluer les forces de résistance, les difficultés, les groupes d'opposition, et élaborer des stratégies appropriées de changement.
- Déterminer les coûts de réalisation de chaque projet.
- Prévoir les échéances.

5. *Mise en application*

L'action entreprise à la suite de la décision matérialise les valeurs et les objectifs prévus au regard de certains droits sociaux fondamentaux comme le travail, la santé, l'éducation, le repos, le logement convenable, la primauté de la personne, ... L'effort de reconstruction sociale doit impliquer au départ des changements à une petite échelle, qui serviront d'expérience-pilote pour une généralisation future. L'esprit pratique, la volonté et la capacité d'obtenir la collaboration des participants s'avèrent des atouts importants durant cette phase.

L'introduction de changements a pour effet de modifier l'état du champ de forces qui prévaut. Une attention particulière doit être accordée aux facteurs de résistance et de diversion. L'interdépendance du savoir, de l'avoir et du pouvoir constitue un moyen efficace pour contrer les forces négatives et maximiser les éléments positifs. Le groupe d'exécution doit s'exercer à une utilisation compétitive du pouvoir. Aussi les communications et les échanges d'informations seront-ils partagés par les participants afin d'augmenter le degré de connaissance, de diminuer les tensions et d'accroître la cohésion interne. Bref, il s'agit de réaliser un processus continu de recherche-action où vivre, agir et réfléchir deviendront le véhicule de l'autodétermination des membres.

6. *Évaluation des résultats et suivi*

Une fois les changements effectués, il est impérieux d'évaluer les résultats obtenus et de les comparer aux objectifs visés. S'ils ne sont pas concluants ou conformes aux attentes, il faut revenir en arrière et rechercher la ou les phases au cours desquelles le travail a été déficient, puis effectuer une nouvelle évaluation des objectifs et des étapes, une recherche d'autres solutions possibles, une révision des responsabilités, et les ajustements nécessaires en cas de conflit.

En règle générale, les résultats suscitent de nouveaux projets et le

FIGURE 6.3: D'un développement inégal et quantitatif à un développement qualitatif et équilibré

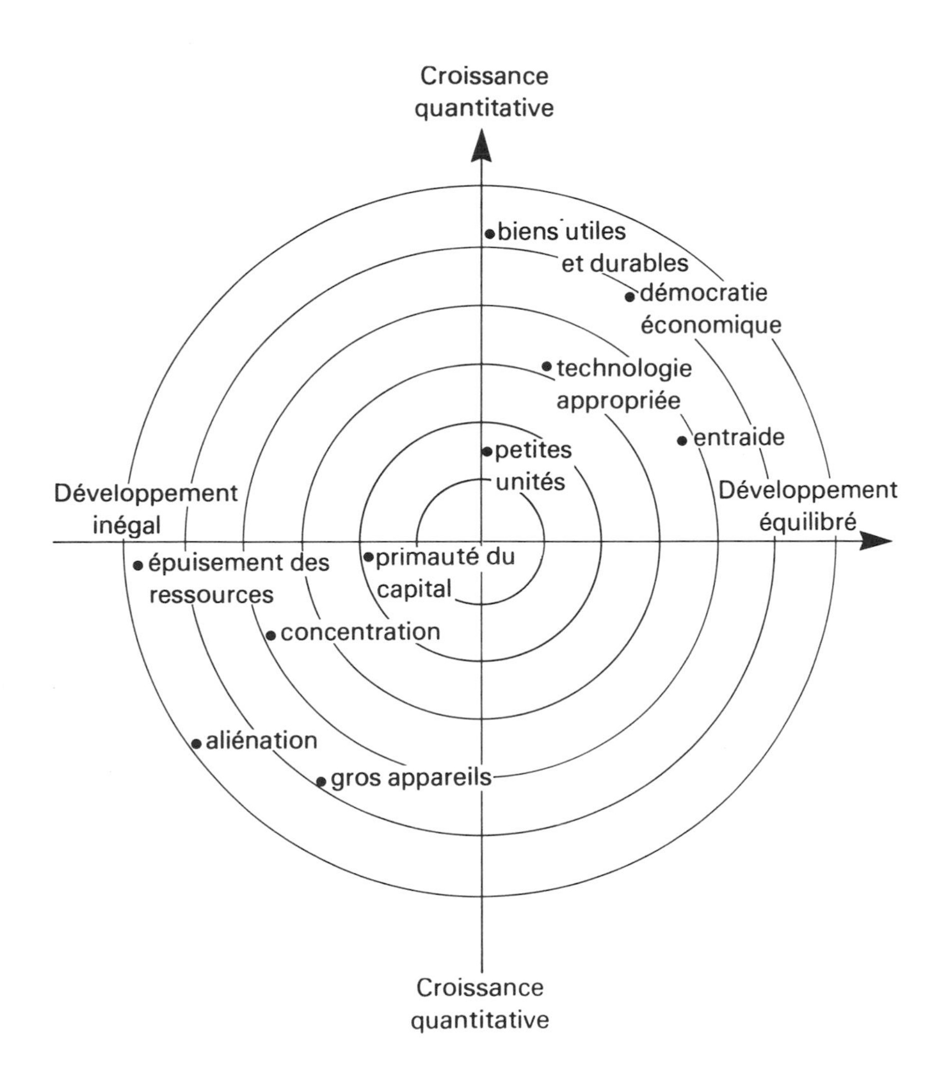

cycle problème-changement recommence en faisant croître la vie communautaire. Cette étape peut donner lieu à un élargissement des perspectives: apparition de nouveaux projets, adhésion de nouveaux membres, augmentation du nombre de comités, intensification des relations, formation de leaders, modification des stratégies et des tactiques, élaboration de politiques à long terme, etc.

La stabilisation du changement sera favorisée par son institutionnalisation et par l'appui accordé à la fierté et au statut acquis à la suite du développement réalisé.

CONCLUSION

Le développement mécaniste de la société industrielle diminue l'homme et cause une forme de désagrégation sociale chez les collectivités de base. D'autre part, la politique d'assistance et de sécurité gouvernementales favorise un assujettissement passif entravant ainsi la mise en valeur des personnes.

La solution du problème fondamental appelle essentiellement la participation des citoyens à leur processus de changement dans le cadre d'un développement endogène. Une stratégie de dépassement consiste à mobiliser et à regrouper les individus afin qu'ils puissent, selon une démarche rationnelle, affronter et résoudre les problèmes sociaux qui les affectent. Le processus de l'autodétermination est enclenché à partir du moment où la communauté vit un sentiment de partage et de solidarité dans la prise de conscience des besoins, l'élaboration et la réalisation d'actions communautaires.

Un Québec fort et équilibré sera le résultat de quelques milliers de localités socio-économiquement excellentes. À cette fin, le mouvement coopératif fournit, par le travail de plus de 30 000 administrateurs, un bassin énorme d'agents de changement localisés aux quatre coins de la province.

ANNEXE 1
Postulats de base de l'organisation communautaire *

En matière de valeurs

- La dignité essentielle et la valeur éthique de l'individu.
- La possession, par chaque individu, des potentialités et des ressources nécessaires pour mener à bien sa propre vie.
- L'importance de la liberté d'expression.
- La grande capacité de croissance chez tous les êtres sociaux.
- Le droit de l'individu à la satisfaction de ses besoins essentiels (nourriture, logement et vêtement) dont l'absence compromet souvent l'épanouissement de la vie.
- Le besoin de l'individu de lutter pour améliorer sa propre vie et son environnement.
- Le droit de l'individu à l'assistance en temps de besoin et de crise.
- L'importance d'une organisation sociale envers laquelle l'individu se sent responsable et dans laquelle le sentiment individuel est considéré.
- Le besoin d'un climat social qui encourage la croissance et le développement individuel.
- Le droit et la responsabilité de l'individu de participer aux affaires de sa communauté.
- L'accessibilité à la discussion, la confrontation et l'animation comme méthodes de solution des problèmes individuels et sociaux.
- Le consentement à l'effort personnel (*self-help*) comme base essentielle de tout programme d'aide.

En regard du problème collectif

- La source dominante du changement est aujourd'hui technologique et elle exerce une pression en faveur d'une industrialisation et d'une urbani-

---

* Extrait et traduit de:
ROSS, M.G. et LAPPIN, B.W. ***Community Organization: Theory, Principles and Practice***. 2e éd. New York: Harper and Row Publishers, 1967, p. 77-93.

sation accrues, sans grande considération pour les effets qu'un tel mouvement entraîne sur le plan des relations sociales.

- Les processus d'urbanisation ont presque détruit le sentiment d'appartenance de l'individu à une communauté.

- Le problème du développement et du maintien de valeurs communes ou partagées (l'élément de base de la cohésion) est rendu beaucoup plus difficile par l'industrialisation et l'urbanisation.

- La tendance de nombreux sous-groupes à former une entité cohérente mais distincte dans la communauté produit une tension sociale potentiellement dangereuse pour n'importe quelle communauté.

- La démocratie s'affaiblira, si elle ne périt pas, à moins que les institutions de support ne soient soutenues et que de nouvelles institutions (pour répondre à de nouveaux modes de vie) ne soient développées. La démocratie implique la décentralisation et la répartition du pouvoir, la solidarité et le respect des opinions, la participation à des conférences et à des discussions pour en arriver à un consensus authentique, le droit d'être intégré à la vie sociale de la communauté et d'en influencer la direction.

- Les barrières qui empêchent la participation active à la réalisation d'un changement social inhibent le développement personnel.

En regard de la méthode d'intervention

- Les communautés d'individus peuvent développer la capacité de s'occuper de leurs propres problèmes. Cela implique que les communautés d'individus, même celles qui sont dans des situations perçues par plusieurs comme désespérées, peuvent développer des aptitudes et des compétences nécessaires pour participer efficacement à la tâche, et pour façonner leur communauté et satisfaire leurs besoins plus adéquatement.

- Les individus veulent et peuvent changer, malgré la tendance de certaines gens à être satisfaits du *statu quo* et à résister au changement.

- Les gens devraient participer à la création, à l'ajustement et au contrôle des changements majeurs qui prennent place dans leur communauté.

- Les changements dans le mode de vie d'une communauté qui sont auto-imposés ou autodéveloppés ont une signification et une permanence que les changements imposés n'ont pas.

L'approche globale peut être utilisée avec succès pour les problèmes qui ne peuvent être résolus par une approche fragmentaire.

La démocratie nécessite une participation et une action coopératives dans les affaires de la communauté, et les gens peuvent acquérir les compétences nécessaires à cet engagement.

Les communautés d'individus ont fréquemment besoin d'aide, tout comme plusieurs individus en ont besoin pour résoudre leurs problèmes individuels.

ANNEXE 2
Cas de développement communautaire: les "brunchs-conférences" ou l'éducation économique rendue intéressante *

Un besoin se manifeste

Au cours de rencontres avec des jeunes de 18 à 25 ans, le directeur de la Caisse populaire Saint-David de Lévis, monsieur André Tremblay, constate chez plusieurs d'entre eux une certaine méconnaissance des notions de base en économie et en planification financière.

La Caisse décide de s'impliquer

Conscient du rôle social de la Caisse et convaincu qu'elle peut faire quelque chose pour aider ces jeunes, il fait part de cette préoccupation au conseil d'administration. Ce dernier reconnaît l'importance de la question et décide de mettre sur pied un comité spécial pour en faire l'étude et pour proposer des actions. Deux administrateurs sont délégués pour représenter la Caisse auprès du comité qui sera composé de cinq jeunes bénévoles.

L'action s'organise

Le Comité Info-Jeunes de Saint-David voit le jour en septembre 1980. Dès la première réunion, 14 jeunes viennent exprimer leurs opinions et préciser leurs besoins. Deux problèmes sont clairement identifiés: lacunes en matière d'éducation économique et manque d'équipements communautaires pour les loisirs.

Info-Jeunes choisit de limiter son action à l'éducation économique. On veut informer les jeunes sur des sujets très concrets auxquels ils sont confrontés quotidiennement, tels le budget, l'emploi, l'achat d'une automobile, l'assurance-vie, l'épargne et le crédit, etc.

---

* GRONDIN, N. (conseiller en éducation coopérative) ***Rapport interne***. Fédération des Caisses populaires Desjardins de Québec, division Développement coopératif et communautaire, 1981.

La Division développement coopératif et communautaire apporte son aide

L'action à entreprendre est importante, les ressources, peu connues et la méthode, à inventer. Afin d'aider le Comité dans sa démarche, la Caisse fait appel à la Division développement coopératif et communautaire (DDCC) de la Fédération pour obtenir un support technique.

Le 4 novembre 1980, un professionnel de la Division se joint à l'équipe Info-Jeunes et l'aide à structurer son action. Ensemble ils analysent le besoin, précisent l'objectif à atteindre, déterminent la clientèle, évaluent les programmes existants, élaborent un plan d'action et établissent des critères d'évaluation de leurs résultats.

On identifie le besoin, la clientèle et l'objectif

Les premières rencontres avec les jeunes confirment que le besoin d'éducation économique est bien réel. Quant à la clientèle, on vise les 18 à 25 ans. En effet, n'ayant pas (ou peu) de revenus personnels, les moins de 18 ans nous semblent manifester moins d'intérêt pour les questions économiques. L'objectif choisi est: *Éduquer et informer les jeunes de Saint-David sur les transactions financières et économiques personnelles*.

On propose une nouvelle formule

Info-Jeunes connaît déjà le matériel didactique du niveau secondaire, intitulé *la Gestion de mes affaires*. Il aimerait cependant développer une activité, à la fois intéressante et éducative, qui correspondrait davantage aux besoins des jeunes.

Il décide donc d'organiser, à chaque mois, un "brunch-conférence" au cours duquel des invités spéciaux viendront rencontrer les jeunes et les informer sur diverses questions économiques, selon des thèmes déterminés au préalable par le comité. Le "brunch" se tiendra le dimanche midi dans un restaurant local. L'admission sera gratuite car la Caisse populaire Saint-David assumera les coûts de l'activité.

On vérifie l'intérêt des jeunes

Cette nouvelle approche en éducation économique est-elle de nature à intéresser les jeunes? Info-Jeunes décide de le vérifier par un sondage. Pour y arriver, il prépare un questionnaire et, avec la collaboration de la Caisse, le fait imprimer puis distribuer à l'échantillon choisi. Les résultats sont connus à la fin de décembre 1980 et se révèlent tellement positifs que l'on décide d'agir immédiatement.

On choisit des thèmes mensuels

Le premier "brunch-conférence" aura lieu le 1er février 1981, les autres se tiendront le premier dimanche de chacun des mois suivants. Les quatre premiers thèmes retenus sont: le budget, l'emploi, l'épargne et le crédit. Ces thèmes ont été choisis en tenant compte des besoins exprimés lors du sondage et de la disponibilité des personnes-ressources.

On informe la population

Pour sensibiliser les jeunes à cette nouvelle activité et les inciter à y participer, l'information est nécessaire. Des communiqués sont donc remis aux médias de masse de l'endroit, et 400 invitations sont expédiées à 400 jeunes. De plus, le Comité profite de l'assemblée générale de la Caisse (fin janvier 1981) pour faire rapport du travail accompli depuis septembre 1980 et pour lancer une invitation aux parents présents afin qu'ils informent leurs jeunes et les encouragent à participer aux "brunchs-conférences".

Le "brunch-conférence" se concrétise

Les "brunchs-conférences" qui ont eu lieu jusqu'à ce jour sont une réussite tant par le nombre de jeunes (20 au début, 50 à 60 par la suite) que par la qualité de leur participation. Mais comment se déroule un "brunch-conférence"?

Voici un résumé des principales étapes:

1. Arrivée des participants.
2. Début du repas, dans une salle réservée afin d'assurer la tranquillité et une atmosphère favorable.
3. Présentation des invités par un membre du Comité.
4. Annonce du thème de la journée (par exemple: l'emploi) et de ses composantes (par exemple: emplois d'été pour étudiants, curriculum vitae, simulation d'entrevues, dynamique de la recherche d'emploi, etc.).

5. Causeries ou exposés par les personnes-ressources (par exemple: pour l'emploi, des spécialistes des ministères de l'Immigration et de la Main-d'oeuvre (fédéral et provincial); pour l'épargne et le crédit, des spécialistes des caisses populaires; pour le budget, des dirigeants de caisses ou des chefs de famille de la localité).
6. Sketches exécutés par les jeunes entre les diverses causeries ou au cours de celles-ci. Les sketches, improvisés par les jeunes, ont pour but d'illustrer le sujet dont il est question, tout en apportant une note de gaieté à la rencontre (par exemple: la bonne ou la mauvaise façon de faire une demande d'emploi, de se présenter chez un employeur, etc.).
7. Période de questions et de discussion avec les invités.
8. Remerciements d'usage et invitation au prochain "brunch".

Son évaluation déterminera les actions futures

Pour les quatre premiers "brunchs-conférences", la Caisse estime que les coûts seront de l'ordre de 500 $ à 600 $. Après cette première expérience, Info-Jeunes procédera à une évaluation des participants afin de déterminer les suites à donner à cette action d'éducation. Les principaux critères que l'on examinera seront le nombre de participants, l'intérêt manifesté et leur désir de continuer.

Pour leur part, les administrateurs membres du comité sont d'ores et déjà décidés à poursuivre l'expérience à l'automne 1981. Ils ont même l'intention de recommander au conseil d'administration de la Caisse que des activités d'éducation économique soient organisées aussi pour les adultes.

BIBLIOGRAPHIE

BIDDLE, W.W. et BIDDLE, L.J. ***The Community Development Process: the Rediscovery of Local Initiative***. New York: Holt, Reinhart and Winston, 1965.

CÔTÉ, C. et coll. ***L'Animation au Québec***. Montréal: Éditions Albert Saint-Martin, 1978.

FORTIN, G. ***La Fin d'un règne***. Montréal: HMH, 1971.

GAGNON, G. et MARTIN, L. ***Québec 1960-1980. La crise du développement***. Montréal: HMH, 1973.

GRAND'MAISON, J. ***Stratégies sociales et nouvelles idéologies***. Montréal: HMH, 1970.

LAFLAMME, M. ***Expériences de démocratie industrielle: vers un nouveau contrat social***. Montréal: Éditions du Jour, 1980.

LEBRET, L.-J. ***Dynamique concrète du développement***. Paris: Éditions ouvrières, 1961.

LEMIEUX, V. ***Les Cheminements de l'influence***. Québec: P.U.L., 1979.

LÉVESQUE, B. et coll. ***Animation sociale, entreprises communautaires et coopératives***. Montréal: Éditions Albert Saint-Martin, 1979.

MÉDARD, J.-F. ***Communauté locale et organisation communautaire aux États-Unis***. Paris: Armand Colin, 1969.

MEISTER, A. ***Participation, animation et développement***. Paris: Éditions Anthropos, 1969.

ROTHMAN, J. "Three models in community organization practice". ***Strategies of Community Organization, a Book of Readings*** (sous la direction de F.M. Cox). Itasca: Peacock, 1974.

SAINT-PIERRE, H. ***La Participation pour une véritable prise en charge responsable***. Québec: P.U.L., 1975.

Revue internationale d'action communautaire. École de service social, université de Montréal, divers numéros.

Chapitre 7

Coopération et participation des membres

par Claude Beauchamp

Ceux qui s'intéressent à la coopération depuis quelques années ont souvent entendu énumérer un certain nombre de problèmes rencontrés par les coopératives: financement insuffisant, gestion déficiente, manque d'information, pauvreté de l'éducation coopérative... sans oublier la faible participation des membres. Au long des pages qui vont suivre, nous nous arrêterons plus particulièrement à ce dernier problème, n'abordant les autres que dans la mesure où ils sont reliés à celui de la participation.

Avant de nous pencher spécifiquement sur les coopératives, nous ferons quelques remarques concernant la participation en général. Rappelons d'abord que depuis une vingtaine d'années, la participation est devenue un thème à la mode, surtout dans les sociétés industrielles avancées. On en parle partout, non seulement dans les coopératives mais aussi dans les organismes d'État, les entreprises capitalistes, les syndicats... C'est maintenant un des mots importants du langage des organisations et des associations. Cela n'est pas sans entraîner une certaine banalisation de l'idée, certes parce qu'elle est semée à tout vent, mais surtout parce qu'elle prend diverses significations, qu'elle perd de sa profondeur, qu'elle devient de plus en plus formelle et qu'elle est beaucoup moins porteuse de l'idéal d'une société égalitaire.

Assez curieusement, on parle d'autant plus de la participation que sa pratique semble plus difficile. Certainement pas à cause d'un manque d'occasions, mais au contraire parce qu'elles sont trop nombreuses. S'il nous fallait répondre à toutes les invitations, nous manquerions de temps.

Nous pourrions établir ici un parallèle avec l'information. On déplore souvent le manque d'information alors que dans de nombreux cas on en a trop, ce qui permet d'enrober ou de taire les éléments essentiels. Dans cette perspective, trop d'information, c'est comme pas assez. Cela vaut aussi pour la participation, surtout quand elle est sollicitée.

Comme dans toute sollicitation, c'est d'abord celui qui sollicite qui veut obtenir quelque chose. Dans le cas présent, ce serait quoi? Offrir au plus grand nombre une possibilité de s'impliquer réellement ou, au contraire, s'organiser pour n'en offrir que l'illusion en contrôlant la participation, s'assurant ainsi de contrôler le pouvoir? N'est-ce pas largement cette participation contrôlée que nous trouvons par exemple dans les comités d'école, les comités de parents, les conseils d'administration des hôpitaux et des centres locaux de services communautaires? Ne sommes-nous pas en présence d'une récupération de la participation par les appareils, par exemple par l'appareil de l'État dans les exemples cités plus haut? Mais serions-nous complètement en dehors du champ du possible si nous pensions qu'il pourrait en être ainsi dans l'appareil capitaliste ou dans l'appareil coopératif? Certains auteurs avancent même que la participation n'a pas été récupérée par les technocrates qui dirigent les divers appareils mais plutôt qu'ils l'ont eux-mêmes inventée pour mieux faire accepter leur emprise sur le pouvoir[1].

Ces quelques remarques faites, nous aborderons maintenant d'une façon plus particulière l'étude de la participation dans les coopératives. Trop souvent, on pense proposer une solution suffisante à la faiblesse de la participation en suggérant d'augmenter l'éducation coopérative. Comme si le problème n'avait qu'une seule dimension! En fait il s'agit d'un problème beaucoup plus vaste, et pour en saisir toutes les facettes il faut d'abord préciser le concept et ensuite pousser beaucoup plus loin l'analyse du phénomène.

7.1 PRÉCISIONS SUR LE CONCEPT

Nous pouvons définir la participation comme l'action de prendre part à quelque chose, par exemple à une discussion ou à une décision.

---

(1) Voir par exemple:
SIMARD, J.-J. "De l'utopie à l'idéologie: planification et pouvoir technocratique". ***Animation sociale, entreprises communautaires et coopératives*** (sous la direction de B. Lévesque). Laval: Éditions coopératives Albert Saint-Martin, 1979, p. 299-317.

C'est là une définition courante qui est insuffisante dès que nous voulons pousser le moindrement l'étude du phénomène. Il y a déjà une différence marquée entre prendre part à une discussion et prendre part à une décision, et il y aurait encore des différences si nous prenions d'autres exemples de participation. D'où la nécessité de préciser le concept et surtout d'apporter des distinctions si nous voulons nous en servir tant sur le plan de la recherche que sur celui de l'action coopérative.

7.1.1 Les formes de participation

La participation peut prendre divers aspects selon qu'elle est plus ou moins poussée. Aux deux extrémités d'un continuum, se trouvent d'une part l'absence totale de participation, la dictature, et d'autre part la présence d'une participation intégrale, l'autogestion. Des formes de participation plus ou moins complètes se situent entre ces deux extrêmes. Nous retiendrons ici la consultation, la délégation et la cogestion[2].

a) La consultation

Les gens sont invités à donner leur opinion sur un point précis, sur un ensemble de problèmes ou sur une politique globale mais, et c'est là une dimension très importante, ils n'ont pas à décider. Nous sommes donc ici en face d'un pouvoir limité — certains diront même trop limité —, ce qui n'invalide pas pour autant cette forme de participation. Souvent les décisions prises correspondent aux résultats de la consultation, et les dirigeants pourraient difficilement agir autrement étant donné qu'ils doivent rendre compte de leur mandat et, à l'occasion, en demander le renouvellement. Dans le cas particulier des coopératives, il s'agit pour les membres d'une possibilité réelle de participation et de pouvoir, mais elle est peu utilisée. On invoque le fait que la consultation est coûteuse et difficile à organiser. Comme dans l'ensemble de la société, on a oublié que les choses simples peuvent être encore valables, et on manque d'imagination dès qu'on ne peut pas avoir recours aux derniers raffinements de la technologie des communications ou à une firme de consultants! Il y a toutefois des cas où on a trouvé des moyens de pratiquer la consultation, par exemple Agropur avec ses assemblées régionales.

b) La délégation

C'est certainement la forme la plus répandue de participation, et

---

(2) Pour une réflexion poussée sur ce point, consulter:
DION, L. ***Société et politique, la vie des groupes.*** Tome II: ***Dynamique de la société libérale***. Québec: P.U.L., 1972, p. 267-416.

c'est en particulier celle qui prévaut dans nos coopératives. Évidemment, la délégation et la consultation ne sont pas des formes exclusives. Une fois que le pouvoir a été délégué au conseil d'administration, ce dernier peut très bien consulter les membres soit formellement — par exemple en utilisant un questionnaire — soit informellement — par exemple lors d'une rencontre fortuite à la caisse populaire, à la meunerie coopérative ou chez Cooprix.

Par la délégation, les membres réunis en assemblée générale cèdent volontairement une grande partie, parfois même la totalité de leurs pouvoirs au conseil d'administration, et ils les reprendront lors de la prochaine assemblée générale pour ensuite les céder de nouveau après avoir contrôlé l'usage qui en aura été fait. Nous sommes ici en présence d'une démocratie indirecte, beaucoup plus dans l'ordre du possible que dans l'ordre de l'idéal. Pourrait-il en être autrement avec nos grandes coopératives? En est-il vraiment autrement dans les petites coopératives, une fois la phase d'effervescence passée? Nous y reviendrons.

c) *La cogestion*

Ce terme était particulièrement à la mode dans les mouvements étudiants des années 1960. On proposait alors que les programmes académiques de niveau universitaire soient établis et administrés conjointement par les étudiants et les professeurs. La même philosophie s'est aussi répandue dans le monde du travail selon diverses modalités, par exemple la cogestion allemande ou l'actionnariat ouvrier. Remarquons que cette forme de participation fait appel à la concertation et à la coopération (au sens large du mot) entre des groupes qui n'ont pas nécessairement les mêmes intérêts; elle évite ainsi les situations de conflit que nous rencontrons de plus en plus.

La cogestion est peu pratiquée dans les coopératives. Il faudrait que les membres abdiquent une partie de leur souveraineté, même si elle est exercée indirectement, et que comme employeur collectif ils acceptent de partager la gestion de l'entreprise avec leurs employés. Ou encore il faudrait que les employés deviennent aussi membres de la coopérative, comme c'était le cas à la Fédération des chantiers coopératifs de l'Ouest québécois. Mais nous savons que dans la plupart des cas, tant du côté des employeurs coopératifs que du côté de leurs employés, on privilégie la logique du conflit au moyen de la négociation collective.

d) *L'autogestion*

Ce terme a d'abord été utilisé pour nommer l'expérience qui commença en Yougoslavie au début des années 1950: l'autogestion yougoslave. Il fut par la suite largement employé pour exprimer des réalités parfois assez différentes les unes des autres. Au sens strict du terme, autogestion signifie *la gestion de tout, par tous et en tout temps.* L'autogestion yougoslave elle-même, avec sa structure à plusieurs niveaux, est beaucoup plus de la délégation que de la véritable autogestion[3]. On comprendra d'ailleurs facilement qu'en appliquant strictement la définition que nous venons d'esquisser, nous ne pouvons retenir qu'un nombre limité d'expériences.

Le discours autogestionnaire recouvre deux réalités différentes. Dans un premier cas, l'autogestion signifie une forme particulière d'organisation des entreprises possédées par l'ensemble des travailleurs, et où les différentes fonctions sont sous la responsabilité des travailleurs. C'est habituellement à cette forme d'autogestion qu'on se réfère lorsqu'on parle d'autogestion au Québec.

Dans la seconde acception, l'autogestion ne se rapporte plus seulement au monde de l'entreprise mais à l'ensemble de la société. On conteste le gigantisme, l'emprise de la bureaucratie et de la technocratie, on refuse nos sociétés réglées, organisées, cybernétisées. On propose des sociétés plus petites, parcellisées, où chacun aurait la chance de participer pleinement et de se réaliser selon ses goûts et ses aptitudes. On remet en question la conception de l'égalité: à une *égalité uniformité centralité* on oppose une *égalité autonomie*[4].

Qu'en est-il maintenant des relations entre coopération et autogestion? Si nous retournons à la définition citée plus haut, nous pouvons affirmer que l'autogestion n'est pas possible dans tous les types de coopératives. En effet, autant par exemple une coopérative ouvrière de production peut être autogérée, autant il est difficile de concevoir une coopérative de consommation ou une caisse populaire autogérées. Dans le premier cas, les membres étant en même temps les travailleurs de l'entreprise, cette dernière peut être autogérée. Dans les deux autres exemples, l'autogestion par les employés nierait à la fois le droit de participation des membres

---

(3) Concernant l'autogestion yougoslave, consulter:
MEISTER, A. ***Où va l'autogestion yougoslave?*** Paris: Anthropos, 1970, 386 p.

(4) Voir:
ROSANVALLON, P. et VIVERET, P. ***Pour une nouvelle culture politique.*** Paris: Seuil, 1977, 158 p.

et la nature coopérative de ces entreprises.

7.1.2 Les types de participation

Non seulement il existe diverses formes de participation, mais les modes d'adhésion et d'implication dans ces formes peuvent varier considérablement, ce qui nous conduit à parler maintenant de types de participation. Nous retiendrons les cinq types de participation proposés par Albert Meister: de fait, volontaire, spontanée, provoquée, imposée[5]. Plusieurs de ces types peuvent s'appliquer aux coopératives.

a) Participation de fait

Elle est pour ainsi dire automatique, aucunement remise en question du simple fait de la naissance, comme par exemple la participation au groupe familial. Dans la société traditionnelle, ce type était beaucoup plus répandu car la participation à un métier et à une religion, pour ne citer que ces cas, en était une de fait. Est-ce que ce type de participation n'est pas, encore aujourd'hui, celui de nombreux membres des caisses populaires? Il n'est pas surprenant alors qu'ils soient si difficilement mobilisables.

b) Participation volontaire

Dans ce type de participation, les gens décident eux-mêmes d'adhérer à une association et de s'y impliquer, sans se sentir obligés par des pressions extérieures. C'est à cela qu'on fait référence lorsqu'on évoque le principe coopératif de l'adhésion volontaire.

c) Participation spontanée

Il s'agit évidemment d'une participation volontaire, mais elle répond à des caractéristiques particulières. La participation volontaire concerne un groupe organisé comme une coopérative ou un syndicat, tandis que la participation spontanée se rencontre dans un groupe plutôt

---

(5) MEISTER, A. ***Participation, animation et développement.*** Paris: Anthropos, 1969, p. 21-25.

On pourra aussi consulter:
MEISTER, A. ***Vers une sociologie des associations.*** Paris: Éditions ouvrières, 1972, 220 p.

IDEM. ***La Participation dans les associations.*** Paris: Éditions ouvrières, 1974, 276 p.

fluide, avec au plus une organisation rudimentaire, sans nécessairement s'appuyer sur un certain caractère de permanence.

d) Participation provoquée

Encore ici le caractère volontaire n'est pas nécessairement absent, mais nous pourrions le qualifier de volontaire assisté. Ce type de participation est consécutif à une intervention extérieure. Alors que la participation volontaire est d'abord endogène, celle-ci est exogène. Elle se présente par exemple à la suite d'un travail d'information ou, plus encore, d'un travail d'animation. Ce type de participation se rencontre souvent dans les coopératives, en particulier les plus militantes.

e) Participation imposée

Dans ce cas, il est difficile et parfois impossible de s'y soustraire. Par exemple, il ne suffit pas de posséder un diplôme universitaire en droit pour devenir avocat, il faut aussi devenir membre de la Corporation professionnelle. Ce type de participation existe aussi dans les coopératives, en particulier dans les coopératives d'État de plusieurs pays du Tiers-Monde et dans celles de quelques pays d'Europe de l'Est, mais aussi dans certaines de nos coopératives. Quand, dans un milieu donné, une coopérative est la seule à remplir telle ou telle fonction, est-ce que la participation est volontaire pour tous les membres?

7.1.3 Les domaines de participation

Dans le cas particulier des coopératives, nous distinguerons un certain nombre de domaines pour mieux comprendre le problème de la participation et aussi pour laisser entrevoir quelques moyens d'améliorer l'implication des membres. Nous retiendrons la participation aux services, au contrôle, à la gestion et à l'orientation.

a) Participation aux services

Si on devient membre d'une coopérative, c'est normalement pour en utiliser les services. Pourtant la loyauté coopérative est loin d'être pratiquée par tous les membres. Nombreux sont ceux qui vont voir ailleurs et y font des affaires, sans se soucier de la rentabilité de leur entreprise, ce qui dénote un assez faible sentiment d'appartenance. Cela s'est même rencontré déjà chez des directeurs de coopératives, et il serait surprenant qu'il n'en soit pas encore ainsi parfois, bien que les autres domaines de participation se fondent sur le fait d'être membre-usager[6].

b) *Participation au contrôle*

C'est la principale tâche de l'assemblée générale des membres. Dans la plupart des cas, l'assemblée générale se consacre beaucoup plus à sanctionner les gestes posés par le conseil d'administration à partir de la présentation du bilan et de quelques autres rapports qu'à réfléchir sur l'avenir de la coopérative. Quand des décisions sont prises touchant l'orientation future, c'est le plus souvent fait rapidement à la suite d'une recommandation faite par le conseil d'administration.

c) *Participation à la gestion*

La gestion comprend le contrôle mais s'étend aussi à la planification, la mise en place des moyens et la réalisation. Ce domaine de participation est habituellement réservé aux membres du conseil d'administration qui, à leur tour, s'appuient beaucoup sur le travail des managers.

d) *Participation à l'orientation*

Si la participation des membres est si faible dans les coopératives, ne serait-ce pas en partie parce qu'on les invite à s'impliquer dans des domaines qui les intéressent plus ou moins et pour lesquels ils se sentent peu préparés, et parce qu'en même temps on ne leur donne pas l'occasion de participer autrement, par exemple de réfléchir sur les grandes orientations que pourrait prendre leur coopérative? Cela pourrait évidemment se faire aussi lors de l'assemblée générale, mais nous savons bien que cela est très difficile, cette dernière devant nécessairement se dérouler selon un schéma très formel. Pourquoi ne pas organiser, par exemple, diverses formes de consultation comme nous l'avons évoqué plus haut?

---

(6) «Bien que cela puisse paraître étrange, il se rencontre fréquemment parmi les directeurs d'une coopérative des gens qui ne sont pas les usagers réguliers de leur coopérative. Parfois même on rencontrera parmi les directeurs des gens qui sont les clients réguliers d'entreprises non coopératives situées dans l'arrondissement.»
La Terre de chez nous, 7 avril 1948, p. 4. Cité par:
BEAUCHAMP, C. "La coopération agricole au Québec, 1938-1953". ***Idéologies au Canada français, 1940-1976*** (sous la direction de F. Dumont, J. Hamelin et J.-P. Montminy). Québec: Presses de l'université Laval, 1981, Tome II, p. 90.

7.2 LES COOPÉRATIVES DANS LEUR ENVIRONNEMENT

Lorsqu'il s'agit d'expliquer le manque de participation dans les coopératives, on est habituellement porté à considérer ces dernières comme des entités indépendantes, peu ou pas influencées par leur milieu. On propose évidemment des solutions qui suivent la même logique. Leur faible succès devrait pourtant laisser entrevoir qu'il y a une faille quelque part. C'est qu'on oublie trop souvent que les coopératives sont fortement marquées par leur environnement socio-économique et, si parfois on souligne cette réalité, c'est la plupart du temps pour la considérer comme une fatalité.

7.2.1 Évolution du projet et de la pratique

À ses débuts la coopération moderne, née de la révolution industrielle, mettait de l'avant un double projet: améliorer de façon immédiate les conditions de vie des classes populaires et transformer radicalement l'organisation de la société pour la rendre plus égalitaire. C'était la nébuleuse initiale, participant du socialisme utopique[7]. Très tôt cependant elle se transforma, laissant progressivement s'éteindre l'idée d'une modification profonde du système. Au contraire, c'est le système qui s'est imposé à elle et qui l'a forcée à modifier son projet. Il s'agit de retourner à l'histoire de la pensée coopérative pour s'en convaincre ou encore de se rappeler le passage de l'idée de *république coopérative* chez Charles Gide à celle de *secteur coopératif* chez Georges Fauquet[8].

Sous la pression de l'environnement socio-économique, les coopératives ont donc considérablement réduit leur projet pour mettre de plus en plus l'accent sur l'entreprise, une entreprise qui à son tour a largement pris les traits de l'entreprise capitaliste. Albert Meister a bien résumé cette évolution à l'aide d'un modèle à quatre phases démontrant que, d'instituantes en pleine effervescence, les coopératives deviennent de plus en plus instituées, que l'aspect économique prend toujours plus d'importance et que la démocratie, directe au début, devient de plus en plus délé-

---

(7) Celui d'Owen, de Saint-Simon, de Fourier, etc. Il fut nommé ainsi par Marx et Engels qui l'opposaient à leur socialisme qu'ils présentaient comme le socialisme scientifique.

(8) Voir à ce sujet:
DESROCHE, H. ***Le Projet coopératif.*** Paris: Éditions ouvrières, 1976, 461 p.

LAMBERT, P. ***La Doctrine coopérative.*** 3e éd. Bruxelles: Les Propagateurs de la coopération, 1964, 373 p.

guée, le rôle du conseil d'administration et surtout des managers prenant de l'importance d'autant; ces quatre phases sont: la conquête, la consolidation économique, la coexistence et le pouvoir des administrateurs[9].

7.2.2 Le cas québécois

La coopération québécoise s'est inspirée de modèles européens qui étaient déjà très éloignés du projet initial, par exemple le Raiffeisen pour les caisses populaires et le Boerenbond belge pour les coopératives agricoles. Dans nos coopératives comme dans le Raiffeisen ou le Boerenbond, il n'était pas question de transformer le système mais plutôt de s'y adapter afin d'en tirer le meilleur parti possible. Projet coopératif amoindri, faiblesse doctrinale comblée par des éléments épars venant du nationalisme, du corporatisme ou de la doctrine sociale de l'Église, cela protégeait peu les coopératives québécoises contre l'envahissement des valeurs du capitalisme. Dans bien des cas d'ailleurs il y eut un processus d'acculturation, de sorte qu'aujourd'hui nous avons souvent de la difficulté à retrouver une véritable spécificité coopérative.

Cela s'explique. Nos coopératives se sont développées dans un contexte économique parfois difficile et à peu près toujours hostile. Elles ont dû affronter une concurrence très forte et souvent se défendre contre des tactiques déloyales. Tout cela les a obligées à dépenser beaucoup d'énergie et à investir des capitaux considérables pour bâtir des entreprises valables. Pour réussir, on s'est inspiré des entreprises qui y parvenaient, les entreprises capitalistes. Alors les experts sont arrivés, formés habituellement dans des institutions largement favorables au capitalisme. Ayant souvent occupé un emploi dans une entreprise capitaliste, ils ont donc appliqué à la gestion de la coopérative les techniques de gestion capitaliste. On avait toutefois oublié que les techniques n'existent pas à l'état pur, mais qu'elles transportent des valeurs et même toute une culture, des façons d'être, de penser et d'agir. Ainsi, les valeurs du capitalisme se sont infiltrées dans nos coopératives par ces techniques, et cela d'autant plus facilement que, d'une part, les coopératives voyaient là un bon moyen de réussir et que, d'autre part, elles pouvaient difficilement s'en protéger, compte tenu de la faiblesse du projet coopératif québécois et de sa faible vigueur doctrinale.

Le capitalisme se transformait rapidement et le capital ne pouvait plus fructifier seul. Il avait besoin du secours de la connaissance et en

---

(9) MEISTER, A. ***La Participation dans les associations.*** Paris: Éditions ouvrières, 1974, p. 189-212.

particulier de connaissances nouvelles, par exemple dans le domaine de la gestion ou de la prospective. L'ère de la technocratie s'ouvrait. Déjà acculturées aux valeurs du capitalisme, les coopératives furent par la suite marquées par les transformations du capitalisme, comme le fut d'ailleurs l'État. Une nouvelle bourgeoisie techno-bureaucratique allait envahir autant les coopératives que les ministères et les entreprises capitalistes.

L'ère de la coopérative-entreprise débutait et l'association en prit pour son rhume[10]. En fait, la transformation de la participation des membres fut moins profonde qu'on eût pu l'imaginer. En effet, dans la plupart des cas, la démocratie coopérative n'avait jamais été une préoccupation particulièrement importante. On insistait beaucoup sur la nécessité de l'action collective, mais on ne rappelait pas souvent que cette action pouvait être gérée démocratiquement. Comment expliquer cela? Nous pouvons évidemment invoquer le fait qu'une grande partie de la population était peu sensibilisée au processus démocratique et que les leaders propagandistes de la coopération ne sentaient pas le besoin d'en parler. Mais y songeaient-ils seulement? Rappelons-nous que leur philosophie se nourrissait d'auteurs étrangers, surtout français comme par exemple Louis Veuillot, ou d'hommes politiques, comme Salazar, qui n'étaient pas particulièrement portés vers la démocratie[11].

La technocratie put s'installer d'autant plus facilement qu'il n'y avait pas une solide tradition de participation des membres. Pour la majorité des managers, tout ce qui touche la vie de l'association est plutôt un embarras qu'autre chose. De la formation qu'ils ont reçue, ils retiennent des critères d'efficacité, de rationalité et de rentabilité qui ne laissent pas de place à une implication le moindrement poussée des membres. Il s'agirait pourtant de définir autrement ces critères — ce qui devrait normalement se faire s'il y avait une spécificité coopérative — pour que la participation devienne un élément positif. Il n'est pas surprenant alors que les managers subissent la participation — même si elle se vit de façon très formelle — beaucoup plus qu'ils ne l'acceptent, comme le tribut qu'ils doivent payer pour conserver leur emploi.

---

(10) Cette distinction entre l'entreprise et l'association en indispose plusieurs. Je la crois pourtant essentielle car c'est dans cette dualité que se trouvent les fondements de la spécificité coopérative.

(11) Cette dernière observation découle d'une longue fréquentation des textes rédigés par ces leaders et ces propagandistes. Remarquons qu'ils ne se distinguaient pas en cela de la majorité de l'élite canadienne-française, pour la période allant du début du XXe siècle à la Deuxième Guerre mondiale.

Comprenons-nous bien. Ce ne sont pas les managers qui sont les premiers responsables de cette situation. Elle découle d'abord d'une exigence fonctionnelle du système qui a besoin d'un tel type de managers. Devrait-on les remplacer qu'il faudrait le faire par d'autres possédant les mêmes caractéristiques, sinon ils seraient rejetés par le système.

Formellement le rôle du conseil d'administration demeure très important, mais en réalité il se résume souvent à la prise de décisions déjà préparées par les managers. Pour plusieurs, la participation à un conseil d'administration est beaucoup plus l'occasion d'apprendre les techniques de l'administration au contact des managers et de monter ainsi dans l'échelle sociale, que la possibilité de représenter les membres et de voir en leur nom à la bonne marche de la coopérative. Cela est tellement vrai que pour certains, et ils sont assez nombreux, être membre d'un conseil d'administration devient un droit. Dans un tel contexte, on n'est évidemment pas tellement porté à préparer la relève, ce qui favorise la mise en place d'une oligarchie coopérative.

Il faut quand même ajouter que, s'il en est ainsi, c'est que la majorité des membres l'acceptent. Car ils partagent les valeurs dominantes de notre société axées sur la promotion individuelle, valeurs qui, à la suite du processus d'acculturation dont nous avons parlé plus haut, occupent une large place dans les coopératives. J'ai déjà indiqué ailleurs comment le nationalisme a joué un rôle important dans le développement de la coopération québécoise et j'ai alors émis l'hypothèse que la coopération était du capitalisme québécois(12): non pas le capitalisme des pauvres comme on l'a écrit(13), mais le capitalisme des classes moyennes. Dans un tel contexte, si l'entreprise va bien, si on en retire des avantages, pourquoi remplacerait-on les membres du conseil d'administration? Pourquoi changer une combinaison gagnante?

Il y a plus. La participation peut être considérée par de nombreux membres comme une pénalité. Nous savons en effet que dans le monde capitaliste il est très important de minimiser les coûts. Devoir se déplacer pour assister à une réunion, y consacrer quelques heures, n'est-ce pas un coût supplémentaire à payer pour obtenir un bien ou un service? Ce serait

---

(12) "La coopération au Québec: évolution du projet et de la pratique au XXe siècle". ***Revue du C.I.R.I.E.C.*** 1980-81, vol. 13, n° 2, regroupant les actes du colloque de l'Université coopérative internationale tenu à l'université Laval en août 1980 et dont le thème était: "Le développement des coopératives au Québec d'ici l'an 2000".

(13) LAGADEC, C. "La coopération: entre idéologie et réalité". ***Le Devoir.*** 21 octobre 1981, p. 17.

alors une "participation-pénalité"(14). Nous avons là une explication de la faible participation des membres dans la plupart de nos coopératives. Cela peut nous faire comprendre aussi pourquoi la participation est plus forte lorsque les enjeux économiques sont considérables, comme dans certaines coopératives agricoles ou encore lorsque l'entreprise va mal, comme dans l'exemple récent des Caisses d'entraide économique. La participation n'y est plus un coût supplémentaire mais plutôt un investissement ou, au moins, une protection de son investissement.

Évidemment, certains membres tiennent à la participation pour des raisons autres qu'économiques. Ces membres sont de deux catégories. Il y a d'abord ceux qui voient dans la coopération des valeurs spécifiques; ils souhaitent que les coopératives retrouvent leur dynamisme originel et s'attaquent aussi à la transformation de l'organisation de la société. Il y a aussi ceux qui recherchent dans le militantisme une voie pour s'imposer, une occasion de promotion, investissant davantage dans le capital symbolique qui deviendra peut-être plus tangible un jour, qui sait?

7.3 DES SOLUTIONS?

Divers moyens sont suggérés ou utilisés pour améliorer la participation des membres dans les coopératives. Nous en retiendrons cinq: offrir des appâts, privilégier les petites coopératives, favoriser des coopératives multifonctionnelles, avoir recours à une technologie sophistiquée et développer l'éducation coopérative. Les quatre derniers sont certainement discutables mais sont au moins sérieux.

7.3.1 Les moyens-bonbons

Nous entrons ici dans un domaine où on a fait preuve d'un remarquable sens d'adaptation au changement. On est passé du tirage d'un billet de cinq dollars à celui d'un téléviseur, d'abord noir et blanc puis couleur, et enfin à celui d'un voyage en Floride, tous frais payés, pour deux personnes.

Si le discours coopératif offre évidemment peu de justifications de cette pratique, elle n'en est pas moins assez répandue. Il s'agit là de moyens qui favorisent une participation autocentrée et potentiellement rémunérée. Ils sont peut-être aussi inoffensifs que les bingos de nos parois-

---

(14) À ce sujet, voir:
OLSON, M. ***Logique de l'action collective***. Paris: P.U.F., 1978, 199 p. (édition américaine, 1966).

ses, mais ils ne sont certainement pas de nature à favoriser une véritable implication dans une action collective. Ce sont là des moyens qui puisent allègrement dans la culture capitaliste ambiante.

7.3.2 De petites coopératives

On a souvent observé que la participation des membres diminue à mesure que les coopératives s'agrandissent. Les contraintes de l'entreprise augmentent alors, la gestion devient plus compliquée, les membres ne se sentent pas prêts ou pas intéressés à affronter ces défis et, comme nous l'avons souligné plus haut, le rôle des managers prend beaucoup d'ampleur. La réussite économique se ferait donc au détriment de la participation?

Cette situation est-elle inéluctable? Beaucoup le pensent, pour qui même la réussite économique de la grande coopérative confine à l'échec s'il n'y a pas d'implication des membres au-delà de l'utilisation des services. Pour certains, l'échec de l'entreprise doit même être considéré comme une réussite s'il favorise la participation. Tout cela n'est pas tellement éloigné de certains courants de pensée autogestionnaire. Devons-nous nous laisser prendre par cette dialectique de la réussite et de l'échec? N'est-ce pas sacrifier un peu vite l'entreprise, l'activité économique, qui est aussi un élément de la coopérative?

Il serait certainement possible de retrouver dans les grandes coopératives les divers éléments qui constituent la spécificité coopérative, et en particulier l'esprit démocratique. Il faudrait alors nous démarquer par rapport aux valeurs capitalistes, sans pour cela devenir nécessairement marxistes... Il nous suffirait tout simplement de nous imprégner de l'esprit des six principes coopératifs retenus par l'Alliance coopérative internationale, d'y voir autre chose que des préceptes purement formels afin que l'imagination nous revienne en même temps que le goût de rendre nos coopératives plus démocratiques.

Est-ce que les petites coopératives offrent une plus grande possibilité de participation? À première vue, il semblerait bien que oui. Non seulement les groupes sont plus restreints mais les problèmes sont habituellement moins importants et les structures, moins lourdes. Tout cela favorise une implication plus directe d'une bonne proportion des membres. Cette vision un peu idyllique correspond plutôt à l'effervescence initiale, et l'histoire des petites coopératives nous montre bien qu'elles ne sont pas à l'abri du phénomène de "routinisation".

Cette "routinisation" peut prendre au moins deux formes différentes. Dans un premier cas, les petites coopératives se laissent entraîner par le désir de donner de l'expansion à l'entreprise et rencontrent vite alors, sur le plan de la participation, les problèmes des grandes coopératives. Dans un deuxième cas, l'entreprise conserve sa taille modeste mais en vient quand même à perdre sa chaleur communicative du début; quelques-uns s'installent à la direction et les autres membres deviennent passifs. Ces coopératives sont alors condamnées à disparaître à terme, comme cela s'est déjà produit dans de nombreuses expériences à caractère utopique. Tout cela devrait nous inviter à ne pas nous emballer trop vite devant les nouvelles coopératives, souvent de petites coopératives, qui se multiplient au Québec depuis quelques années.

7.3.3 Des coopératives multifonctionnelles

Si nous jetons un coup d'oeil sur l'ensemble des activités coopératives québécoises, nous remarquons que de nombreux types de coopératives correspondent à de nombreux besoins à satisfaire. Ces coopératives ne remplissant qu'une ou quelques fonctions, certains voient là un obstacle à la participation. En effet, si quelqu'un utilise la formule coopérative pour satisfaire de nombreux besoins (consommation, habitation, loisirs, épargne et crédit, assurances, approvisionnement en facteurs de production, écoulement des produits agricoles, etc.), les occasions de participer seront si nombreuses qu'il devra en laisser tomber. Peut-être même que la multiplication des coopératives conduira à un tel éclatement de l'intérêt et du sentiment d'appartenance que ça découragera toute velléité de participation.

Certains ont proposé de régler ce problème en établissant des coopératives multifonctionnelles, qui pourraient satisfaire l'ensemble des besoins de leurs membres. Une telle suggestion est surtout faite pour les coopératives du Tiers-Monde mais parfois aussi pour les coopératives des pays économiquement développés. Dans le cas du Tiers-Monde, cette proposition s'appuie sur une analyse des structures sociales unifiées, correspondant à un "fait social total" pour reprendre le concept du sociologue Marcel Mauss. Les coopératives multifonctionnelles seraient alors mieux adaptées, étant donné qu'elles intégreraient en un tout un ensemble de fonctions. Cette formule comporte par contre quelques désavantages, dont le fait que, les activités économiques étant multipliées, il devient plus difficile pour les membres de s'intéresser pleinement à l'administration de la coopérative, ne serait-ce que de façon sporadique lors de l'assemblée générale. On remarque aussi que les chances de contrôle par les membres diminuent lorsqu'il n'y a qu'un seul conseil d'administration pour plusieurs fonctions, pour plusieurs activités économiques différentes. En fin de compte, il n'y aurait pas plus de participation dans les coopératives multifonctionnelles. Ce point mériterait d'être approfondi beaucoup plus s'il s'agissait ici d'un texte sur les coopératives du Tiers-Monde.

Dans le cas de nos pays, les structures sociales sont éclatées ou, tout au moins, ont un degré d'intégration beaucoup moins fort que dans les pays du Tiers-Monde. Parler de coopératives multifonctionnelles dans un tel contexte ne correspondrait-il pas à manifester une certaine nostalgie, à souhaiter revenir à un passé qu'on idéalise peut-être un peu?

Sans rejeter complètement cette voie, il serait préférable de nous orienter vers une solution qui bousculerait moins notre paysage coopératif, tout en permettant de contrer le danger d'éclatement de l'intérêt et du sentiment d'appartenance dont nous avons parlé plus haut. Cette solution pourrait être envisagée dans une pratique poussée de l'intercoopération non seulement sur le plan économique, mais aussi pour une réflexion globale sur le modèle de société que pourraient proposer les coopératives et sur la part qu'elles pourraient prendre dans sa réalisation.

7.3.4 Une technologie sophistiquée

Nous vivons à une époque où la technologie occupe une place importante dans de nombreux domaines. Elle simplifie beaucoup le traitement des données, elle permet de les recouper et de les analyser rapidement même à distance et à des coûts relativement peu élevés, pour n'énumérer que quelques exemples. Elle permet aussi de diffuser promptement et largement des quantités considérables d'informations. Chez certains, la technologie jouit d'un tel prestige que nous pouvons en parler comme d'un véritable fétichisme.

Ne pouvons-nous y voir que des avantages? Il est indéniable que dans le cas des coopératives, elle facilite beaucoup un grand nombre d'opérations. Ne pensons ici qu'au système Intercaisse pour nous en convaincre. Et demain nous verrons le terminal au point de vente, qui permettra par exemple à notre coopérative de consommation de débiter directement notre compte, à la caisse populaire, du montant de nos achats. Sans compter qu'avec les améliorations du système téléphonique nous pourrons faire nos achats chez Cooprix sans quitter notre demeure. L'évolution technologique peut certainement apporter beaucoup aux entreprises coopératives et faciliter aussi les transactions des membres. Mais peut-elle améliorer la vitalité démocratique des coopératives?

Revenons au système Intercaisse. Les membres peuvent actuellement effectuer toutes leurs transactions courantes sans jamais se rendre à leur propre caisse populaire, puisqu'ils peuvent y procéder dans à peu près toutes les caisses de même qu'aux comptoirs. On conviendra facilement que cela ne favorise pas tellement le sentiment d'appartenance qui est pourtant essentiel pour inciter les membres à la participation.

Cela ne veut pas nécessairement dire que la technologie est contraire à la participation, mais tout simplement qu'on devrait s'appliquer à en trouver les différentes possibilités d'application dans ce domaine, comme on le fait pour l'entreprise. Ne pourrait-on, par exemple, s'en servir pour diffuser de l'information auprès des membres, ce qui constitue une condition de base de la participation? Ne pourrait-on utiliser ces nouveaux moyens que nous offre la technologie pour consulter les membres? Le système Intercaisse ne pourrait-il servir également de centre permanent de sondage auprès des membres? Si on avait autant d'audace sur ce plan qu'on en a eue dans le cas des opérations financières... !

7.3.5 L'éducation coopérative

Si la participation est faible, c'est parce que les membres manquent d'éducation coopérative. Voilà le traitement suggéré le plus souvent, et depuis longtemps, par nos thérapeutes coopératifs. Dès que nous y regardons d'un peu plus près, nous constatons que leur conception de l'éducation coopérative est très vague et qu'elle recouvre uniquement la formation à l'administration. Nous constatons aussi qu'elle s'adresse presque exclusivement aux employés et aux membres des conseils d'administration, ce qui peut se comprendre facilement si nous tenons compte des contenus qu'on y insère.

Mais qu'en est-il de la formation à la coopération, de la sensibilisation à la philosophie coopérative, de l'initiation aux instruments qui permettraient de pousser plus loin l'analyse critique de la pratique coopérative? On insiste beaucoup moins sur ces points. Je rappelle ici, à titre d'exemple, qu'il y a une dizaine d'années l'Institut coopératif Desjardins, membre du mouvement Desjardins, a organisé une session d'une semaine consacrée à l'économie et à la sociologie de la coopération. La même session devait être répétée six fois. Elle le fut deux fois et, de l'ensemble des participants, seulement deux venaient des institutions coopératives. Les quatre autres semaines furent annulées, faute de "combattants". Pensons maintenant aux étudiants à la maîtrise professionnelle en coopération de l'université de Sherbrooke. Sur les vingt-trois étudiants inscrits en 1981-1982, deux seulement y sont envoyés par les institutions coopératives avec salaire et frais de scolarité payés, alors qu'on en espérait au moins cinq ou six. Je pourrais multiplier les exemples.

Ce qu'on favorise comme éducation, c'est beaucoup plus une éducation instrumentale, liée d'abord aux activités économiques des coopératives. Il ne s'agit pas d'en nier l'utilité, voire la nécessité, mais plutôt de souligner que ce n'est pas là le meilleur moyen de favoriser une participation plus importante. Nous pouvons même avancer que de nombreux dirigeants, élus et salariés, ne tiennent pas à ce que les membres et les employés soient initiés aux diverses dimensions de la formule coopérative et en particulier au fait que cette dernière découle d'une philosophie qui la distingue radicalement, sur le plan des principes, de l'entreprise capitaliste. Excellente façon d'ailleurs d'éviter les remises en question et de conserver le pouvoir!

En parlant d'éducation coopérative alors que dans la réalité on favorise une formation technique liée aux opérations économiques et financières, on joue sur l'ambiguïté, ce qui cache le caractère idéologique, occultant, du discours. On prétend être pour l'éducation coopérative, sans préciser davantage, alors qu'en réalité on est contre ce qui pourrait accentuer la participation des membres en ne mettant pas de l'avant une initiation à la spécificité coopérative.

CONCLUSION

Il ressort de tout ce que nous avons dit que les différents moyens mis de l'avant pour favoriser la participation des membres ne donnent pas les résultats escomptés. Pourquoi? Parce qu'aucun ne s'attaque au problème principal qui est l'environnement capitaliste. Ce qui ne signifie pas, encore une fois, que les coopératives ne rendent pas de services. Dans le cas du Québec, au-delà des services individuels, elles accordent aussi à la collectivité une présence active dans la vie économique, et elles assurent un caractère inaliénable aux bénéfices ou trop-perçus qu'elles dégagent. Tout cela est très important, mais il n'y a là rien de spécifiquement coopératif.

Si nous voulons que les membres participent davantage, il faut qu'ils y trouvent un intérêt. Nous avons souligné que cet intérêt n'existe pas chez la plupart des membres qui considèrent plutôt la participation comme un coût supplémentaire à payer pour obtenir tel bien ou tel service. Dans le système capitaliste auquel participe, non pas formellement mais réellement, beaucoup de coopératives et la majorité de leurs membres, la participation est un élément "dysfonctionnel". Même si l'expression peut faire peur, il ne saurait y avoir de participation plus poussée dans les coopératives à moins d'une "révolution culturelle", c'est-à-dire que les coopératives devront se redéfinir une culture propre, qui s'écartera de la culture capitaliste.

En d'autres mots, les coopératives devront retourner à leur mission initiale et formuler leur propre projet de société où sera inscrit leur volonté de démocratiser non seulement le pouvoir mais aussi et en même temps l'avoir et le savoir. La participation ne sera plus alors un coût qu'on refuse souvent de payer mais au contraire une implication souhaitée par les membres.

Il y a donc des bouleversements profonds à effectuer si nous voulons que la majorité des membres s'impliquent réellement dans les coopératives, au-delà de la participation aux activités économiques, tout en soulignant qu'il y a encore des progrès à réaliser sur ce dernier point. À ceux qui me demanderont comment j'entrevois l'avenir, je répondrai en citant la phrase finale de l'*Utopie* de Thomas More: «Je le souhaite plus que je ne l'espère.»

Chapitre 8

Coopération et qualité de la vie au travail

par Jean-Louis Bergeron

INTRODUCTION

Lorsqu'ils comparent le système coopératif au système capitaliste traditionnel, les promoteurs de la coopération utilisent un langage bien particulier. Leur discours oral ou écrit est rempli d'expressions telles que: communauté humaine, action concertée, mise en valeur des ressources du milieu, sentiment d'appartenance, autodétermination, société de participation, relations personnalisées, politique de la porte ouverte, programmes d'accueil, respect des droits et désirs de l'être humain, prise en charge de sa propre destinée. Ces expressions représentent un certain nombre de "valeurs" qui ont été mises de l'avant par les pionniers du système coopératif et qui, jusqu'à un certain point, motivent encore les membres de plusieurs coopératives.

Compte tenu de ces valeurs et de la publicité qu'on leur donne, il ne serait donc pas surprenant que l'employé qui entre au service d'une coopérative s'attende à trouver une organisation bien différente de celle de sa concurrente "capitaliste". Même s'il ne peut pas expliquer avec précision la nature exacte et les manifestations tangibles de cette différence, il voit mal comment les valeurs exprimées plus haut pourraient ne pas avoir d'impact sur le climat organisationnel dans lequel il va travailler. Il est probable que dans bon nombre de cas ces attentes sont effectivement satisfaites. Notre connaissance des entreprises coopératives et certains contacts avec les employés nous portent cependant à croire qu'il reste énormément de chemin à parcourir. Plusieurs employés déclarent ouvertement qu'ils ne voient aucune différence entre travailler pour une grande coopérative et travailler pour une multinationale de type traditionnel. On observe également dans certaines coopératives les mêmes problèmes (absentéisme, roulement, indifférence) et les mêmes tensions sociales (méfiance, hostilité, grèves) que dans les entreprises purement capitalistes.

Ce qui doit être remis en cause ici, c'est le style ou la philosophie de gestion; c'est surtout sur ce point que la coopérative devrait se distinguer des autres types d'organisations. Dans les pages qui suivent, nous allons donc comparer deux modèles de gestion: les théories dites traditionnelles ou classiques d'une part, et cette nouvelle approche nommée "qualité de la vie au travail" d'autre part.

8.1 LES MÉTHODES TRADITIONNELLES DE GESTION

Consciemment ou non, un grand nombre d'administrateurs gèrent actuellement leur entreprise en respectant un certain nombre de principes qui ont été élaborés et popularisés au début du XXe siècle par des auteurs tels que Taylor, Fayol, Urwick et (plus tard) Weber. Sans entrer dans le détail de ces théories dites classiques, il convient cependant de rappeler quelques-uns des principes qui nous ont été légués par cette tradition.

8.1.1 Principes des théories classiques de gestion

a) La division, la simplification et la spécialisation du travail

Bien que ce principe n'ait pas été "découvert" au début du XXe siècle (il était connu et appliqué depuis Adam Smith et les débuts de la révolution industrielle), il a fait à ce moment-là l'objet d'une étude systématique et approfondie, grâce en particulier aux travaux de Frederick Taylor. L'idée de base est relativement simple et elle est encore appliquée largement de nos jours: il s'agit de décomposer les procédés de fabrication en une série d'activités très précises et très simples, et de "spécialiser" chaque employé dans l'accomplissement d'une seule de ces activités. Les avantages "théoriques" de cette façon de procéder sont évidents: à force de répéter constamment les mêmes gestes, l'employé devient très habile et très rapide. De plus, étant donné que cette qualification ne demande aucune compétence particulière au départ, l'employé est facilement remplaçable: s'il est déplacé ou congédié, n'importe quel candidat sur la liste d'attente peut combler son poste au pied levé et atteindre rapidement le même niveau de rendement.

b) *L'étude précise du temps et des mouvements requis pour chaque tâche*

L'employé étant affecté à une seule activité qui elle-même ne requiert que quelques gestes ou opérations, il devient alors possible d'analyser de façon précise chacun des mouvements qu'il doit faire et de mesurer le temps nécessaire pour accomplir l'ensemble des mouvements qui constituent un cycle normal de travail. Parmi tous les gestes ou mouvements possibles, on retient et on enseigne à l'employé ceux qui exigent le minimum de temps et d'effort. L'étude du temps et des mouvements permet ainsi d'établir avec précision des normes de rendement pour chaque tâche, ce qui amène également la possibilité de verser une prime à ceux qui dépassent ces normes... et de congédier ou de recycler ceux qui ne les atteignent pas.

c) *La distinction très nette entre le rôle de la gérance et celui de l'employé*

Le rôle de la gérance est de planifier, d'organiser, de diriger et de contrôler. Le rôle de l'employé est d'exécuter, c'est-à-dire de faire son travail en respectant à la lettre les méthodes (mouvements) et les normes (temps) élaborées par la direction. Comme le travail de l'employé est routinier et n'exige aucun effort mental, cela revient à dire que seuls les cadres doivent utiliser leur intelligence, leur créativité, leur initiative. Ils utilisent ces capacités mentales pour "programmer" l'employé, qui lui n'a pas à réfléchir.

d) *Un style de leadership compétent, mais autoritaire et exigeant, accompagné d'une surveillance étroite*

Parce que les responsabilités assignées aux cadres sont complexes et difficiles, ils doivent faire preuve d'une grande compétence. Parce que les employés se montrent peu intéressés par les objectifs de l'organisation (efficacité, profits) et parce qu'ils ont la fâcheuse habitude "d'oublier" les directives qu'on leur a données (en inventant, par exemple, de nouvelles façons de faire le travail), il faut les surveiller de près.

e) *La concentration de l'autorité au sommet, avec délégation selon les besoins*

Pour les auteurs classiques, la structure hiérarchique pyramidale est un principe important. Au départ, toute l'autorité et toute la responsabilité reviennent à un seul homme, le président-directeur-général. Si un cadre subalterne jouit d'une certaine autorité, c'est qu'elle lui vient "d'en haut", par délégation. Cette autorité doit correspondre exactement à ses responsabilités, ni plus ni moins: par exemple, s'il a "la responsabilité" d'une usine, on lui donnera "l'autorité" d'engager et de congédier son personnel (pour éviter qu'il puisse attribuer ses échecs éventuels à un "personnel incompétent"). Il va sans dire que l'employé, n'ayant aucune responsabilité, ne jouit d'aucune autorité.

f) Des communications surtout verticales, selon les lignes hiérarchiques de l'organigramme

Les communications doivent aller du haut vers le bas (pour la transmission des ordres) et du bas vers le haut (pour la transmission des informations). Il faut éviter de "sauter un échelon", c'est-à-dire de s'adresser directement à un subalterne ou à un supérieur qui se situe au deuxième niveau au-dessus ou au-dessous du sien. Les communications horizontales entre deux départements doivent normalement s'effectuer en faisant un crochet par le haut, c'est-à-dire par le biais de la personne qui supervise les deux départements. Ces règles doivent permettre à tous les supérieurs hiérarchiques d'être au courant de tout ce qui se passe dans l'unité dont ils sont responsables.

g) La multiplication des règlements, des instructions, des manuels de procédures, etc.

Pour que l'entreprise fonctionne sans heurt, comme une machine bien rodée, il faut que chacun sache exactement quoi faire dans toutes les situations prévisibles. Il faut éviter autant que possible les exceptions, les ambiguïtés, les hésitations. Il faut aussi éviter que les subalternes aient à prendre des décisions basées sur leur jugement personnel, lesquelles pourraient être mauvaises ou non uniformes d'un employé à l'autre (par exemple, un fonctionnaire pourrait refuser telle subvention d'aide sociale à un citoyen, alors qu'un autre fonctionnaire l'aurait accordée). La solution consiste à imaginer d'avance toutes les situations possibles et à indiquer clairement par écrit comment il faut agir dans chaque cas. Les avantages et (surtout) les inconvénients de cette gestion "bureaucratique" ont été abondamment discutés par plusieurs sociologues connus, tels Merton, Gouldner, Selznick, Crozier.

h) *Un système de motivation basé principalement sur les récompenses et les punitions*

Comme on ne peut pas s'attendre à ce que les employés soient particulièrement "emballés" par le genre de travail et par le rôle qu'on leur assigne dans l'organisation, il faut compter sur des pressions externes pour assurer "la discipline" (définie par Fayol comme l'obéissance, l'application, l'énergie, le bon comportement, le respect de l'autorité). Il est donc nécessaire d'instituer un système de rémunération au rendement associé, comme le dit Fayol, à *«des sanctions appliquées judicieusement»* et à des ententes très claires quant aux droits et aux obligations de chacun.

Ces quelques principes majeurs des théories classiques de gestion sont résumés dans le tableau 8.1.

TABLEAU 8.1: Principes des théories classiques de gestion

1. La division, la simplification et la spécialisation du travail, avec description précise de la tâche de chaque employé.
2. L'étude précise du temps et des mouvements requis pour chaque tâche, avec prime si les normes de rendement sont dépassées.
3. La distinction très nette entre le rôle de la gérance (planifier, organiser, diriger, contrôler) et celui de l'employé (exécuter).
4. Un style de leadership compétent mais autoritaire et exigeant, avec une surveillance constante et très étroite. Pas plus de cinq ou six subalternes par cadre.
5. La concentration de toute l'autorité au sommet, avec délégation vers le bas de l'autorité nécessaire (ni plus ni moins) pour assumer les responsabilités assignées.
6. Des communications verticales, selon les niveaux de l'organigramme; les informations vont du bas vers le haut et les ordres, du haut vers le bas.
7. La multiplication des règlements, des instructions, des manuels de procédures, des normes de comportement: tout doit être consigné, tous les cas possibles et imaginables doivent être prévus.
8. Un système de motivation basé principalement sur les récompenses et les punitions.

8.1.2 Évaluation des théories classiques de gestion

Il serait exagéré de prétendre que les principes énoncés ci-dessus sont totalement erronés et qu'ils n'auraient jamais dû guider l'action des administrateurs. En fait, c'est à ces principes-là que nous devons une bonne partie de la richesse matérielle que nous avons connue depuis cinquante ans. Il est également possible qu'ils aient été largement appropriés par certains types d'organisation (grandes usines avec production en série de quelques objets standardisés, marchés stables, technologie connue et peu changeante) et par certains types de main-d'oeuvre (peu instruite, craintive, pauvre, récemment immigrée et donc souvent habituée à des régimes autoritaires). Les valeurs véhiculées par les théories classiques s'appelaient rationalisme, logique, ordre, discipline, effort, respect de l'autorité, efficacité, croissance économique. Ce sont là des valeurs auxquelles il est difficile de ne pas s'attacher lorsqu'on a la responsabilité d'une entreprise.

Malheureusement, ce *rationalisme* des théories classiques s'appliquait non seulement à l'organisation du travail mais aussi au travailleur lui-même: il fallait qu'il accepte de se comporter comme une machine efficace et bien rodée, une machine qui accomplit jour après jour des milliers de mouvements simples et routiniers, qui ne pose pas de question, qui n'éprouve pas de sentiment, qui ne se révolte pas, qui accepte pleinement son rôle.

Selon ces théories classiques, cette acceptation par les employés du rôle qu'on leur assignait ne devait présenter aucun problème sérieux. Leur conception du travailleur moyen, résumée au tableau 8.2, décrit un individu simple et facile à satisfaire. Il est intéressant de noter que Taylor, dans une communication au Sénat américain, annonçait la fin de toutes les grèves: *«Les patrons veulent des profits: avec mes méthodes je double ou je triple la productivité. Les employés veulent de l'argent: je double leur salaire. Tout le monde est satisfait et toutes les causes de conflits sont éliminées!»* La grande erreur des théories classiques est d'avoir ignoré la complexité extrême de l'être humain, et d'avoir cru que les cadres pouvaient se passer d'une richesse inestimable: l'intelligence, la créativité, l'initiative du travailleur.

8.2 ÉVOLUTION DES MÉTHODES TRADITIONNELLES DE GESTION

S'il est erroné de croire que les théories classiques étaient entièrement mauvaises au départ, il est également faux de prétendre qu'elles n'ont subi aucune transformation au cours des années. En fait, elles ont

TABLEAU 8.2: Idées que l'on se fait du travailleur moyen dans les théories classiques de gestion

1. Ses besoins sont primaires seulement: garder son emploi, gagner de l'argent, avoir un environnement physique agréable, être protégé contre les accidents et la maladie.
2. Il préfère un travail très simple et très routinier, qui demande peu d'effort physique ou mental.
3. Il préfère qu'on lui dise exactement quoi faire; ainsi il n'a pas à prendre de décisions, à se servir de sa tête, et il évite d'être blâmé.
4. Il n'a pas d'ambition et ne désire aucunement progresser vers des postes qui demandent plus de responsabilité, plus de dynamisme.
5. De toute façon, il n'en serait pas capable: son niveau d'instruction est très bas et son intelligence est très moyenne.
6. Il est paresseux et ne s'intéresse aucunement aux objectifs de l'organisation: il faut donc le surveiller de près, le diriger, le punir et le récompenser si on veut en tirer quelque chose.
7. Son initiative, son imagination, sa créativité (s'il en a ...) ne lui servent qu'à trouver des moyens de travailler moins et d'obtenir plus; il n'a aucune envie de les mettre au service de l'entreprise.

subi l'influence d'au moins trois mouvements ou écoles de pensée qui en ont atténué la rigueur et qui ont contribué à humaniser davantage le milieu de travail.

8.2.1 Trois mouvements ou écoles de pensée

a) Les études Hawthorne et l'école des relations humaines

Au début des années trente, Elton Mayo et son équipe de l'université Harvard effectuèrent aux usines Hawthorne de la Compagnie Western Electric (à Chicago) des recherches qui devaient avoir un impact immense sur la philosophie de gestion des cadres nord-américains. Puisqu'il n'est pas possible de résumer ces recherches ici, disons simplement qu'elles ont permis de s'apercevoir que l'être humain-travailleur est beaucoup plus complexe et a des besoins beaucoup plus nombreux que ce qu'on avait cru au début du siècle. Ces recherches ont démontré que le travailleur réagit non seulement à l'argent et aux conditions de travail, mais aussi à des facteurs moins tangibles comme le sentiment d'importance, la cohésion de son groupe de travail, le style de leadership de la direction, la possibilité de participer aux décisions qui le concernent. Ce fut le début de "l'ère des relations humaines". Malheureusement, ce mouvement fut marqué par deux erreurs fondamentales: la manipulation (donner aux employés "l'impression" qu'ils sont importants sans pour autant accroître leur influence réelle dans l'entreprise) et l'ignorance du système technologique (chercher à améliorer les relations interpersonnelles sans toucher à la nature même du travail).

b) L'application de la science du comportement au domaine industriel

Au début des années soixante, la grande mode était au behaviorisme, avec des auteurs extrêmement connus comme McGregor, Likert, Maslow, Argyris, Herzberg. Sous l'influence de ces auteurs, des administrateurs se sont attaqués directement à la nature même du travail, cherchant à "enrichir" les tâches en faisant intervenir dans le travail de nouvelles dimensions telles que la complexité, la responsabilité, l'autonomie, la variété, l'utilisation et le développement des capacités. Ici encore il faut noter deux faiblesses: l'application très limitée de ces nouvelles idées (dans toute l'Amérique du Nord, on n'a connu que quelques centaines de projets d'enrichissement des tâches) et l'imposition de ces projets par décision unilatérale de l'employeur (ni le syndicat, ni les employés n'étaient consultés; les patrons "savaient" ce qui était bon pour l'employé).

c) La croissance du syndicalisme

Bien que les syndicats existent en Amérique du Nord depuis environ cent cinquante ans, c'est surtout pendant et après la Seconde Guerre mondiale qu'ils ont connu un essor considérable. S'il ne fait aucun doute qu'ils ont contribué énormément à améliorer les conditions de travail et à atténuer certains excès des théories classiques, il faut bien reconnaître cependant que leur action a porté plus sur le "contexte" que sur le "contenu" du travail. Plusieurs syndicats semblent avoir adopté l'idée que le travail est nécessairement pénible, avilissant et désagréable, et qu'il faut par conséquent en faire le moins possible dans les meilleures conditions possibles.

Pour résumer ce bref aperçu des facteurs qui ont influencé l'évolution des théories classiques, disons qu'elles ont été ébranlées à certains moments et à certains endroits, mais qu'elles n'en conservent pas moins une vigueur remarquable.

8.2.2 Nécessité d'une nouvelle approche

L'insuffisance des théories classiques et la nécessité d'une nouvelle approche découlent d'un certain nombre de changements et de problèmes qui se sont manifestés dans les sociétés industrielles au cours des deux dernières décennies.

a) *Évolution de la société*

Les gens sont de plus en plus préoccupés par la qualité de la vie et l'épanouissement de la personne, ce qui les amène évidemment à se préoccuper davantage de cette partie importante de la vie que constitue le travail. Nous vivons également dans une société de plus en plus "participative", c'est-à-dire que les gens sont membres d'une infinité d'organisations politiques, sociales, culturelles, sportives et même religieuses, à l'intérieur desquelles ils participent à des décisions souvent importantes. Finalement, "les valeurs du travail" (ou l'éthique protestante du travail) sont souvent remises en question: les gens ne croient plus en la valeur intrinsèque d'un travail qui serait monotone et routinier (autrefois on disait: *«Ça forme le caractère...»*).

b) *Évolution de la main-d'oeuvre*

Les travailleurs sont plus jeunes, plus instruits, plus indépendants et plus exigeants qu'ils ne l'ont jamais été dans le passé. Ils n'acceptent plus de jouer les rôles secondaires qu'on avait prévus pour eux dans les théories classiques. Plusieurs recherches démontrent clairement que les employés veulent de plus en plus participer aux décisions, utiliser et développer leurs connaissances, faire des choses importantes, etc. Contrairement à leurs aînés, ils ne sont pas prêts à attendre dix ans (et un poste de cadre) avant de se voir confier un travail intéressant et valorisant.

c) *Situation dans les entreprises*

Les entreprises modernes font face à des problèmes internes extrêmement complexes, dont plusieurs sont reliés à *l'aspect humain* de l'organisation et découlent directement de l'application rigide des théories classiques. Ces problèmes peuvent être analysés sous trois points de vue: 1) comportements et attitudes de la main-d'oeuvre (absentéisme, roulement, alcoolisme, désintéressement); 2) productivité insuffisante (faible rendement, mauvaise qualité, manque de flexibilité, temps morts, gaspillages divers); 3) climat social tendu (griefs, grèves, méfiance, hostilité, légalisme excessif).

Pour toutes ces raisons, de plus en plus d'administrateurs en arrivent à se dire: *«Il doit y avoir un autre moyen de gérer une entreprise...»* C'est de cet autre moyen dont nous allons parler maintenant.

8.3 LA QUALITÉ DE LA VIE AU TRAVAIL (QVT)

Prise dans son sens littéral, l'expression *Qualité de la vie au travail* indique simplement l'existence, dans un milieu de travail, d'une situation agréable et valorisante pour l'employé. Cela peut inclure, par exemple, un travail intéressant, un patron compréhensif, des collègues aimables, un environnement physique propre et sécuritaire. Ce sont là les premières images qui nous viennent à l'esprit lorsqu'on entend pour la première fois l'expression *Qualité de la vie au travail*.

Cette façon de concevoir la QVT n'est pas mauvaise, mais elle est très incomplète car elle ne s'en tient qu'à l'objectif qu'on veut atteindre, qu'à la situation qu'on veut créer, sans nous renseigner d'aucune façon sur les moyens d'y arriver. Or, pour atteindre la *Qualité de la vie au travail*, les moyens qui servent à introduire des changements dans l'entreprise sont aussi importants que les changements eux-mêmes.

C'est donc dire que cette approche qu'on désigne par l'expression *Qualité de la vie au travail* comprend au moins deux aspects dont le premier se reflète dans l'expression elle-même: c'est un ensemble de méthodes et de moyens qu'on va utiliser pour transformer et améliorer le milieu de travail; le deuxième aspect, c'est le résultat de ces transformations, la situation nouvelle qu'on veut créer, par exemple un travail plus intéressant, un climat plus agréable, etc. Il y a donc un processus et un aboutissement.

En fait, une bonne explication de la *Qualité de la vie au travail* devrait comprendre non pas deux mais bien cinq aspects ou éléments: 1) la philosophie de gestion qui est à la base de tout projet concernant la qualité de la vie au travail; 2) les méthodes ou moyens utilisés pour transformer le milieu de travail; 3) les aspects du milieu de travail sur lesquels on veut agir (Qu'est-ce qu'on veut changer exactement?); 4) la situation nouvelle qu'on veut créer (À quoi ressemble un milieu de travail qui contient une grande "qualité de la vie"?); 5) l'objectif ultime qu'on veut atteindre (Pourquoi veut-on faire toutes ces "belles choses"?). Nous allons maintenant reprendre et expliquer brièvement chacun de ces cinq éléments.

a) La philosophie de base

La philosophie de gestion qui est à la base de la qualité de la vie au travail est souvent désignée par l'expression *philosophie humaniste*. C'est un bien grand mot, un mot qui provoque parfois des réactions amusées ou sceptiques chez certains lecteurs qui ont du mal à voir les chefs d'entreprises comme des humanistes... et encore moins comme des philosophes.

Ce qu'il faut entendre par cette expression, c'est une série de croyances concernant la valeur de l'être humain et la place de l'employé dans l'entreprise. C'est croire, par exemple, que le travailleur est capable d'assumer des responsabilités, de prendre des décisions, de se développer, de collaborer activement à la solution des problèmes techniques et humains qui surviennent dans le milieu de travail; c'est croire également que l'intelligence, l'initiative, la créativité, le souci du travail bien fait, se manifestent ou peuvent se manifester aussi bien chez les employés que chez les patrons, à la condition que soit créé un environnement ou un climat favorable. Pour résumer brièvement, la philosophie humaniste est un acte de foi envers le travailleur.

b) Les moyens utilisés pour transformer le milieu de travail

Il s'agit ici de mettre en place des mécanismes qui vont permettre aux employés de participer directement à l'étude et à la solution des problèmes techniques et humains auxquels ils doivent faire face. Concrètement, cela veut dire créer des comités composés du contremaître (ou du chef de service) et de ses employés. Ces comités vont faire eux-mêmes le diagnostic des problèmes qu'ils vivent, que ce soit des problèmes reliés à l'efficacité de leur département ou à la satisfaction de leurs besoins personnels. Les solutions auxquelles ils arrivent par vote majoritaire vont ensuite être soumises à un organisme décisionnel appelé Comité directeur, composé de représentants de la direction et du syndicat, s'il y en a un. Ces moyens peuvent évidemment varier d'une situation à une autre, mais un élément essentiel doit toujours être présent: c'est la participation directe des employés aux décisions concernant 1) la façon dont le travail se fait et 2) le contexte physique ou social dans lequel il se fait.

c) Les aspects du milieu de travail sur lesquels on veut agir

Théoriquement, tous les aspects du milieu de travail peuvent faire l'objet d'études et de recommandations de la part des comités mentionnés dans la section précédente. Pour y voir un peu plus clair, on peut regrouper ces divers aspects en un certain nombre de catégories appelées *systèmes*. Par exemple, l'effort de changement peut porter sur le système technologique, c'est-à-dire les procédés de fabrication, l'équipement et l'outillage, le cheminement du travail, la disposition des machines, la division et l'allocation du travail, le contenu des tâches, l'environnement physique. On peut également vouloir modifier le système social, c'est-à-dire les relations entre les individus et entre les groupes, les communications, les modes de résolution des conflits, les relations employeur-employés, l'esprit d'équipe, les normes qui régissent le comportement des individus. En troisième lieu vient le système gestionnaire, c'est-à-dire les politiques et les pratiques de rémunération, de formation, de promotion, de discipline et d'évaluation du rendement; le système gestionnaire comprend également la planification, la coordination et le contrôle du travail, le contrôle des coûts et de la qualité, etc.

d) La situation nouvelle qu'on veut créer

Si les gens sont d'accord pour dire que le but de ces changements est d'augmenter la qualité de la vie au travail, il n'en est pas de même lorsqu'il s'agit de décrire exactement la situation qui devrait exister pour qu'on puisse parler de grande qualité de la vie au travail. Certains insistent sur la nature même du travail, par exemple un travail intéressant et varié. D'autres insistent surtout sur le contexte physique: propreté, absence de bruit, de froid, de danger. D'autres encore font intervenir certains facteurs tels le salaire, les avantages sociaux, la couleur des murs, le caractère du patron, la grandeur du terrain de stationnement, le droit d'aller en appel contre les décisions de la gérance, le droit de ne pas travailler pendant les fins de semaine, etc.

Ici encore il est nécessaire, pour y voir clair, de regrouper tous ces éléments en quatre catégories:

- Il y a d'abord le travail lui-même, qui devrait comprendre les dimensions ou caractéristiques suivantes: complexité suffisante, variété, autonomie, responsabilités, importance, rétroaction, rythme et effort raisonnables.
- En deuxième lieu vient le contexte physique dans lequel s'accomplit le travail. Sont groupés ici des aspects comme la santé et la sécurité, l'ordre et la propreté, un éclairage et une ventilation convenables, un niveau raisonnable de bruit, une température

ambiante adéquate, un taux modéré d'émanations volatiles, des salles de repos, une cafétéria et des vestiaires appropriés.

- La troisième catégorie porte sur le contexte social, et regroupe les compétence et compréhension des patrons, amabilité et disponibilité des collègues, harmonie du milieu de travail et absence de dispute, de conflit perpétuel, de méfiance, d'hostilité.

- Finalement, la quatrième catégorie est appelée contexte organisationnel parce que celui-ci dépasse de beaucoup les limites géographiques et la juridiction du département dans lequel l'employé travaille. Pour que le contexte organisationnel comporte ou favorise une grande qualité de la vie au travail, il doit inclure les éléments suivants: des possibilités de formation et d'avancement, une rémunération juste et suffisante, des avantages sociaux adéquats, une certaine sécurité d'emploi, un système impartial d'évaluation du rendement, des communications suffisantes entre les niveaux hiérarchiques, des plans de carrière qui permettent à l'employé de prévoir son cheminement éventuel, des programmes de placement sélectif pour les handicapés ou les travailleurs âgés, etc.

e) *L'objectif ultime qu'on veut atteindre*

Certains auteurs présentent comme seul objectif ultime la satisfaction et l'épanouissement des travailleurs. D'autres vont un peu plus loin et laissent entendre (mais sans trop insister) que l'organisation pourrait elle aussi y gagner quelque chose, soit un accroissement de la productivité.

À ce sujet, nous croyons qu'il est nécessaire de poser deux objectifs d'égale importance: la satisfaction des employés et l'efficacité de l'entreprise. Il n'est pas utile de chercher à établir une priorité entre ces deux objectifs, et les chefs d'entreprises (et même les chefs syndicaux) ne devraient pas avoir peur ou avoir honte d'affirmer qu'ils sont préoccupés par l'efficacité de l'organisation. Il faut noter cependant que l'accroissement de l'efficacité n'implique pas nécessairement un accroissement de la vitesse des machines ou un rythme de travail plus rapide. Une meilleure qualité, une baisse du taux d'absentéisme et du taux de roulement, une amélioration du climat social, une diminution du nombre de plaintes et de griefs, un intérêt accru pour l'efficacité de l'entreprise, une meilleure utilisation des matières premières et de l'équipement: voilà autant de résultats qui ont été obtenus par divers "projets QVT" et qui n'impliquent certainement pas un retour vers le travail forcé des années trente!

Pour conclure sur ce point, voici une définition de l'approche QVT, qui englobe les cinq éléments étudiés jusqu'ici. La *qualité de la vie au travail*, c'est l'application concrète d'une philosophie humaniste (1er élément), par l'introduction de méthodes participatives (2e élément), visant à modifier un ou plusieurs aspects du milieu de travail (3e élément), afin de créer une situation nouvelle (4e élément) plus favorable à la satisfaction des employés et à l'efficacité de l'entreprise (5e élément).

Les principes de gestion et les idées que l'on se fait du travailleur sont évidemment très différents selon la notion *qualité de la vie au travail* et selon les *théories classiques de gestion*. Il suffit de consulter les tableaux 8.3 et 8.4 pour s'en convaincre.

TABLEAU 8.3: Principes de gestion associés à la qualité de la vie au travail

1. La tâche de l'employé doit être assez "riche" pour lui permettre d'utiliser et de développer ses capacités, de prendre des décisions, d'assumer des responsabilités réelles.
2. Tous les employés doivent être impliqués dans les processus de planification, d'organisation et de contrôle du travail.
3. Les communications doivent être ouvertes et flexibles entre tous les niveaux hiérarchiques, entre les départements et entre les individus.
4. Le syndicat doit être perçu comme une force constructive, capable de collaborer étroitement à la solution des problèmes techniques et humains rencontrés dans le milieu de travail.
5. Il faut encourager le travail d'équipe, la cohésion des groupes, la prise de décisions par toutes les personnes concernées, quel que soit leur niveau hiérarchique.
6. L'entreprise doit être considérée comme un système ouvert où les dimensions techniques et sociales sont interdépendantes et sont en interaction avec l'environnement.
7. La motivation doit provenir aussi bien de facteurs intrinsèques (nature du travail) que de facteurs extrinsèques (politiques et pratiques de gestion et de rémunération).

TABLEAU 8.4: Idées que l'on se fait du travailleur moyen dans l'optique de la qualité de la vie au travail

1. Ses besoins sont nombreux et complexes: ils portent non seulement sur des choses matérielles, mais aussi sur des facteurs tels que l'estime de soi, le sentiment de compétence et d'importance, le développement personnel, l'intégration dans une équipe cohésive.
2. Il recherche un travail "intéressant", c'est-à-dire un travail qui comporte une part raisonnable de variété, de complexité, d'autonomie, d'échanges sociaux.
3. Il désire participer activement aux décisions qui le touchent de près: nature et organisation du travail, environnement physique et social. Il est capable d'assumer des responsabilités et de prendre des décisions.
4. Il est intelligent et possède autant d'imagination, de créativité et d'initiative que les cadres: dans un environnement favorable, il ne demande pas mieux que de mettre ses ressources au service de l'entreprise et de ses collègues.
5. Il peut, si ses conditions de travail sont adéquates, se motiver et se contrôler lui-même, et agir en adulte raisonnable et consciencieux.

CONCLUSION

Nous avons décrit dans ce chapitre deux extrêmes: la gestion de type traditionnel d'une part et la gestion de type QVT d'autre part. Il est probable que la plupart des coopératives se situent quelque part entre ces deux extrêmes; plus elles sont proches du type traditionnel de gestion, plus leur cheminement vers le type QVT sera long et difficile.

Tous les projets concernant la qualité de la vie au travail qui ont été réalisés jusqu'à maintenant démontrent clairement que l'introduction d'un changement aussi radical dans les valeurs, les attitudes et les comportements des personnes concernées exige une somme considérable de patience et d'efforts. Il faut vaincre l'indifférence et le scepticisme des employés qui ont cessé de croire en la bonne foi des administrateurs. Il faut vaincre la peur des chefs syndicaux qui considèrent la QVT comme une nouvelle tentative pour affaiblir ou éliminer le syndicat. Il faut rassurer les contremaîtres qui sentent leur autorité menacée et qui se demandent s'ils auront la compétence nécessaire pour agir comme "animateurs" de comités QVT. Il faut prévoir l'impact d'une expérience isolée sur d'autres groupes ou départements qui ne profiteront pas immédiatement des mêmes avantages. Il faut former les employés concernés aux méthodes de prise de décisions et au travail en équipe. Il faut s'assurer que la haute direction adopte vraiment les principes de base, qu'elle est prête à expérimenter de nouvelles approches et qu'elle ne mettra pas fin au projet dès l'apparition de certaines difficultés.

Bien que ces difficultés soient réelles, il ne faut cependant pas oublier que les expériences déjà faites démontrent également qu'elles peuvent être contournées ou amoindries par une planification sérieuse et détaillée. Ces expériences démontrent surtout que les résultats justifient ordinairement la peine qu'on se donne pour les atteindre: baisse du taux d'absentéisme et du taux de roulement, accroissement de l'intérêt et de la satisfaction, amélioration du climat social. Il y a là un défi qui mérite d'être relevé.

BIBLIOGRAPHIE

BOISVERT, M. ***La Qualité de la vie au travail***. Montréal: les Éditions Agence d'Arc, 1980, 461 p.

BURSTEIN, M. et coll. ***Les Canadiens et le travail***. Ottawa: Main-d'oeuvre et Immigration, 1975, 111 p.

CÔTÉ-DESBIOLLES, L. et TURGEON, B. ***Les Attitudes des travailleurs québécois à l'égard de leur emploi***. Centre de recherche et de statistiques sur le marché du travail, gouvernement du Québec, ministère du Travail et de la Main-d'oeuvre, 1979, 145 p.

D'ARAGON, P. et TARRAB, G. (édit.) ***Colloque sur les nouvelles formes d'organisation du travail***. Colloque tenu à l'Université du Québec à Montréal. Ottawa: Travail-Canada, 1980, 144 p.

DESROCHERS, M. (édit.) ***La Transformation de l'entreprise et du travail***. Dixième colloque de l'École de relations industrielles. Montréal: université de Montréal, 1979, 102 p.

GRAND'MAISON, J. ***Des milieux de travail à réinventer***. Montréal: les Presses de l'université de Montréal, 1975, 254 p.

JACQUES, J. "La Qualité de la vie au travail et le manager". ***Qualité de la vie au travail: la scène canadienne***. 1981, vol. 4, n° 2, p. 8-10.

JOHNSTON, C., ALEXANDER, M. et ROBIN, J. ***Qualité de la vie au travail: l'idée et son application***. Ottawa: Travail-Canada, 1978, 40 p.

LEVINSON, C. ***La Démocratie industrielle***. Paris: Éditions du Seuil, 1976, 304 p.

MILLS, T. ***Définition de la Qualité de la vie au travail***. Ottawa: Travail-Canada, 1981, 13 p.

SANDERSON, G. (édit.) ***S'adapter à un monde en pleine évolution*** (choix de textes sur la Q.V.T.). Ottawa: Travail-Canada, 1978, 93 p.

SAVALL, H. ***Enrichir le travail humain dans les entreprises et les organisations***. Paris: Dunod, 1976.

SIMARD, M. "Les dirigeants d'entreprise et les nouvelles formes d'organisation du travail". ***Gestion***. Novembre 1980, p. 9-15.

La Participation des travailleurs aux décisions dans l'entreprise. Genève: Bureau international du travail, 1981, 215 p.

Chapitre 9

Coopération, les femmes et les jeunes

par Norah Humérez-Comtois

INTRODUCTION

Plusieurs mois de réflexion avec les coopérateurs universitaires de cet ouvrage, soit à l'occasion de nos réunions à Sherbrooke, soit par les échanges à distance de nos travaux, ont suscité chez moi une motivation croissante pour aborder le thème de ce chapitre: le rôle des femmes et des jeunes dans le développement coopératif. Je le fais avec d'autant plus d'engagement que je suis la seule femme au sein de ce groupe. Je le fais également avec un esprit de chercheur, puisque ce thème mérite d'être abordé avec beaucoup de sérieux.

Je dois d'abord préciser que la recherche que j'ai réalisée personnellement pour amorcer ce chapitre a porté beaucoup moins sur des traités théoriques que sur des expériences concrètes d'implication des femmes et des jeunes dans des coopératives de différentes régions du Québec et d'ailleurs. Le thème est d'une actualité telle qu'il nous oblige à aller puiser dans la réalité, d'autant plus que les écrits à ce propos sont limités. Cependant, dans l'étude de ce thème, j'ai voulu envisager avec une vision idéaliste les situations nouvelles dans lesquelles les femmes et les jeunes pourront s'impliquer sur le plan de la coopération. Ceci s'impose naturellement quand on aborde des horizons nouveaux.

Pour écrire ce chapitre, je suis donc allée puiser aux sources de l'humanisme, dans ma propre expérience en tant que coopératrice ainsi que dans les aspirations et rêves chéris des femmes coopératrices et des jeunes du Québec et d'ailleurs, avec qui j'ai eu l'occasion d'échanger ou de travailler.

Les sources de l'expérience personnelle

Depuis mon plus jeune âge, je me suis abreuvée aux sources créatrices et indestructibles du peuple bolivien qui a vécu une longue histoire de lutte pour renforcer sa solidarité ancestrale face aux défis de la vie moderne. Ainsi, très jeune, j'ai participé à la création du mouvement coopératif d'épargne et de crédit en Bolivie. Au fil des années, j'ai aussi vu les coopérateurs latino-américains forger des bastions coopératifs toujours plus vastes et plus authentiques au prix d'énormes sacrifices. Le travail de l'Association latino-américaine des centres d'éducation coopérative (ALCECOOP), à laquelle participe aussi l'Espagne, en est un exemple de tout premier ordre. Cette Association est née du désir de contribuer solidairement à la promotion humaine des coopérateurs et des non-coopérateurs à travers le continent et au-delà.

Les sources de l'humanisme

Mon travail au sein du développement international m'a permis de rencontrer des coopérateurs et coopératrices de divers continents. Sur ce plan, j'ai remarqué un fait surprenant et révélateur: quelles qu'aient été nos différences culturelles, nos réflexions et actions conjointes, elles aboutissaient toujours au même point de convergence et au même sentiment profond. Pour vaincre les grands maux qui affligent l'humanité — la famine, la sécheresse, la guerre, la violence, la maladie, l'analphabétisme, le chômage et la pauvreté —, le monde actuel aurait besoin d'un nouveau départ. Il faudrait plus d'éthique dans la vie quotidienne comme dans les affaires, plus de créativité et de travail acharné pour favoriser l'épanouissement intégral des individus et des communautés, et plus de justice dans la distribution des ressources tant à l'échelle locale qu'à l'échelle mondiale. En somme, nous aurions besoin d'un mode de vie plus authentiquement coopératif pour faire face aux forces qui nous détruisent.

Les sources du mouvement coopératif

J'aime à mentionner que depuis sept ans j'ai eu la prérogative de participer à l'oeuvre du coopératisme canadien et québécois tant sur le plan de l'enseignement que sur celui de la recherche et de la coopération locale et internationale. Je me réjouis du fait que les mouvements coopératifs canadien et québécois ont su se donner une place d'honneur sur la scène internationale à cause de leurs réalisations concrètes. Les exemples sont trop nombreux pour les citer tous dans ce chapitre.

Si nous prenons seulement l'exemple du Québec, cette province a été à l'avant-garde dans certains domaines coopératifs tels que le secteur de l'agriculture, de l'épargne, du crédit et de la consommation. Tous ces projets ont réussi. C'est pour cette raison que j'ai la profonde conviction qu'au Québec nous pourrions relever d'autres défis. Tous ensemble, hommes et femmes, jeunes et gens plus âgés, nous pourrions faire avancer notre coopératisme dans le sens non seulement économique et technologique, mais aussi social.

Je suis convaincue que la participation des femmes et des jeunes au projet coopératif québécois peut être porteuse d'avenir. Comment pourrions-nous avancer, nous développer comme société sans la pleine participation de ces deux groupes importants de citoyens à nos projets collectifs? D'ailleurs, si les femmes et les jeunes ont parfois été relégués au second plan dans les projets de développement du mouvement coopératif québécois, et si les intentions de faire appel à leurs concours sont quelquefois restées au point des bons souhaits, les impératifs de la décennie 80 nous obligent à tenir compte de leur contribution, au risque de manquer un rendez-vous historique. Ceci demandera une grande lucidité et un réel engagement de la base et du leadership du mouvement coopératif québécois. Comme le dit Jean-Marie Domenac:

> *«Le développement, au sens correct du terme, implique une prise en considération de la base, c'est-à-dire de ce qui est latent dans un groupe et qui précisément doit être développé...»*[1]

Je crois que mes collègues qui ont contribué au présent ouvrage seront d'accord avec moi sur le fait que les femmes et les jeunes ont certainement quelque chose à apporter dans le développement régional et communautaire, ainsi que dans tous les autres domaines qui ont été abordés dans les autres chapitres de cet ouvrage collectif.

Comme l'objectif de nos réflexions était d'explorer la voie en vue de se donner une vision plus coopérative de la société globale et, par conséquent, de contribuer à la formulation d'un nouveau "projet coopératif" de grande portée, il fallait que notre sphère d'analyse dépasse la micro-unité de l'entreprise coopérative pour en arriver à toucher la société globale.

Il est évident qu'une vision globale de la société implique plus que la réflexion et des propositions sur le développement économique. Elle

---

(1) DOMENAC, J.-M. "Crise du développement, crise de rationalité". ***Le Mythe du développement*** (sous la direction de C. Castoriadis). Paris: Éditions du Seuil, 1977, p. 22.

implique aussi une conception et des stratégies sur tout un ensemble de questions relatives aux problèmes sociaux, culturels, politiques et éducationnels qui relèvent du domaine du développement social. Ma contribution se situe plus précisément dans cette dernière perspective.

Ce chapitre abordera donc le thème proposé à partir des deux postulats suivants: 1) la poursuite du développement social et culturel, parallèlement au développement économique, est indispensable à la pratique de la coopération authentique; 2) la configuration d'une vision coopérative de la société globale est un projet collectif qui exige l'intercoopération. De plus, il ressortira de ce texte une certaine idéologie à laquelle nous adhérons et qui est très bien exposée par les coopérateurs équatoriens dans les termes suivants:

> *«Être coopérateur c'est avancer avec le temps, c'est porter la Patrie dans les veines, ouvrir des sentiers, tracer des sillons, se prodiguer, vaincre la haine, planter l'arbre et tailler les branches pour bâtir le nid, effacer de la terre la famine et la misère, faucher les champs, purifier les vignes, palpiter avec l'aube... c'est atteindre la maturité pour arriver à boire tous de la même coupe au nom de la fraternité.»*[2]

L'organisation de ce chapitre

Le plan général de ce chapitre comprend cinq parties. D'abord, nous ferons un tour d'horizon sur la situation du coopératisme et la participation des femmes et des jeunes; nous nous arrêterons plus particulièrement sur la scène québécoise en tant que société globale et sur le secteur du mouvement coopératif. Dans cette partie, les orientations préconisées par l'Assemblée des Nations Unies et le dernier Congrès de l'Alliance coopérative internationale (1980) tiendront lieu de toile de fond.

Deuxièmement, nous présenterons la situation actuelle de la participation des femmes et des jeunes au mouvement coopératif québécois à travers leurs projets accomplis et ceux qui sont en cours.

Troisièmement, dans le cadre même du projet coopératif québécois et de la nouvelle société préconisée, des propositions sur deux aspects de la problématique que nous avons appelés "l'enjeu pour les femmes" et "l'enjeu pour les jeunes" seront présentées. En plus, nous dresserons la

---

(2) IZQUIERDO DUARTE, A. "Ser cooperativista". ***Manual de cooperativismo estudiantil*** (IDICE, Institut de développement et de recherche coopérative de l'Équateur). Équateur: Quito, 1970, p. 110.

liste des valeurs qui entrent en jeu dans les actions innovatrices, ainsi que trois principes-clés sous-jacents à la participation des jeunes et des femmes au projet coopératif québécois — la solidarité, l'autogestion et la démocratie.

Quatrièmement, puisque toute valeur doit se traduire dans la pratique pour s'enraciner dans la personnalité des individus et agir comme facteur de changement, nous soumettrons à l'attention des lecteurs une série d'activités qui, sans éliminer ou remplacer les expériences en cours, pourraient favoriser une meilleure intégration des femmes et des jeunes au projet coopératif québécois dans les années à venir. Ces activités s'insèrent dans une optique de planification à long terme, avec certaines échéances à moyen et à court terme.

Finalement, dans notre réflexion nous aboutirons à un point culminant qui prône l'engagement du mouvement coopératif québécois dans un nouveau rôle, celui de contribuer d'une manière plus évidente à la formation de "l'homme social".

9.1 LA PROBLÉMATIQUE DE LA PARTICIPATION DES FEMMES ET DES JEUNES AUX PROJETS COLLECTIFS: UN PARCOURS HISTORIQUE

9.1.1 Un regard sur la situation sociale de la femme dans le monde

La situation sociale de la femme, bien qu'elle se soit améliorée en général, est assez diversifiée et inégale selon les cultures prédominantes sur chaque continent et dans chaque pays. Voici quelques statistiques présentées par Margaret Gayfer[3] dans son article *Women Speaking and Learning for Ourselves*:

- Les femmes et les filles représentent 50% de la population mondiale.
- Les femmes constituent plus de 30% de la main-d'oeuvre sur le marché mondial du travail.

---

(3) GAYFER, M. "Women speaking and learning for ourselves". ***Convergence***. Toronto: International Council for Adult Education, vol. XIII, n°s 1 et 2, 1980, p. 1-13.

- Les femmes reçoivent seulement 10% du revenu et ceci à l'échelle mondiale.
- Les femmes possèdent moins de 1% de la richesse mondiale.
- Les femmes et les enfants constituent 75% de la population sous-alimentée du monde.
- Les femmes réalisent de 60% à 80% de tout le travail agricole dans le monde et sont responsables d'au moins 50% de toute la production mondiale.

Le panorama ci-dessus n'est pas le plus souhaitable, si l'on tient compte de tout ce que les femmes apportent pour le bien-être de l'humanité. Helpi Sipila[4] fait le point en termes plus dramatiques encore, dans son rapport aux Nations Unies intitulé *The State of the world's women 1979*. Selon Sipila, là où il y a pauvreté, là où il y a préjudice, les femmes sont celles qui en souffrent le plus. Il ajoute qu'en général être née femme c'est être née avec moins de possibilités pour se développer, et possiblement ne jamais pouvoir jouir ni des libertés, ni des privilèges, ni des responsabilités existant dans une société. Cette inégalité, plus marquée dans certains pays, est en même temps la source qui a motivé les femmes à s'unir.

Au nom de leur solidarité, les femmes sont arrivées à participer à la vie sociale, économique et politique de leur pays. Dans ses réflexions sur la planification du développement pour les femmes, Elise Boulding[5] mentionne que la proportion, à l'échelle mondiale, des femmes occupant des postes d'administration est de 10%. En Europe et en Amérique du Nord, les mêmes postes sont assumés par 14% des femmes. C'est seulement dans les pays scandinaves que les femmes soi-disant du "First World" constituent plus de 10% des représentants du Parlement. Dans ceux du "Second World", les pays socialistes comptent à peu près le tiers et dans les pays du "Third World" (Tiers-Monde), les pourcentages varient du tiers à zéro.

Si nous faisons la transposition de ce degré de participation des femmes aux processus décisionnels d'une société à ce qui se passe dans le

---

(4) SIPILA, H. "Report: the State of the world's women 1979. United Nations Division for economic and social information"; cité par:
GAYFER, M. "Women speaking and learning for ourselves". ***Convergence***. Toronto: International Council for Adult Education, vol. XIII, n°s 1 et 2, 1980.

(5) BOULDING, E. "Integration into what? Reflections on development planning for women". ***Convergence***. Toronto: International Council for Adult Education, vol. XIII, n°s 1-2, 1980, p. 52.

monde coopératif, il est possible que la même situation se répète, selon les régions.

D'où provient donc cette marginalisation de la femme? Irene Paredes de Martinez[6] explique le phénomène comme étant une spirale toujours ascendante qui se déploie sous l'influence des forces négatives et positives. Quand elle s'adressait aux femmes leaders de l'Amérique latine à l'occasion du cinquième Cours d'entraînement organisé par la Commission interaméricaine des femmes, elle les exhortait à prendre conscience du fait suivant.

Bien qu'il y ait un grand nombre de femmes qui voudraient se retrancher exclusivement derrière leur cercle traditionnel, et ce, pour différentes raisons, elles sont continuellement confrontées à de nouvelles idées provenant de leur environnement. Ceci a pour effet d'améliorer leur statut et de pousser plus avant leur engagement social. Cette conscientisation provoque presque automatiquement des critiques qui pourraient ralentir le mouvement. Cependant, il surgit toujours un autre groupe qui décide de poursuivre la marche. C'est là la force qui fait monter la spirale. C'est ainsi que les femmes assument de plus en plus leurs nouvelles responsabilités et relèvent les défis de la vie moderne.

Prise dans les vagues du changement social, la femme doit souvent naviguer seule et à contre-courant. Ceci pourrait amener des résultats plutôt négatifs, et c'est pour cela qu'une association s'impose. Prendre en main ses décisions, voilà le chemin le plus sûr pour aboutir aux objectifs visés.

Comme dans tout apprentissage, celui de la femme face à ses nouvelles responsabilités peut être plus efficace s'il se fait de manière positive et progressive par le biais de l'éducation et du vécu quotidien. Ainsi préparée par des connaissances appropriées, des compétences variées et des attitudes cohérentes, la femme peut répondre authentiquement et consciemment aux exigences de la société contemporaine et aux appels intérieurs, afin de parvenir à son propre épanouissement.

C'est seulement avec l'appui d'une personnalité créatrice et la pleine conscience de notre propre existence et de nos sociétés éprouvées que nous pourrons contrecarrer le conformisme qui s'oppose au développement véritable de la femme dans la société. Déjà un bon nombre de

---

(6) PAREDES DE MARTINEZ, I. "La mujer y sus Nuevas Responsabilidades en el mundo actual". ***Programa Interamericano de Adiestramiento para Mujeres Dirigentes***. Quinto Curso. Ecuador: Quito, Comision Interamericana de Mujeres, 22 janvier -27 février 1970, p. 193-200 (Washington: Secrétariat général des États américains).

coopératrices et des coopérateurs, au Canada et dans d'autres pays, ont bien compris cette urgente nécessité.

9.1.2 Le parcours historique

Si nous analysons l'évolution historique de la situation de la femme nous constatons que son degré d'intégration sociale a été instable selon les caractéristiques économiques, sociales et politiques de chaque époque. Aujourd'hui, l'émancipation de la femme est rendue à un point de non-retour.

À *l'époque primitive*, la femme s'occupait de toutes les tâches domestiques et agricoles. Par la suite, la prédominance du *matriarcat* lui attribua un rôle socialement important: elle constituait le noyau familial et détenait le pouvoir et le leadership. Sous le *régime patriarcal*, l'égalité des rôles masculins et féminins était inconnue. En Grèce, déjà à cette époque, on considérait l'esclave comme étant un être dépourvu de volonté; celle de l'enfant était considérée comme incomplète et celle de la femme, comme impuissante. L'*avènement du christianisme* revalorisa quelque peu le rôle féminin en vertu de sa loi de l'amour humain et de la réciprocité des relations sociales. À *l'époque des Croisades*, les femmes remplaçaient les hommes partis à la guerre, et s'occupaient surtout des questions religieuses et juridiques. Ce fut une époque où, par la force des choses, on idéalisa la femme. Sous la *Renaissance*, elle joua un rôle déterminant dans les milieux artistique et intellectuel. Le *19e* siècle fut marqué par l'apparition de nombreuses écrivaines, politiciennes et patriotes.

Vers la fin du *XIXe siècle et au XXe*, les mouvements féministes apparaissent et déclenchent des événements de grande portée sociale. Ainsi, l'égalité des sexes naît sous l'influence des exigences chaque fois plus impérieuses de la crise économique et aussi du besoin des femmes de se préparer intellectuellement aux progrès scientifiques pour répondre aux besoins de la société qui les incite à sortir du foyer pour travailler dans les ateliers, les usines et les bureaux.

À l'heure de l'ère spatiale et de l'informatisation, du risque croissant de guerre nucléaire, de la rapidité vertigineuse du développement des moyens de communication, au moment où les pays occidentaux se préparent à instaurer la société des loisirs et de la consommation sophistiquée, le rôle de la femme devient de plus en plus complexe et exigeant. Ce nouveau rôle devient aussi une ancre de salut au moment où l'humanité entière ressent un besoin impérieux de renouveau culturel, spirituel et moral.

La femme est donc plus que jamais sollicitée de participer à la reconstruction sociale, et elle vit une angoisse nouvelle face à son rôle d'éducatrice des nouvelles générations. Sur le plan social, notre époque connaît un profond déséquilibre au sein de la cellule familiale et subit une contestation grandissante des systèmes éducationnels actuels. Cela affecte directement les nouvelles générations qui sont confrontées à des valeurs remises en question et qui doivent assumer des responsabilités plus complexes à un plus jeune âge. Aussi le changement social provoque-t-il chez les adultes un certain désarroi provoquant des effets négatifs sur leurs relations avec les jeunes.

Si nous revenons à l'analyse de la situation de la femme du point de vue économique, il existe aujourd'hui une tendance à reléguer la main-d'oeuvre féminine aux activités de production sur le marché du travail (c.-à-d. aux usines). Son rôle ancestral de productrice des biens et des services semble refaire surface. C'est comme si la société n'avait pas encore atteint la maturité nécessaire pour permettre et encourager la participation égale des hommes et des femmes aux projets collectifs. Nous croyons que les coopératives peuvent faciliter l'atteinte de cette maturité sociale, tant à l'échelle locale qu'à l'échelle nationale et internationale.

9.1.2.1 Un projet mobilisateur

Que ce soit dans les pays industrialisés ou dans les pays en voie de développement, quand on parle de la situation de la femme on parle de pôles positifs et des pôles négatifs, et la situation se présente parfois comme si tout restait à faire et simultanément. Voici quelques-uns des éléments qui déterminent les pôles positifs et négatifs de la condition féminine: intégration/marginalité, innovation/statu quo, besoin/disparité, motivation/préjugés. Tous ces éléments sont des indices de l'insertion de la femme dans la société avec plus ou moins de dynamisme. La tension entre ces pôles représente des situations problématiques qui peuvent aussi être présentes au sein des coopératives. Nous pouvons remédier à ces situations par des solutions à long terme. Cependant, les coopératives, même dans les pays les plus instables politiquement, ont démontré une certaine constance dans la poursuite de leurs projets. Ce précédent peut servir d'exemple pour relever de nouveaux défis comme celui que nous abordons dans ce document.

En somme, bon gré mal gré, les femmes font partie aujourd'hui d'un projet mobilisateur de portée mondiale.

9.1.2.2 La démocratisation et les coopératives

Aujourd'hui, l'humanité entière s'oriente vers une démocratisation plus directe, en dépit des régressions sporadiques et des moments de crise. Le *bien-être* cède la place au *mieux-être*. Hommes et femmes de tout âge font face à certains problèmes quotidiens similaires, et à d'autres, particuliers au statut que la société leur a conféré. Le fait de classifier la société selon le sexe, l'âge, la profession, le revenu, très souvent en vue de poursuivre le développement économique à travers des secteurs cibles, cause une division réelle dans la vie concrète et une grande solitude sur le plan social.

À propos de cette tendance à compartimenter la société, monseigneur Raymond Lavoie nous dit:

> *«Au début, cela commence dans votre tête, mais cela se traduit bien vite dans la réalité. On retrouve les assistés sociaux dans les mêmes quartiers pauvres et les gens très riches dans les mêmes condominiums...»*[7]

La solitude est donc vécue par les différentes catégories sociales avec la même intensité et parfois sans possibilité de s'en sortir collectivement. Dans cette marée de solitude, les organisations communautaires, les institutions de type coopératif peuvent jouer un rôle intégrateur, puisqu'elles portent en elles-mêmes le germe de la solidarité.

Jacques Grand'Maison attribue cette solitude à *«l'absence de véritables tissus collectifs quotidiens et à la dislocation des rapports sociaux* [...]. *Aurait-on, se dit-il, calqué les rapports humains sur les rapports des choses dans la société de consommation?*[8] »

Hommes et femmes, jeunes et moins jeunes, confrontés aux défis de notre époque peuvent, par la coopération dans son sens le plus large, rebâtir les tissus collectifs et ouvrir de nouveaux horizons puisque, comme le dit Grand'Maison, *«toute structure humaine ne vaut pas plus que le "nous" qui la constitue. La qualité de ce "nous" précède, accompagne et dépasse les changements structurels...* [9]*»* Concernant les moyens de rebâtir les tissus collectifs, le regretté coopérateur canadien Alexander Laid-

---

(7) LAVOIE, R. "Faire que ma solitude ne soit plus une solitude". ***RND, notre société et le défi de la solitude***. Québec: Revue Notre-Dame, mars 1981, n° 3.

(8) GRAND'MAISON, J. ***Une philosophie de la vie***. Ottawa: Les éditions Léméac, 1977, p. 13-14.

(9) ***Ibid***. p. 27-29.

law[10] proposait à l'occasion du Congrès de l'Alliance coopérative internationale (Moscou, 1980) des "villages coopératifs" dans les centres urbains.

Peut-être avait-il songé à l'instauration profonde de ce sentiment du *nous* chez les coopérateurs? Le grand défi des coopératives du Québec et dans le monde, c'est de s'engager socialement par un geste concret; un geste qui évitera l'effondrement des structures lourdes élevées parfois sur des assises sociales faibles.

9.1.2.3 La nouvelle solidarité de base

Les femmes et les jeunes constituent une partie importante de la nouvelle solidarité de base qui se développe, et de l'éveil d'une nouvelle conscience face à la dégradation de l'existence individuelle et collective. Ils en font partie parce que leurs attentes économiques, sociales et culturelles ne sont pas comblées... Ils en font partie parce qu'avec leur participation nous pourrons trouver les mécanismes qui répondront à leurs besoins de citoyens et de coopérateurs.

Le développement n'implique-t-il pas fondamentalement l'utilisation de toutes les ressources humaines afin de rendre possible l'épanouissement complet de l'être humain et de la communauté? Ainsi conçu, le développement est lié au concept de participation dans tous les domaines d'action et, en conséquence, dans la prise de décisions et l'exercice des responsabilités. Dans la formulation du projet coopératif québécois, les femmes et les jeunes doivent être considérés comme des agents de changement social et comme des bénéficiaires de ce changement.

Si nous revenons à la vision coopérative pour l'avenir prônée par Alexander Laidlaw, nous pourrons mieux comprendre les nouveaux horizons s'ouvrant aux jeunes et aux femmes dans les années à venir:

> *«La coopérative de demain doit être une sorte de communauté coopérative, non pas dans le sens où l'entendait Robert Owen, mais dans le sens d'une collectivité urbaine, à l'échelle municipale ou de voisinage, regroupant le plus possible de coopératives des catégories les plus diverses, de manière que le style coopératif prenne une place importante sinon dominante, parmi la population desservie. Ce serait en sorte des villages coopératifs dont la création constituera une organisation coopérative complète à la fois*

---

(10) LAIDLAW, A.F. "Les choix de l'avenir". ***Les Coopératives en l'an 2000***. Document présenté au Congrès de l'Alliance coopérative internationale, Moscou, oct. 1980, 5e partie, p. 178-192.

économique, sociale et culturelle.»[11]

La vision de Laidlaw est-elle un rêve irréalisable, est-elle une utopie? Pourtant, ce coopérateur et éducateur canadien dont l'expérience et l'apport lui ont mérité une reconnaissance internationale, n'a peut-être fait que verbaliser, dans son rapport, un consensus déjà existant au sein du mouvement coopératif canadien. Les "villages coopératifs" dont il parle pourront peut-être redonner son authenticité à la coopération dans les pays industrialisés et dans les grandes concentrations urbaines. C'est sans doute un défi à relever par toute une communauté à l'intérieur de ses différents groupes d'âge.

9.1.2.4 La décennie 80 et les femmes coopératrices

Au sujet des déclarations et des orientations pour les années 80 provenant de différents organismes et auteurs intéressés par l'avancement de la femme en général et de la femme coopératrice en particulier, nous avons choisi de mettre en relief quatre sources principales, à savoir: 1) les orientations des Nations Unies et de la Commission interaméricaine des femmes; 2) les orientations du Congrès de l'Alliance coopérative internationale à Moscou (1980); 3) les réflexions de Jacques Grand'Maison concernant la façon, pour la femme, de réconcilier le privé et le public, et 4) certains travaux et analyses du mouvement coopératif québécois et d'autres organismes connexes.

A Les orientations des Nations Unies et de la Commission interaméricaine des femmes

La résolution 3520 des Nations Unies, intitulée *World Conference on International Women's Year* (Conférence mondiale sur l'Année internationale de la femme), proclame la période 1976-1985 la Décennie des Nations Unies pour les femmes. Les thèmes de cette période sont basés sur l'égalité, le développement et la paix.

La Commission interaméricaine des femmes est un organisme relevant de l'Organisation des États américains, dont le travail rayonne sur l'Amérique du Nord, l'Amérique centrale, l'Amérique du Sud, les Antilles et les Caraïbes. Cette Commission a entrepris et promu des réflexions, des projets, des travaux de recherche à court, à moyen et à long terme autour des thèmes suivants: l'égalité, le développement et la paix. Les responsa-

---

(11) LAIDLAW, A.F. "Des villages coopératifs dans les villes". ***Op. cit.*** p. 63.

bles de ce mouvement sont les Comités nationaux de coopération et, par le Rapport 1978[12], nous pouvons constater que le sous-thème de la coopération est assez présent. Les exemples suivants illustrent bien l'engagement dans ce secteur entre 1976 et 1978:

Le Guatemala a organisé un séminaire sur les coopératives pour les femmes indiennes.

Le Honduras a organisé un colloque sur la participation organisée des femmes comme facteur essentiel au développement social, économique et politique.

Le Pérou décide, pour sa part, de considérer la présence des femmes dans le processus évolutif du pays.

La République dominicaine a organisé des ateliers sur le thème *Les femmes des Caraïbes dans le développement rural, les communications et la coopération*.

La Bolivie a entrepris un projet d'organisation d'une coopérative d'artisanat avec les femmes des régions minières.

La Barbade a décidé de se pencher sur le problème de la nature des stratégies à être utilisées par les conseillères-leaders.

De plus, dans son Plan régional d'action pour la Décennie de la femme en Amérique[13], la 18e Assemblée de la Commission interaméricaine des femmes (Floride, 27 juillet - 5 août 1976) énonce les objectifs de la participation de la femme dans le développement industriel urbain. Ces objectifs touchent de près des démarches similaires entreprises par d'autres organismes au Canada et particulièrement au Québec. Pour cette raison, nous les énumérons ici:

L'accès à l'emploi, spécialement dans les domaines techniques et non traditionnels.

L'égalité de la rémunération du travail, des conditions de travail et de l'éligibilité à la promotion.

---

(12) Interamerican Commission for Women (OAS). ***Report presented to the Twenty-seventh Session of the United Nations Commission on the Status of Women.*** New York: OAS, 20 mars - 5 avril 1978, p. 25-45.

(13) Comision Interamericana de Mujeres. ***Plan Regional de Accion para el Decenio de la Mujer en America*** (aprobado por la Decimocuarta Asamblea de la Comision Interamericana de Mujeres celebrada en Miami, Florida, del 27 julio al 5 de agosto 1976). Washington: Organisation des États américains, 1976, p. 6-13.

Les mesures à prendre qui favoriseraient la participation économique des femmes.

Le développement de nouvelles techniques d'entrepreneurship, de coopératives et d'autres formes de travail autogéré.

La participation de la femme au sein des organisations syndicales.

Quant aux stratégies proposées pour aboutir aux objectifs visés, le plan régional offre entre autres:

La recherche et l'amélioration des statistiques concernant les femmes.

Le changement dans les programmes de formation pour favoriser le développement de nouvelles attitudes de la part des étudiants des deux sexes.

La préparation de matériel didactique destiné à promouvoir, tant chez les hommes que chez les femmes, la compréhension de leurs fonctions conjointes.

L'augmentation du nombre des bourses destinées au perfectionnement des femmes, l'élaboration de cours nationaux pour la formation des leaders féminins ainsi que la mise sur pied d'un centre multinational pour la préparation des programmes de formation pour les femmes.

L'établissement de mécanismes nécessaires pour surveiller l'application de la législation conférant des droits égaux aux femmes et aux hommes.

La protection sociale par les garderies, les centres de récréation, les services d'orientation, les subventions financières et l'assistance technique aux groupes de femmes qui désirent organiser leurs propres entreprises.

B *Les orientations de l'Alliance coopérative internationale*

Alexander Laidlaw, auteur du Rapport n° 3 sur les coopératives en l'an 2000 au congrès de l'ACI à Moscou (1980), pose dans la sixième partie de ce document cette question majeure: Quels seront la place et le rôle des femmes dans les coopératives? Sa propre réponse est révélatrice et il la situe au coeur des *grands thèmes du débat et des questions vitales* du coopératisme mondial. Voici ce que nous dit ce grand connaisseur et praticien de la coopération:

«- Les coopératives dans lesquelles les aptitudes et capacités des femmes ont toute latitude pour se réaliser complètement en récolteront tous les fruits dans les années à venir.

- Dans certains pays, nous constatons que certaines catégories de coopératives, notamment celles de l'habitation, progressent très rapidement sous l'influence et la direction des coopératrices.

- La participation dans tout ce qui touche à la vie de la coopération devrait s'exercer à égalité entre les deux sexes. Sauf si les traditions culturelles et religieuses l'exigent, il faut mettre un terme aux dispositions qui prévoient un rôle spécifique et séparé pour les coopératrices.»[14]

C Les réflexions de Jacques Grand'Maison sur la question féminine

Dans un document écrit en 1972 par Jacques Grand'Maison et présenté par Michèle Jean dans son ouvrage intitulé *Les Québécoises du 20e siècle*, nous découvrons des propositions avant-gardistes provenant d'un penseur reconnu sur un problème qui est aujourd'hui encore aussi actuel qu'en 1972, en l'occurrence la compatibilité entre la vie privée et la vie publique. Je laisse le lecteur faire ses propres réflexions à ce propos:

Première proposition — Devenir une société relationnelle

> *«La société fonctionnelle édifiée par l'homme doit devenir une société relationnelle et l'établissement de ce nouveau cadre de vie requiert l'intervention des femmes.*
>
> *Les femmes apportent une nouvelle vision des choses... Les femmes sont beaucoup plus enracinées que les hommes dans les divers milieux de vie...»*[15]

Pour Michèle Jean la réflexion de Grand'Maison, bien qu'elle soit intéressante à plusieurs points de vue, *«n'échappe pas à un certain idéalisme qui rejoint celui des féministes d'autrefois croyant que la femme peut rénover l'humanité*[16]*»*.

---

(14) LAIDLAW, A.F. "Les grandes thèses du débat et questions vitales". ***Les Coopératives en l'an 2000***. Moscou, Congrès A.C.I., octobre 1980, partie VI, p. 191.

(15) GRAND'MAISON, J. "La femme peut concilier le privé et le public". ***Québécoises du 20e siècle*** (M. Jean). Montréal: Éditions du Jour, 1974, p. 248-259.

(16) JEAN, M. ***Québécoises du 20e siècle.*** Montréal: Éditions du Jour, 1974, p. 248.

Deuxième proposition — Remettre en cause l'échelle des valeurs de la société techniciste

Grand'Maison considère le débat «maison-bureau» comme un faux débat qui est parallèle à l'enjeu du divorce «public-privé». L'auteur élabore ce point de la manière suivante:

> *«Notre société commerciale et techniciste tente de refouler à une périphérie inoffensive les fins de l'existence, les objectifs humains de la vie, les raisons d'aimer et d'exister, les valeurs les plus profondes d'une éthique vraiment humaine. On réserve tout ça à la vie individuelle et privée et même à la conscience de chacun; pendant ce temps, la société s'aliène dans ses instruments, ses moyens, ses structures, sans remettre en cause son échelle de valeurs implicite...»*(17)

Troisième proposition — S'unir par la pointe des enjeux vitaux

> *«Nous sommes bien loin du faux débat: maison ou travail. Une mère sans antennes sur les grandes influences sociales qui marquent ses enfants, sera une éducatrice mauvaise... Au moment où on redéfinit l'homme (et aussi la société) comme un être en relation, il est nécessaire que l'être féminin essentiellement relationnel intervienne pour nous en faire comprendre toute la vérité et la densité. Ce qui ne préjuge pas de la volonté d'être considérée comme une personne, en deçà, par-delà et à travers certaines fonctions réservées jusqu'ici aux femmes... C'est par des interventions de qualité au coeur des enjeux vitaux* [...] *que beaucoup d'hommes découvriront l'importance inestimable de l'apport féminin dans la société.»*(18)

Quatrième proposition — Relever le défi que nous avons devant nous: un destin inédit à créer

> *«*[...] *Bon gré, mal gré, hommes et femmes nous sommes solidaires devant un destin inédit à créer.»*(19)

---

(17) GRAND'MAISON, J. "La femme peut concilier le privé et le public". ***Québécoises du 20e siècle***. (M. Jean) Montréal: Éditions du Jour, 1974, p. 248-259.

(18) ***Ibid***. p. 248-259.

(19) ***Ibid***. p. 248-259.

D Les analyses faites dans le cadre du mouvement coopératif québécois

Et voici quelque chose de plus concret réalisé au sein du mouvement coopératif québécois et analysé par Thérèse Bégin, dans son article "Une page d'histoire importante qu'il faut connaître et surtout retenir. Un aspect moins connu du mouvement des Caisses populaires Desjardins: le travail des femmes".

Thérèse Bégin nous y présente le portrait de Dorimène Desjardins, *co-fondatrice des Caisses Desjardins*. Madame Desjardins représente des milliers de femmes qui ont aidé à bâtir ce géant québécois: le mouvement des Caisses populaires et d'économie Desjardins, même si ce n'est qu'en 1963 que la loi des Caisses d'épargne et de crédit permit aux femmes de voter pour le choix des dirigeants et, par le fait même, leur donna certaines possibilités d'accéder à des postes-clés.

Le portrait de la famille Desjardins peint par Thérèse Bégin parle de lui-même. Il représente les aspirations et les efforts de milliers d'autres familles québécoises qui ont contribué au développement du mouvement coopératif.

> "Elle et lui..."
>
> *«Elle ... c'est Dorimène Desjardins, l'épouse du fondateur des Caisses populaires. Un personnage unique, une figure dominante, une femme exceptionnelle... En plus d'être un administrateur hors pair pour l'époque, elle possède un jugement sûr et une fermeté de caractère peu commune. Côte à côte, Dorimène et Alphonse Desjardins luttent avec acharnement pour une oeuvre humanitaire qui vise deux grands objectifs: sauver le peuple canadien-français des usuriers et lui fournir un instrument de libération économique. Alors que le Commandeur Desjardins est retenu à Ottawa pendant des semaines et même des mois, dans le cadre de ses activités professionnelles (rapporteur officiel de la Chambre des communes), c'est Dorimène qui prend en main la destinée de la première Caisse populaire en terre d'Amérique. Parfaitement au courant des problèmes économiques de ses concitoyens, elle travaille sans répit à leur expliquer le caractère bienfaiteur de la formule coopérative d'épargne, que son mari préconise.*
>
> *Son intelligence aux multiples facettes se retrouve dans ses faits et gestes. Dorimène n'attend jamais, elle devance, elle se surpasse... La voilà qui assume à elle seule l'entière responsabilité des opérations financières.*

Adrienne et Albertine, filles de Dorimène et d'Alphonse Desjardins ne tardent pas à prendre la relève. Initiées depuis longtemps aux affaires des Caisses populaires, elles sont en mesure d'en suivre l'évolution, chacune apportant un support différent.

Adrienne, tout comme sa mère, possède des dons remarquables pour l'administration des finances... Pour sa part Albertine choisit de diffuser pendant de nombreuses années des messages enjoignant les coopérateurs à poursuivre l'oeuvre de ses parents.

Stimulé par Adrienne Desjardins, l'apport des femmes s'intensifie à l'apparition de nouvelles Caisses populaires... Malgré l'absence de rémunération ou un faible salaire, les femmes se donnent entièrement à leurs tâches et oeuvrent pour une "cause" qui leur tient à coeur.

L'évolution se continue... Si jadis les femmes furent nombreuses à consacrer une partie de leur vie à l'édification du Mouvement Desjardins tel qu'on le connaît de nos jours, aujourd'hui elles se sont multipliées par centaines et par milliers. Elles sont les "indispensables abeilles du rucher" qui, à travers leurs différentes fonctions, continuent à perpétuer l'oeuvre que Dorimène Desjardins s'est acharnée à faire connaître. POINT VIRGULE leur rend hommage.»[20]

Aujourd'hui, c'est peut-être en tant que consommatrice que la femme joue un rôle prépondérant dans le mouvement coopératif québécois. Marie Page, dans son travail sur la femme coopératrice (prix Yvette Rousseau, 1977) mentionne d'une part que les circonstances de la vie industrielle font de la femme la consommatrice par excellence, et d'autre part que, si les plus gros achats sont effectués par l'homme, il n'en demeure pas moins que la femme dépense la plus grosse partie du revenu et est une consommatrice plus régulière. Certaines statistiques recueillies par Marie Page montrent la situation suivante:

« - *La femme fait directement l'acquisition de 50 à 70% des biens et indirectement joue un rôle sur l'acquisition de 50 à 30% restants.*

---

(20) BÉGIN, T. "Une page d'histoire importante qu'il faut connaître et surtout retenir. Un aspect moins connu du Mouvement des Caisses populaires Desjardins: le travail des femmes". ***Ensemble!***. Québec: Conseil de la coopération du Québec, 9 février 1979, vol. 26, n° 3, p. 20.

- *Entre 50 à 70% de l'argent dépensé dans un pays occidental l'est par les femmes.»*[21]

Marie Page conclut en disant que *«ce n'est donc pas pour rien que les gens de marketing font tant d'études portant sur le comportement des ménagères en tant que consommatrices. Elles sont étudiées sous tous les angles: leur motivation, leur perception du risque, leurs désirs et besoins plus ou moins avoués, leurs habitudes, etc... leur comportement est ainsi mis en équations*[22]».

Le fait que ce soit la femme qui dispose de plus de la moitié des revenus du foyer indique qu'elle a un pouvoir réel de nature économique. Les coopératives ont-elles considéré ce pouvoir d'achat réel des femmes? Comment pourrait-il se traduire en pouvoir social et agir comme facteur de changement? Cette dimension sera analysée dans la partie suivante de ce document.

9.2 LA PARTICIPATION DES FEMMES ET DES JEUNES AU COOPÉRATISME QUÉBÉCOIS

9.2.1 La situation actuelle de la participation des femmes et des jeunes au mouvement coopératif québécois: projets accomplis et projets en cours

À partir du tour d'horizon de la scène coopérative québécoise actuelle et des recherches plus poussées qui ont été faites sur ce sujet, on peut dire que le mouvement coopératif québécois a pris des dimensions extrêmement considérables. Par exemple, l'efficacité et la sophistication que le mouvement coopératif québécois a atteint soit dans le domaine économique grâce à l'organisation de l'épargne populaire et du crédit diversifié, soit dans la pratique gestionnaire, ou dans l'organisation structurelle du mouvement tant sur le plan sectoriel que sur celui des organismes de coordination (Conseil de la coopération du Québec et Société de développement coopératif), ont attiré l'attention des coopérateurs de tous les continents.

Le mouvement coopératif québécois qui s'est développé au rythme des profondes transformations économiques et sociales, est devenu en

---

(21) PAGE, M. ***La Femme consommatrice***. Rapport miméographié. 1977, p. 1-5.

(22) ***Loc. cit.***

quelque sorte un modèle dont certains éléments ont été adaptés au développement d'autres mouvements coopératifs, spécialement en Afrique et en Amérique latine.

Selon le Conseil de la coopération du Québec, les deux tiers de la population québécoise sont membres des coopératives.

9.2.1.1 La décennie 80

La décennie 80 semble marquer une étape cruciale dans le développement social du mouvement coopératif québécois. Cette étape devrait permettre des innovations dans le but de sauvegarder l'aspect humain de ce puissant mouvement dont la dynamique ne devrait échapper au contrôle de ceux qui le soutiennent à la base, en l'occurrence les sociétaires. De nombreuses initiatives de réflexion, d'évaluation et de recherche s'amorcent aujourd'hui, tant au sein du mouvement coopératif que dans les institutions universitaires et gouvernementales, afin de renforcer socialement le mouvement.

Comme dans tout processus de développement économique et technologique accéléré, il s'est produit au sein des coopératives québécoises une espèce de paralysie en ce qui concerne la participation dynamique aux décisions. Le degré de participation de certains groupes de coopérateurs tels que les femmes et les jeunes reste assez réduit, leur intégration étant pourtant essentielle.

Afin que le mouvement coopératif québécois constitue un véritable modèle d'organisation économique et sociale capable d'influencer, par ses valeurs et sa pratique, le développement intégral de la société élargie, il doit récupérer et mettre en valeur l'énorme potentiel que représente l'action des femmes et des jeunes.

9.2.1.2 La problématique de la participation des femmes et des jeunes aux projets collectifs

Dans la société québécoise où les citoyens jouissent de nombreux droits et services et d'un niveau de vie assez élevé, on peut se demander pourquoi les femmes et les jeunes ne participent pas en plus grand nombre aux projets collectifs. Il existe même aujourd'hui au Québec un ministère de la Condition féminine et un Haut-Commissariat à la jeunesse, aux loisirs et aux sports. En outre, les moyens d'accéder à l'éducation sont de plus en plus nombreux.

D'autre part, au sein du mouvement coopératif québécois il y a déjà eu des initiatives d'organisation féminine par l'intermédiaire de l'Association coopérative féminine du Québec qui s'est installée dans certaines régions de la province. On trouve également un nombre assez considérable de femmes qui occupent des postes de direction dans les coopératives, par exemple au sein des Caisses populaires de l'Estrie où il y a au moins 130 femmes qui occupent des postes de ce genre. À ceci, il faudrait ajouter le nombre de femmes qui participent aux projets des coopératives de consommation, d'habitation et d'autres secteurs en tant que sociétaires, employées ou dirigeantes. De plus, depuis quelques années, une femme siège au sein du Conseil de la coopération du Québec. De novembre 1976 à septembre 1979, c'est madame Lise Payette qui fut la première femme ministre à la tête du ministère des Consommateurs, Coopératives et Institutions financières.

Finalement, les coopératrices du Québec grâce aux efforts de l'Association coopérative féminine du Québec, en collaboration avec l'université de Sherbrooke, le Conseil de la coopération du Québec et l'Agence canadienne pour le développement international, ont pu organiser un réseau d'intercoopération entre les coopératrices du Québec et celles de l'Amérique latine. De 1978 à 1979, trois missions québécoises ont visité le Pérou, l'Équateur, Porto Rico et Haïti pour appuyer les efforts des coopératrices de ces pays. Les coopératrices du Chili et du Brésil sont venues au Québec pour avoir une vue d'ensemble sur la participation des femmes en matière de coopération.

Cependant, bien que les résultats de ces efforts soient positifs et encourageants, ils restent insuffisants pour nous permettre d'affirmer que les femmes participent avec tout leur potentiel au développement du mouvement coopératif québécois. Celles qui participent activement représentent une minorité.

Quant aux jeunes, depuis les années 40 des coopératives étudiantes québécoises se sont formées et sont passées par diverses étapes de développement, en faisant face à tous les obstacles et aux problèmes d'organisation et de gestion. Ces problèmes étaient dus surtout au développement de ces coopératives comme entreprises.

Les coopératives étudiantes se sont développées dans un contexte d'isolement. Le manque d'appui de la part des autres coopératives a eu des conséquences néfastes, d'où l'apparition d'une période de léthargie et de crise, aggravée d'une période-moratoire.

La décennie 80 marque une nouvelle étape pour les coopératives étudiantes au Québec. La période-moratoire est levée et de nouvelles avenues de développement se précisent. Le parrainage des coopératives structurées à l'égard des coopératives étudiantes a été perçu d'abord avec une certaine crainte chez les jeunes coopérateurs. Ce système pourrait être bénéfique à condition qu'on respecte l'autonomie des coopératives étudiantes dans leur fonctionnement. Faits encore plus encourageants, les représentants des coopératives étudiantes se sont fait entendre au Sommet coopératif de 1980, et ils ont également participé en mai 1980 au Colloque sur la gestion coopérative patronné par l'Institut de recherche et d'enseignement pour les coopératives de l'université de Sherbrooke.

Finalement, les dirigeants des coopératives étudiantes ont aussi organisé des colloques de réflexion et de consultation, le plus important étant celui de Victoriaville en novembre 1980. Ce colloque avait pour objectif d'étudier le principe d'un regroupement. Celui-ci ayant été accepté, un projet de recherche a été réalisé par les coopérateurs étudiants. Donc, ce n'est pas la volonté qui manque aux jeunes coopérateurs québécois pour amorcer des projets pertinents.

Au fond, les coopératives étudiantes cherchent un nouveau type de relation avec les autres coopératives, c'est-à-dire l'intercoopération basée sur le principe de parité. La réalisation de cet objectif demandera un long processus éducatif.

Afin de saisir avec plus de précision le degré d'implication des femmes et des jeunes dans le coopératisme québécois, nous allons analyser plus spécifiquement certaines expériences réalisées par ces deux groupes de coopérateurs.

9.2.2 Les expériences d'implication des coopératrices au Québec

Au Québec, on dénombre diverses expériences d'implication des femmes dans le développement coopératif. Nous voulons souligner, dans ce document, deux cas concrets d'implication de type associatif, à savoir le travail de l'Association coopérative féminine du Québec et le travail des coopératrices au sein des Caisses populaires Desjardins. Notre choix a été fait à partir de la connaissance que nous avions de ces expériences.

9.2.2.1 Le travail de l'Association coopérative féminine du Québec (ACFQ)

Nous connaissons cette Association depuis 1977, et elle est sans doute une expression bien québécoise d'implication coopérative. D'ailleurs, l'ACFQ est membre du Conseil de la coopération du Québec et participe activement à des projets de développement coopératif au Québec et à l'étranger.

À partir du rapport annuel (1977) de l'ACFQ, d'une étude sociologique faite sur cette association en 1967, des déclarations de ses dirigeantes publiées dans les journaux et des projets auxquels l'Association a participé sur la scène internationale, nous pouvons constater que, pendant ses dix-huit ans d'existence, l'ACFQ a su s'adapter au rythme du développement coopératif québécois et aux appels de solidarité internationale en contribuant concrètement.

Selon notre interprétation des données provenant des sources déjà citées, l'évolution de l'Association coopérative féminine du Québec s'est faite selon plusieurs étapes que nous pouvons classer comme suit afin de faciliter l'analyse: 1) étape de fondation et d'émergence (1964-1967); 2) étape de consultation auprès du milieu et de vérification des actions (1967-1975); 3) étape de restructuration et d'ouverture intercoopérative (1975-1977); 4) étape d'ouverture sur la scène internationale (1977-1979) et 5) étape de consolidation (1979-1981).

Bien que pendant ces différentes étapes il se soit produit une diminution considérable du nombre de membres, les interventions de l'Association semblent avoir pris de l'ampleur et s'être améliorées au fil des années. Si l'on considère que l'ACFQ est formée de bénévoles et qu'elle a un budget d'exploitation très restreint, nous pouvons déduire que c'est la qualité du capital humain qui a constitué le moteur de ce développement.

Regardons maintenant certains faits saillants des étapes de l'évolution de l'ACFQ.

A *Étape de fondation et d'émergence (1964-1967)*

L'Association coopérative féminine (ACF) que l'on nomme aujourd'hui l'Association coopérative féminine du Québec, fut fondée en 1964 par un groupe de 78 femmes de différentes régions du Québec, notamment du Bas-Saint-Laurent, de la Mauricie et de la Beauce. Dès ses débuts, elle fut soutenue moralement et économiquement par la Fédération des magasins COOP qui a également participé à sa mise en oeuvre.

Au moment de sa fondation, l'ACF avait pour but *«... l'amélioration des conditions et du comportement de la famille par l'éducation coopérative et économique, en mettant l'accent sur la consommation, principale activité économique de la famille*[23]».

Un autre fait important à remarquer est que, «*durant les années 1967-1970, l'ACF comptait plus de 4,000 membres regroupés en 34 cercles...*[24]».

B Étape de consultation du milieu et de vérification des actions (1967-1975)

D'après une étude sociologique concernant le travail de l'Association coopérative féminine en 1967, celle-ci répondait à des attentes exprimées à cette époque, tant au sein des coopératives que dans le milieu socio-économique. Les résultats suivants de ladite étude confirment que l'Association a joué un rôle positif:

RÉSULTATS CONCERNANT L'UTILITÉ DE L'ACF:

«80% des gérants de COOP de localités où existait un cercle de l'Association répondirent qu'elle avait aidé dans le recrutement des membres, dans l'augmentation du chiffre d'affaires et dans l'augmentation de la clientèle.»[25]

RÉSULTATS CONCERNANT L'EXPANSION DE L'ACF:

«50% des administrateurs de COOP qui n'avaient pas une ACF locale étaient favorables à la fondation d'un cercle de celle-ci dans leur localité.»[26]

RÉSULTATS CONCERNANT LE RÔLE DE L'ACF:

«D'après la déclaration provenant d'un échantillon assez représentatif de personnes (75%) exerçant une fonction dans des mouvements d'action sociale, l'Association coopérative féminine peut jouer un rôle de premier ordre dans la défense de la famille sur le plan économique. Voyons le consensus autour de ce point:

70% des répondants estimaient que l'ACF pouvait jouer ce rôle à

---

(23) ***Rapport annuel pour l'exercice finissant le 28 février 1977***. Québec: Association coopérative féminine du Québec, 1977.

(24) ***Loc. cit.***

(25) ***Mémoire relatif à l'Association coopérative féminine (ACF)***. Québec: ACF, février 1967, p. 28 (document photocopié).

(26) ***Op. cit.*** p. 31.

travers l'éducation et 50% étaient de l'opinion que l'ACF pouvait être... une "école" pour la promotion de la femme, dans son milieu, pour lui permettre d'accéder à des responsabilités plus grandes même sur le plan des affaires.»[27]

C Étape de restructuration et d'ouverture intercoopérative (1975-1977)

L'ACF *«a entrepris en 1975, une réflexion assez profonde sur son rôle et ses objectifs; réflexion qui l'a amenée à se réorienter vers l'ensemble du mouvement coopératif. Il est important de noter que "... cette réorientation ne touchait pas tant le contenu éducatif des activités de l'Association que sa structure de financement. En effet, même si les activités des cercles de l'ACF étaient organisées autour des coopératives de consommation, leurs effets se faisaient sentir dans tous les secteurs coopératifs touchant le consommateur et en particulier dans le secteur épargne-crédit*[28]».

C'est ainsi qu'une nouvelle définition de l'Association ainsi que ses structures et ses fins se précisent à partir de 1975. En 1977, l'Association coopérative féminine devient une coopérative d'envergure provinciale. *«En 1977, elle comptait 804 membres, regroupés en neuf cercles dans les municipalités suivantes: Lac Drolet, Ste-Marie, Jonquière, Alma, Thetford-Mines, Loretteville, Charlesbourg et Québec*[29].»

Sur le plan structural, l'ACFQ a un conseil d'administration composé de huit membres et un comité exécutif composé de cinq membres. Sur le plan financier, le montant de la part sociale souscrite par chacun des membres en 1977 était de 1,00 $.

C'est à partir de cette étape de restructuration que ressort le caractère le plus spécifique des objectifs de l'ACFQ tels qu'énoncés dans le Rapport annuel de 1977:

Promouvoir le coopératisme dans les milieux où elle est présente.

Amener ses membres à participer activement dans leurs coopératives locales ou régionales, dans les domaines de la consommation,

---

(27) ***Op. cit.*** p. 33.

(28) ***Rapport annuel pour l'exercice finissant le 28 janvier 1977***. Québec: Association coopérative féminine du Québec, 1977.

(29) ***Op. cit.*** p. 33.

de l'épargne-crédit, de l'artisanat, de l'alimentation, de la formation, etc.

Permettre à la femme d'accroître ses connaissances et de prendre certaines responsabilités sur le plan social.

Finalement, un dépliant de l'ACFQ qui est diffusé depuis 1977 définit l'Association comme *«un instrument de libération par la coopération, et une association coopérative d'information, d'éducation et d'animation au service des membres des coopératives et de la collectivité*[30]».

Le travail d'information, d'éducation et d'animation de l'ACFQ est réalisé grâce à la participation active de ses membres à des cours et à des conférences, et grâce à l'organisation d'activités d'information et de promotion de la coopérative dans leurs milieux — par exemple des soupers-causeries, des soirées, des rencontres avec des représentants de divers organismes, un travail d'accueil et d'information pour les nouveaux adhérents à la coopérative même, etc.

Il est bien évident que le nouveau rayonnement de l'Association coopérative féminine du Québec à l'échelle provinciale (à partir de 1975) a permis aux membres d'ici d'entrer en contact avec les coopérateurs et coopératrices de différents pays. Nous soulignerons différents aspects de cette étape d'ouverture sur la scène internationale.

D Étape d'ouverture sur la scène internationale (1976-1979)

La décennie 70 semble être marquée par le développement de l'orientation internationaliste de l'ACFQ. En juin 1976, un groupe de coopérateurs québécois composé de quatre femmes — dont la présidente de l'ACFQ, madame Carmelle Bérubé — et d'un homme part en direction de la Suisse et de la France, afin d'étudier les programmes coopératifs en vigueur dans ces pays impliquant la participation de la femme[31]. Ce voyage d'étude a été effectué sous l'auspice de l'Unesco, du Conseil de coopération du Québec, du ministère des Consommateurs, Coopératives et Institutions financières et de la Fédération des magasins COOP.

---

(30) ***Dépliant d'information***. Québec: Association coopérative féminine du Québec, 1977.

(31) BÉRUBÉ, C., BONEVILLE, J., DEMERS, H., MORIN, L.M. et BOUCHARD, A. ***Rapport du voyage d'étude sur les expériences des coopératives de consommateurs françaises et suisses en ce qui concerne l'intégration de la femme dans ces divers organismes coopératifs***. Québec: ACFQ, 1976 (voyage effectué entre le 11 et le 27 juin 1976).

Il faut souligner qu'actuellement, au Québec, une réflexion sérieuse est entreprise concernant le développement de l'ACFQ. Le voyage d'étude effectué en France et en Suisse a favorisé une prise de conscience plus profonde de l'importance de la participation de la femme dans les coopératives.

Les retrouvailles de l'ACFQ et de l'université de Sherbrooke

De 1977 à 1979, mon travail de professeur et de chercheur en formation coopérative à l'université de Sherbrooke m'a amené à connaître l'ACFQ et à établir des contacts avec la présidente afin de participer à des projets conjoints. Notre désir d'action conjointe s'est vite matérialisé, selon les jalons suivants:

Janvier 1978 - Participation conjointe au Séminaire technique de Lima (Pérou) sur le rôle de la femme dans les mouvements coopératifs d'Amérique du Sud.

Ce Séminaire fut organisé par la Commission continentale pour les femmes de l'Organisation des coopératives d'Amérique, et permit en même temps un rapprochement de l'ACFQ et de l'Alliance coopérative internationale.

1978-1979 - Préparation d'un programme de sensibilisation pour le public canadien sur les problèmes de participation féminine dans le développement coopératif de l'Amérique latine. Ce programme a été réalisé de 1978 à 1979 donnant lieu ainsi à deux autres voyages d'étude.

Février 1979 - Voyage d'étude en Haïti et à Porto-Rico des cinq coopératrices du Québec afin d'étudier le problème des coopératives d'artisanat et le rôle de la femme dans le développement coopératif de ces pays.

L'équipe des coopératrices était multidisciplinaire, à savoir: Mme Carmelle Bérubé, présidente de l'ACFQ; Mme Louise Dion, du Conseil de la coopération du Québec; Mme Violette Gendron, professeur d'agronomie de Sainte-Anne-de-la-Pocatière; Mme Marina Gagnon, spécialiste en artisanat et membre de l'ACFQ d'Alma, et Mme Norah Humérez-Comtois, spécialiste en éducation coopérative et en andragogie de l'université de Sherbrooke.

Ce voyage d'étude a donné des résultats concrets. Ainsi, l'ACFQ recommande au Conseil de la coopération du Québec et à l'Agence canadienne de développement international de financer les projets envisagés en Haïti. Ces projets concernaient les domaines de l'irrigation, de l'artisanat, de la santé, de l'agriculture et de la coopération[32].

Mai 1979 - Visite au Québec des trois coopératrices de l'Amérique latine (Chili et Pérou) pour étudier le travail de l'ACFQ et amorcer des mécanismes de coopération pour la réalisation des projets coopératifs impliquant les femmes.

Deux grands principes guidèrent les actions conjointes de l'ACFQ et l'université de Sherbrooke: 1) pratiquer la coopération internationale dans un cadre permettant l'échange entre partenaires plutôt que la simple relation "donateur-donataire" et 2) rester à l'écoute de demandes provenant des coopérateurs en appuyant les projets formulés conçus par les coopérateurs des pays participants.

L'implication de l'ACFQ continue à se faire sentir sur la scène provinciale et internationale. Son travail a toujours été concret et la continuité dans ses actions témoigne de l'engagement social de cette association. Cependant, elle n'a pas reçu tout l'appui auquel on aurait pu s'attendre de la part d'autres instances coopératives et des agences de financement, ce qui amène l'Association à s'interroger sur son étape de consolidation. Certains indices de cette étape tendent à démontrer qu'un appui sensible à l'ACFQ pourrait bien signifier un jalon important dans le cadre du nouveau projet coopératif québécois.

E Étape de consolidation (1979-1981)

Dès mai 1978, Mme Carmelle Bérubé, présidente de l'Association coopérative féminine du Québec, lançait un nouvel appel à la solidarité des coopératrices afin de permettre l'évolution du rôle de l'Association. Les commentaires suivants de Mme Bérubé illustrent ce désir d'évolution, et la volonté grandissante de favoriser la participation des femmes au sein du coopératisme québécois:

> *«La participation des femmes au sein des coopératives et aux postes de décision de celles-ci ne peut avoir qu'un effet bénéfique tant pour le mouvement coopératif que pour la société en général.»*[33]

---

(32) BÉRUBÉ, C., LELIÈVRE-DION, L., GAGNON, M., COMTOIS, N. et GENDRON, V. ***Haïti - Puerto Rico : Mission coopérative féminine***. Québec: ACFQ, mai 1979.

(33) BÉRUBÉ, C. "L'Association coopérative féminine désire élargir son rôle à l'ensemble des coopératives". ***Ensemble!***. Québec: Conseil de la Coopération du Québec, 1er mai 1978, p. 56.

Selon Mme Bérubé, les femmes peuvent et doivent être en mesure d'exercer une influence profonde sur le mouvement coopératif, et d'orienter son développement vers les besoins individuels et collectifs ressentis au sein de la communauté, tant sur le plan social que sur le plan économique.

En dépit du nombre assez stable des membres de l'Association à ce moment (994 en 1978), Mme Bérubé envisageait les perspectives d'avenir avec une certaine inquiétude, surtout en raison de l'insuffisance financière de l'Association par rapport à ses responsabilités croissantes. Concernant cette situation, C. Bérubé interrogea les dirigeants du mouvement coopératif québécois sur la problématique posée par l'ACFQ:

> *«Nos perspectives d'avenir sont teintées d'inquiétude. Combien de temps pourrons-nous continuer sans une aide assurée, budgétable? La bonne volonté devient vite insuffisante dans une association, même si c'est une association coopérative et féminine, il faut un strict minimum pour fonctionner. Nous souhaitons vivement obtenir encore pour 1978-1979 une subvention gouvernementale. Peut-être que plus d'une fédération coopérative nous aidera comme l'a fait cette année, la Fédération de Québec des CPD? Sinon, notre avenir est incertain.»*[34]

Trois années plus tard, en mai 1981, un article dans le même esprit parut dans le *Progrès-Dimanche* de Chicoutimi. Dans cet article intitulé "Association coopérative: les femmes d'Alma sont dynamiques", nous pouvions remarquer que les cercles régionaux de l'ACFQ faisaient des démarches concrètes pour répondre au problème du financement de leurs projets. Ceci nous montra une fois de plus que le problème le plus évident de l'ACFQ était celui d'un financement limité. Voici un extrait dudit article:

> *«45 femmes d'Alma et des environs, engagées et actives, oeuvrent au sein de l'Association coopérative féminine d'Alma... L'Association coopérative féminine n'est pas seulement au service des consommatrices, elle peut participer à des projets mis en avant* [sic] *par une coopérative. Ainsi, en 1979-1980, ce groupe de femmes d'Alma a obtenu $2 400 dans le cadre du programme OVEP (organisme volontaire d'éducation populaire) offert par le ministère de l'Éducation du Québec, direction des adultes. Cette somme a servi à mener une enquête afin de déterminer la clientèle potentielle du deuxième centre de vente COOP situé à Place Saint-Luc d'Alma.»*[35]

---

(34) ***Loc. cit.***

(35) "Association coopérative: les femmes d'Alma sont dynamiques". ***Progrès-Dimanche***. Chicoutimi, 17 mai 1981.

Dans ce même article on soulignait également que, *«aussi curieux que cela puisse paraître, cet organisme ne reçoit aucune subvention du ministère des Institutions financières et des Coopératives*[36].

Pour encourager et sauvegarder le rôle de l'ACFQ, il nous faudrait poser un geste de solidarité important. Tous les paliers du mouvement coopératif québécois peuvent s'impliquer . L'Alliance coopérative internationale a déjà donné son appui à cette association.

Si le travail des coopératrices bénévoles a eu un impact considérable au Québec grâce à l'ACFQ, il est aussi important de regarder l'implication des femmes à d'autres paliers du mouvement coopératif.

9.2.2.2 Le travail des coopératrices au sein des Caisses populaires Desjardins

Dans cette partie, nous allons souligner le travail des coopératrices occupant des postes de direction dans les Caisses populaires Desjardins des régions de l'Estrie et du Bas-Saint-Laurent.

A Région de l'Estrie

Selon des statistiques préparées en 1978 par l'Union régionale de Sherbrooke des Caisses populaires Desjardins, il y avait 137 femmes occupant des postes de direction dans 57 Caisses populaires de cette région[37]. Un bref aperçu nous permet d'avoir une vue d'ensemble des paliers administratifs où ces femmes sont le plus présentes. Il se peut que la même situation se répète dans d'autres régions du Québec:

Conseils de surveillance	56 femmes
Conseils d'administration	31 "
Comités d'éducation	4 "
Commissions de crédit	12 "
Comptables	3 "
Agents de crédit	1 "
Directeurs adjoints	4 "
Directeurs	26 "
Total	137 femmes

---

(36) ***Loc. cit.***

(37) ***Liste de femmes occupant des postes de direction dans les Caisses populaires des Cantons-de-l'Est***. Sherbrooke: Union régionale de Sherbrooke des Caisses populaires Desjardins, 1978.

Il faut souligner que dans la région de l'Estrie il n'existait aucun cercle de l'Association coopérative féminine, du moins jusqu'en 1981.

D'autre part, une étude faite à Sherbrooke en 1978 par Sylvia Morin et Gaétane Fournier, et portant sur la participation des femmes de la région au pouvoir décisionnel dans le développement économique, montre que les coopératrices sont assez impliquées.

Les extraits suivants de cette étude concernant la région de l'Estrie témoignent du degré de participation des coopératrices:

CAISSES POPULAIRES

L'Union régionale des Caisses populaires regroupe 79 caisses dont 25 sont gérées par des femmes, soit environ 31%. Dans la ville même de Sherbrooke toutefois, aucune femme n'est gérante de Caisse. C'est donc dans les municipalités rurales que l'on retrouve les femmes gérantes des caisses.»[38]

AUTRES COOPÉRATIVES

«... aux assemblées générales annuelles des caisses, la participation des femmes est de beaucoup inférieure à celle de l'homme. L'on peut risquer que les femmes se sentent moins concernées que les hommes par l'administration de leur Caisse populaire.»[39]

«Les femmes jouent un rôle intéressant dans l'établissement des coopératives. Dans les secteurs de l'alimentation et des services funéraires, les femmes sont très conscientes des problèmes sociaux. Elles connaissent les situations problématiques et elles sont prêtes à s'impliquer pour essayer de les résoudre.»[40]

«À Sherbrooke, il existe une dizaine de coopératives dans les domaines alimentaire, agricole, funéraire et résidentiel... Au sein des conseils d'administration, en moyenne, les femmes occupent 25% des sièges.»[41]

Il est évident, selon ces statistiques, que la formule coopérative intéresse les femmes du point de vue social et économique. Il serait intéressant de vérifier quelle a été l'évolution de cette participation dans l'Estrie,

---

(38) FOURNIER, G. et MORIN, S. ***Des femmes au pouvoir***. Sherbrooke: Les éditions Sherbrooke, 1978, p. 51.

(39) ***Ibid***. p. 53.

(40) ***Ibid***. p. 56.

(41) ***Loc. cit***.

de 1978 à 1982.

Toujours selon cette étude, si l'on fait une comparaison entre la participation des femmes au pouvoir exécutif dans les coopératives par rapport à la participation des femmes dans les banques et les industries de Sherbrooke, les coopératives l'emportent.

« *10% des banques sont dirigées par une femme.*

- *3.7% des industries ont une femme comme directeur ou président de la compagnie.*
- *25% des sièges des conseils d'administration dans les coopératives sont occupés par des femmes.*»[42]

B Région du Bas-Saint-Laurent

En ce qui concerne la région du Bas-Saint-Laurent, nous avons voulu nous pencher non pas sur des statistiques globales concernant la participation des femmes dans les coopératives, mais plutôt sur le cheminement d'une seule femme. Nous avons pris le cas de Mme Monique Vézina-Parent, présidente de la Fédération des Caisses populaires Desjardins du Bas-Saint-Laurent depuis 1976.

Nous reproduisons ici une partie de l'entrevue accordée en 1981 par Mme Vézina à "D'Entre Nous" et reproduite dans "ENSEMBLE!" sous le titre *«Comment une femme ordinaire devient-elle présidente d'une Fédération des Caisses populaires Desjardins?»:*

M.C. Patry — *«Qu'est-ce qui vous a amenée à la Fédération?*

Mme Vézina-Parent - *J'ai suivi un cheminement normal. Au sortir de mon cours commercial, j'ai travaillé dans une institution financière, la Banque Royale; c'était dans les années 50. J'étais nationaliste de par mon grand-père qui était nationaliste et aussi de par l'engagement que je venais de vivre et des conditions de travail. J'avais le goût de m'impliquer davantage socialement parlant. Je me suis mariée, j'ai eu des enfants et je me suis impliquée au fur et à mesure des*

---

(42) FOURNIER, G. et MORIN, S. ***Des femmes au pouvoir.*** Sherbrooke: Les éditions Sherbrooke, 1978, p. 57.

expériences personnelles que je vivais.»(43)

M. C. Patry - *Que pensez-vous du rôle des femmes dans le mouvement des Caisses populaires Desjardins?*

Mme Vézina-Parent - *Personne ne sera surpris d'apprendre que si le mouvement des Caisses populaires Desjardins est né, c'est en grande partie grâce aux femmes. Et je dis souvent que les femmes ont joué un rôle aussi important que les hommes. À la fondation d'une caisse, l'assemblée nommait le bédeau* [sic] *et automatiquement c'était la femme qui faisait le travail. La femme administrait et gérait les affaires quotidiennes, le mari surveillait et cautionnait les décisions de sa femme et souvent il recevait le salaire. Les femmes ont joué leur rôle avec générosité, avec leur coeur. Voilà pourquoi je dis que les femmes sont à la base du mouvement des Caisses populaires Desjardins.»*(44)

En somme, après avoir analysé le travail de l'ACFQ et celui des femmes au sein des Caisses populaires Desjardins, il s'ensuit que la valeur de ces actions mérite d'être reconnue et appuyée par le mouvement coopératif et le public en général.

Cependant, la participation des femmes au coopératisme québécois peut aussi se réaliser sous d'autres aspects leur permettant un accès plus élargi aux activités coopératives. Les mécanismes peuvent varier de l'implication des femmes dans la recherche sur les coopératives et dans la formulation des projets de développement coopératif à la formation systématique des femmes leaders et professionnelles de la coopération. Les femmes peuvent aussi jouer à long terme un rôle important dans la concertation coopérative régionale et dans la promotion féminine au sein du mouvement coopératif.

À ce propos nous adhérons à la pensée de Roger Vidier, selon laquelle *«... une des grandes mutations coopératives d'ici l'an 2000 devrait*

---

(43) D'ENTRE NOUS et VÉZINA-PARENT, M. "Comment une femme ordinaire devient-elle présidente d'une Fédération des Caisses populaires Desjardins". ***Ensemble!***. Québec: Conseil de la coopération du Québec, 23 janvier 1981, vol. 28, n° 1, p. 8.

(44) ***Loc. cit.***

être l'avènement de la coopératrice... [45] ».

Dans la troisième partie de ce document, nous proposons certaines bases pouvant faciliter l'émergence de divers modes de participation des femmes au coopératisme québécois. Avant, il nous faut encore faire un bref bilan des expériences d'implication des jeunes dans le coopératisme québécois.

9.2.3 Les expériences d'implication des jeunes dans le coopératisme québécois

L'implication des jeunes dans le coopératisme québécois est encore à l'état embryonnaire et sporadique, même si elle existe depuis les années 40 comme nous le soulignerons plus tard. Au préalable, nous ferons un tour d'horizon sur la question de la participation des jeunes aux projets collectifs en général.

9.2.3.1 Problématique et réalisations

Si les opinions sont souvent partagées quant à l'égalité souhaitée et préconisée des droits et responsabilités des hommes et des femmes de toutes sociétés, il arrive que ces mêmes opinions soient presque unanimes concernant l'avenir de ladite société qui dépendra du concours des nouvelles générations. Nous parlons donc du «nouveau sang» à injecter dans les domaines social, intellectuel, culturel, politique, économique et technologique de la société. Nous parlons aussi de la nécessité d'assurer «une relève efficace». Et avec une plus forte dose d'idéalisme, nous parlons du «printemps» que représentent nos jeunes, de leur idéalisme nécessaire non seulement à la survie, mais aussi au développement de la société. En somme, consciemment ou non, nous songeons à un avenir meilleur grâce à nos jeunes.

Cependant, la véritable participation des jeunes aux projets collectifs de la société ne correspond pas nécessairement aux discours des adultes ni aux souhaits des jeunes; elle est souvent incomprise.

Le développement de la jeunesse a été traditionnellement assuré par les trois grands détenteurs de la destinée des jeunes d'un pays: la

---

(45) VIDIER, R. "La femme et la coopérative". ***Revue des études coopératives***. Institut français de la Coopération, 1980, n° 200.

Cet article a été reproduit dans la revue ***Ensemble!*** du 28 novembre 1980, n° 20, p. 4.

famille, les institutions éducationnelles et l'État. Très souvent, leurs postulats sur ce problème ont été contradictoires: surtout quand il s'agissait des réformes éducationnelles et de la participation des jeunes à la vie économique et politique de la société. Les jeunes ont été très souvent l'objet plutôt que le sujet de ces débats et, en contrepartie, ils ont créé eux-mêmes leur propre sous-culture, soit par un sentiment d'insécurité, d'idéalisme ou par le désir de s'évader d'un monde de plus en plus matérialiste et violent qui ne laisse plus de place ou très peu à la solidarité de base. Partout prolifèrent les communautés des «enfants de la paix» qui souvent laissent le monde adulte indifférent ou perplexe. Ceci est surtout vrai dans le monde occidental et est plus accentué en Amérique du Nord et en Europe. Les jeunes d'autres continents ont choisi une voie plus tranchante, une contestation plus politisée, jusqu'à l'offrande de leur vie, dans leur lutte contre les injustices économiques et sociales dont leur peuple est victime.

C'est seulement quand la tension éclate que nous nous rendons compte du fossé de plus en plus creux et dangereux qui se crée entre le monde des jeunes et celui des adultes. Si nous sommes conscients du message que les jeunes veulent véhiculer, nous avons souvent de la difficulté à en saisir les aspects positifs. Mais c'est précisément à partir de cette *première réalisation du contenu positif du message des jeunes* que nous pourrions mieux comprendre l'importance de rapprocher ces deux mondes apparemment condamnés à vivre séparés. Cette réalité est aussi applicable au monde coopératif.

Ainsi, à partir des éléments positifs du discours des jeunes, des initiatives informelles surgissent afin d'amener les jeunes et les adultes à un dialogue plus créateur. Diverses institutions culturelles et sociales collaborent aujourd'hui avec la famille, les institutions éducationnelles et le gouvernement pour la formation de la jeunesse. Et là, nous arrivons à la *deuxième réalisation urgente*, le passage des jeunes au monde des adultes, lequel devrait se faire sans aucune brisure. Cet élément a été très bien prévu par différentes sociétés communautaires. Dans ces sociétés, on encourage les jeunes à exercer leur rôle de citoyens à partir du plus jeune âge par l'intégration progressive de certaines valeurs fondamentales, comme celle de vivre sa liberté avec responsabilité.

Si le fait de devenir un citoyen responsable et épanoui est une tâche de longue haleine, il en est de même pour ce qui est de devenir un véritable coopérateur. Nous considérons que les jeunes Québécois sont capables de relever ces deux défis.

Finalement, nous en arrivons à une *troisième réalisation*: les jeunes demandent et ont le droit d'être traités comme des personnes à part entière et non pas comme des éléments marginaux. Les propos d'un étudiant du CÉGEP à l'occasion de la Semaine de l'éducation qui eut lieu en avril 1980 et qui avait pour thème, «Être citoyen, ça vaut le coup», illustrent cette aspiration des jeunes.

> *«J'ai vingt ans, le corps d'un homme et quelques idées personnelles, mais socialement je suis encore un enfant. J'ai grandi dans un monde que d'autres, avec patience et amour, ont bâti. J'ai suivi le chemin qui m'était tracé, et aujourd'hui, je suis insatisfait. Je réclame le changement...»*[46]

C'est donc dans le cadre des besoins et des aspirations des jeunes — c'est-à-dire l'importance du message des jeunes et son contenu positif, le besoin des jeunes d'exercer leur rôle de citoyens, et le droit des jeunes d'être traités comme des personnes à part entière — que nous situons l'apparition des projets coopératifs imaginés, élaborés, réalisés et gérés par des jeunes ou avec un apport considérable de ceux-ci.

La voie du coopératisme peut faire grandement avancer les jeunes en encourageant leurs attentes profondes d'épanouissement, plutôt que la satisfaction des besoins de nature purement consommatrice. En fait, la force du coopératisme peut aider les jeunes — comme elle le fait avec les adultes — à trouver l'équilibre entre l'économique et le social.

Puisque chaque génération doit inventer et créer sa propre histoire, que chaque génération doit découvrir et créer les manières de s'exprimer et son message unique, le coopératisme peut agir comme catalyseur de créativité pour l'apport inestimable que les jeunes peuvent faire à leur propre développement et pour celui de la société. Aussi le coopératisme peut-il agir comme le mécanisme catalyseur du désir de participation des jeunes.

L'appui à la participation des jeunes dans les projets collectifs et coopératifs s'avère important au Québec, d'autant plus que le système éducationnel québécois se trouve à un carrefour où les tendances et les réformes prônent l'établissement d'une école "pour la vie", c'est-à-dire d'une école "agent de changement social", d'une école centrée sur le développement de la personne et liée à la culture.

Avant de proposer de nouvelles avenues coopératives concernant la participation des jeunes, il faudrait (comme nous l'avons fait dans la

---

(46) "L'éducation, ça vaut le coup!" ***Journal de l'Association d'éducation du Québec.*** Semaine de l'éducation, 13-19 avril 1980.

section relative aux femmes) rappeler ce qui s'est déjà fait dans le domaine au Québec.

9.2.3.2 Les expériences coopératives des jeunes du Québec

En ce qui concerne la pratique de la coopération chez les jeunes, les expériences québécoises que nous avons choisi de souligner dans ce document correspondent à quatre types d'implication: 1) les coopératives étudiantes; 2) l'animation coopérative dans les écoles, plus particulièrement au Saguenay—Lac-Saint-Jean; 3) les initiatives d'encouragement des jeunes provenant du mouvement coopératif québécois; et 4) la recherche universitaire sur l'enseignement de la coopération dans le système scolaire.

A Les coopératives étudiantes

Finalité

À travers leur évolution, les coopératives étudiantes québécoises ont été des écoles d'initiation à la coopération et aussi à la gestion des affaires. C'est dans cette même optique que ce type de coopérative évolue ailleurs.

Angel Izquierdo Duarte, coopérateur équatorien reconnu et spécialiste dans le domaine du coopératisme scolaire, explique la raison d'être des coopératives étudiantes en des termes qui nous semblent également applicables au cas québécois. Cet auteur nous dit que:

> *«Si les coopératives étudiantes existent, c'est pour faire face à leurs problèmes économiques et à des besoins plus spécifiques et pour résoudre ces problèmes en utilisant leurs propres moyens... Aucune personne qui se sent véritablement jeune ne tient à laisser ses affaires aux mains d'autrui; elle cherche plutôt à résoudre ses problèmes par elle-même et avec efficacité, c'est-à-dire, elle cherche à devenir maître de son destin.»*[47]

Au Québec, déjà en 1965, Jean-Guy St-Martin et George Dragon, dans leur ouvrage intitulé *Maître de notre destin par le coopératisme*, se penchaient sur cet aspect de recherche d'autonomie des coopératives étu-

---

(47) IZQUIERDO DUARTE, A. ***Manual de Cooperativismo Estudiantil***. 2e éd. Équateur: Quito, 1970.

diantes. Leur travail servit d'introduction aux séances d'étude sur les différents aspects de la coopérative étudiante, patronnée par l'Union générale des étudiants du Québec.

Selon St-Martin et Dragon, eux-mêmes étudiants à l'époque, il existait en 1965 trente-trois coopératives et trente-cinq Caisses populaires en milieu étudiant. Ces mêmes auteurs définissent le coopératisme en milieu étudiant comme étant *«... une formule d'éducation active qui utilise un moyen économique pour atteindre ses fins*[(48)]*»*.

La deuxième partie de *Maître de notre destin par le coopératisme* est un traité sur la manière d'organiser une coopérative de consommation en milieu étudiant. Aussi cet ouvrage fait-il appel au civisme, à la collaboration et au réalisme de tous les étudiants.

Lorsque la Fédération des coopératives étudiantes du Québec fut fondée en 1947, elle regroupait près de quarante coopératives.

Selon St-Martin et Dragon, la Fédération *«... joua vers les années 1950-51 un rôle de tout premier plan dans le domaine de l'éducation*[(49)]*»*. Les mêmes auteurs affirment que *«Le Mouvement coopératif étudiant des années 40 ne connut pas le succès auquel il aspirait pour deux raisons fondamentales: la disparition de la Fédération et le manque de continuité dans la relève étudiante*[(50)]*»*. Dans une certaine mesure ces problèmes persistent encore aujourd'hui. Comment peuvent-ils être solutionnés?

La décennie 80

Le développement irrégulier des coopératives étudiantes au Québec a provoqué des consultations et des négociations diverses entre les dirigeants de ces coopératives et ceux d'autres secteurs du mouvement coopératif et des instances gouvernementales. Ceci a permis l'amorce progressive du dialogue.

Ainsi, la décennie 80 marque une étape de renouveau pour les coopératives étudiantes, une étape porteuse d'avenir. Le mouvement coopératif québécois en général aurait beaucoup à gagner en se solidarisant avec les jeunes coopérateurs, au-delà du système de parrainage proposé après la levée du moratoire qui pesait sur les coopératives étudiantes.

---

(48) ST-MARTIN, J.-G. et DRAGON, G. ***Maître de notre destin par le coopératisme.*** Québec: UGEQ, 1965, p. 31.

(49) ***Ibid.*** p. 14.

(50) ***Loc. cit.***

Une lueur d'espoir est survenue lorsque les coopératives étudiantes ont participé au Sommet économique sur la coopération en 1980. À l'occasion de ce Sommet, le représentant des coopératives étudiantes, M. Gaétan Bourdonnais, déplorait *«... l'attitude quelque peu paternaliste du gouvernement et du mouvement coopératif face aux coopératives étudiantes...*[51]». À cette même occasion, M. Bourdonnais obtient du ministre des Coopératives l'assurance que deux représentants des coopératives étudiantes siégeraient désormais au comité mis en place pour planifier un programme de développement.

Il apparaît que la reconnaissance des droits des jeunes coopérateurs à la pleine participation à leur développement a favorisé de manière évidente la réflexion et la consultation au sein des coopératives étudiantes. Ce nouvel intérêt s'est concrétisé à l'occasion de la réunion de Victoriaville en novembre 1980, à laquelle participaient une vingtaine de coopératives.

Deux décisions importantes furent prises au cours de l'assemblée de Victoriaville. D'une part, le principe d'un regroupement fut accepté ainsi que la création d'un comité provisoire pour préparer un dossier complet qui devrait être soumis à une autre assemblée générale au printemps 1982. Le travail du comité comprend: 1) la cueillette d'informations pertinentes, 2) l'élaboration d'une enquête sur les besoins et les attentes des coopératives étudiantes, et 3) la tenue d'un colloque provincial où les coopératives seront appelées à prendre une décision finale sur les plans de développement[52].

Il faut rappeler que selon le répertoire des coopératives du Québec 1981, publié par le ministère des Institutions financières et des Coopératives du gouvernement du Québec, il y avait au 31 mars 1981 trente-neuf coopératives étudiantes dans la province, réparties de la manière suivante: Bas-Saint-Laurent—Gaspésie (2), Saguenay—Lac-Saint-Jean (4), région de Québec (9), Trois-Rivières (2), Cantons-de-l'Est (2), région de Montréal (19) et Nord-Ouest (1).

En définitive, les jeunes s'impliquent davantage au sein de leurs coopératives. Nous souhaitons qu'au printemps 1982 le jalon qui les conduira vers des projets inédits et fructueux soit posé.

---

(51) "Sommet sur la Coopération - Coopératives étudiantes: lieu de formation par excellence". ***Ensemble!*** Québec: Conseil de la coopération du Québec, 22 février 1980, vol. 27, n° 3.

(52) "Nouvelles sur la réunion de coopératives étudiantes à Victoriaville". ***Ensemble!*** Québec: Conseil de la coopération du Québec, 28 novembre 1980, vol. 27, n° 20, p. 4.

B L'animation coopérative en milieu scolaire au Saguenay—Lac-Saint-Jean

Dans le domaine de l'animation coopérative en milieu scolaire au Québec, l'expérience du collège de Jonquière s'avère unique. Depuis à peu près six ans, ce collège prépare une *Semaine de la Coopération* qui est une organisation sans but lucratif à caractère éducatif et une activité d'intercoopération au Saguenay—Lac-Saint-Jean.

La *Semaine de la Coopération* qui met en relation des acteurs du milieu scolaire, des praticiens de la coopération et des représentants d'autres organismes prône l'éducation et la sensibilisation à la coopération chez les étudiants, jeunes et adultes (clientèle du jour et du soir).

Objectifs

Deux objectifs de la *Semaine de la Coopération* nous semblent directement liés à la formation des jeunes coopérateurs:

Informer la communauté collégiale et la population environnante sur les objectifs et le fonctionnement des coopératives qui existent ou sont en formation dans leur milieu.

Apporter une formation complémentaire aux étudiants du collège.

Activités

Jusqu'en 1980, quatre activités principales faisaient partie de cette *Semaine*[53]:

Kiosques permanents d'information sur le mouvement coopératif de la région, préparés par les coopératives locales.

Conférences et ateliers sur des thèmes coopératifs présentés et animés par des praticiens de la coopération.

Exposition et vente d'objets d'art et d'artisanat des coopératives des pays en voie de développement (Entraide universitaire mondiale du Canada). Cette activité est aussi appelée *Caravane*.

Théâtre d'animation présenté par les étudiants du collège de Jonquière.

---

(53) ***Semaine de la Coopération.*** Dépliants. Collège de Jonquière. 1979, 1980.

La *Semaine de la Coopération* est évaluée à chaque année par les étudiants des différentes sections du collège, mettant ainsi en évidence leur capacité professionnelle. Les résultats de l'évaluation de la *Semaine de la Coopération* (1980) montrent un haut degré de satisfaction de la part des étudiants.

Parmi les 181 répondants étudiants, 28 affirmaient que l'information qu'ils ont retenue des *conférences* porte sur le fonctionnement de la coopérative, et 34 considéraient avoir appris comment fonder une coopérative. Finalement, 169 des 181 répondants étaient d'accord sur la nécessité de répéter l'expérience[54].

La *Semaine de la Coopération* qui, au début, était organisée par le Service d'animation du collège de Jonquière, en collaboration avec les représentants des coopératives participantes et le comité de l'Entraide universitaire mondiale du Canada, s'est donné à partir de 1981 une régie interne et un comité permanent pour assurer sa continuité et une meilleure coordination.

Cette activité d'animation coopérative en milieu scolaire au Saguenay—Lac-Saint-Jean, à laquelle ont participé de nombreuses personnalités du mouvement coopératif québécois depuis sa création, est une initiative qui mérite d'être encouragée. Elle met en évidence l'esprit coopératif et la valorisation de la pratique coopérative d'une région.

Nous nous demandons si dans l'avenir cette *Semaine de la Coopération* ne pourrait pas s'étendre à la grandeur du Québec, tout en conservant son caractère régional.

C Les initiatives d'encouragement des jeunes provenant du mouvement coopératif québécois

Le mouvement coopératif québécois encourage les jeunes de diverses manières: par exemple, il y a les concours patronnés par les différentes fédérations, la sensibilisation à la coopération dans le cadre de Jeunesse Canada Monde et le système de bourses d'étude et de recherche instauré par la Fondation Girardin-Vaillancourt. Voici certaines informations plus détaillées:

---

(54) ***Évaluation de la Semaine de la Coopération***. Jonquière: collège de Jonquière, 1er décembre 1980, document photocopié.

La contribution des "Pêcheurs unis" du Québec

En 1980, *Pêcheurs unis du Québec* organisait un concours de dessins d'enfants sur le thème de la pêche. Ce concours était accessible aux familles des personnes ayant été au service de *Pêcheurs unis* en 1980. L'âge des enfants participants variait de 5 à 12 ans(55).

Ce concours devait permettre à la Fédération coopérative de disposer d'une banque de dessins pouvant servir éventuellement à des fins de promotion de l'industrie québécoise de la pêche.

La sensibilisation dans le cadre de Jeunesse Canada Monde

Jeunesse Canada Monde et le mouvement coopératif québécois se rapprochent davantage pour contribuer à la formation des jeunes. D'une part, en 1980, avec le concours du Conseil de la coopération du Québec, des sessions de sensibilisation à la formule coopérative ont été offertes à des jeunes de 20 à 30 ans, au siège social de Jeunesse Canada Monde(56). D'autre part, diverses coopératives des régions du Québec ont déjà accueilli depuis quelques années des jeunes stagiaires canadiens et étrangers participant aux échanges de Jeunesse Canada Monde.

Cette collaboration entre le mouvement coopératif québécois et Jeunesse Canada Monde pourrait donner des résultats extrêmement positifs si elle était définie et organisée de manière plus systématique dans le sens éducatif et formatif.

La Fondation Girardin-Vaillancourt

La Fondation Girardin-Vaillancourt, créée en octobre 1979, est financée par les Caisses populaires Desjardins, les fédérations, la Confédération, les institutions du mouvement Desjardins et d'autres institutions du secteur coopératif.

Selon un article publié dans *ENSEMBLE!*(57), les buts de cette Fondation sont:

---

(55) "Nouvelles sur le concours de dessins pour enfants patronné par Pêcheurs unis du Québec". ***Ensemble!*** Québec, 14 novembre 1980, vol. 27, n° 19, p. 11.

(56) "Jeunesse Canada Monde et la formule coopérative". ***Ensemble!*** Québec, vol. 27, n° 19, p. 15.

(57) "Nouvelles sur la Fondation Girardin-Vaillancourt". ***Ensemble!*** Québec, 1979.

Promouvoir l'éducation et la recherche dans les domaines de la coopération, de l'économie, de l'administration et des sciences humaines.

Accorder des bourses à des personnes désirant poursuivre des études dans des institutions canadiennes et étrangères.

Subventionner certaines institutions poursuivant des recherches au Canada ou y assurant l'éducation dans les domaines précités.

Par exemple, pour la période 1980-1981, la Fondation a accordé 97 bourses, dont 14 à des étudiants de l'université de Sherbrooke.

La contribution de la Fondation Girardin-Vaillancourt constitue un appui financier pour le développement intellectuel des jeunes, ce qui pourrait les inciter à s'engager plus profondément dans l'action coopérative.

La recherche universitaire sur l'enseignement de la coopération dans le système scolaire

Les programmes d'enseignement de la coopération existant au Québec s'adressent surtout à la clientèle des niveaux collégial et universitaire. Ces programmes sont échelonnés sur une gamme qui varie du certificat à la maîtrise en coopération. Parallèlement, il existe aujourd'hui un désir de la part du mouvement coopératif et du gouvernement du Québec d'intégrer l'enseignement de la coopération dans le système scolaire à tous les paliers, et ceci dans une optique d'éducation permanente, c'est-à-dire d'une manière progressive et continue. C'est l'Université du Québec à Chicoutimi qui a pris l'initiative dans ce sens en amorçant une recherche. Elle a reçu, pour l'année 1981-1982, une subvention du fonds FCAC (programme de Formation des chercheurs et d'action concertée des ministères de l'Éducation et des Institutions financières et coopératives).

La recherche mentionnée ci-dessus et à laquelle nous avons le privilège de participer n'en est qu'à ses débuts. Elle est dirigée par Gilles Comtois, professeur à l'Université du Québec à Chicoutimi. L'équipe de recherche s'attend de pouvoir élaborer les fondements nécessaires à un enseignement progressif de la coopération en s'inspirant des valeurs et des méthodes qui lui sont propres. D'autre part, nous tiendrons compte de l'importance de situer la méthode pédagogique sur un continuum d'apprentissage en fonction du savoir, du savoir-faire et du savoir-être coopératifs à partir du niveau primaire. Une hypothèse importante concernant le modèle d'éducation coopérative prévu par cette recherche est d'entrevoir la participation active des étudiants à l'élaboration et à l'exécution des activités coopératives au sein de leur établissement éducationnel. Les premiers résultats de la recherche seront présentés en juin 1982.

Nous pouvons voir alors que les initiatives diverses concernant l'appui des jeunes du Québec à la coopération se multiplient, la sensibilisation et l'information ayant constitué jusqu'à maintenant les interventions les plus courantes. Nous proposerons dans la quatrième partie de ce document certaines autres modalités qui pourraient permettre l'implication plus directe des jeunes dans l'action coopérative.

En conclusion, nous pouvons affirmer qu'il y a un grand potentiel de développement de la pratique de la coopération chez les jeunes au Québec. Dans la décennie 80, il faudrait mettre en valeur la capacité de ces jeunes à participer et à partager, leur volonté d'agir comme bâtisseurs de projets inédits, comme porteurs d'un message social, comme entrepreneurs et comme agents de développement communautaire. Un certain degré d'originalité s'avère nécessaire dans ce domaine.

Pour terminer cette partie, nous laissons le lecteur avec le message suivant que monsieur Adrien Rioux, Sous-ministre associé aux coopératives, adressait aux participants de la *Semaine de la Coopération 1981* à Jonquière:

> *«Les coopératives qui entourent nos écoles doivent y entrer concrètement et l'école entrera dans les coopératives... il doit s'établir un lien aller et retour entre l'école et les coopératives du milieu.»*[58]

9.3 LES NOUVELLES MODALITÉS DE PARTICIPATION DES FEMMES ET DES JEUNES AU PROJET COOPÉRATIF QUÉBÉCOIS

9.3.1 Le renouvellement coopératif

Après avoir fait un tour d'horizon des différentes expériences coopératives auxquelles participent plus directement les femmes et les jeunes au Québec, nous permettant ainsi de mieux comprendre leur engagement et leurs problèmes, nous pouvons maintenant proposer d'autres modalités de participation de ces deux groupes de citoyens au développement coopératif.

---

(58) RIOUX, A. ***L'École et la coopération***. Allocution prononcée par le Sous-ministre associé aux coopératives, ministère des Institutions financières et coopératives, gouvernement du Québec, à l'occasion de l'inauguration de la Semaine de la Coopération au cégep de Jonquière, le 3 novembre 1981.

À notre avis, les principes coopératifs de la *solidarité*, de la *démocratie* et de *l'autogestion* devront être à la base des nouvelles modalités de participation. Ces principes-clés favorisent le développement communautaire, processus dans lequel hommes et femmes d'âges divers peuvent s'épanouir ensemble.

Le projet coopératif québécois, tel que conçu par notre groupe de réflexion, nous amène nécessairement à des considérations sur le renouvellement de la société. Voici nos réflexions à ce propos.

9.3.1.1 Le projet coopératif et la nouvelle société

Le concept d'une nouvelle société basée sur la pratique de valeurs telles que la solidarité, la démocratie et l'autogestion doit contenir l'idée intrinsèque que les citoyens peuvent devenir sujets et maîtres de leur propre destin. Le mouvement coopératif peut faciliter le cheminement de la personne dans ce sens, en lui donnant les possibilités de réflexion et d'action pour une vie plus digne et valorisante. Cette démarche impliquera nécessairement un certain réajustement des relations sociales sur plusieurs plans, dans la société en général et dans les coopératives.

Nous souhaitons que, dans le contexte d'un nouveau projet collectif, le coopératisme soit une véritable option de changement et non un palliatif, qu'il puisse contribuer d'une manière efficace, profonde et humanitaire à l'organisation économique et sociale d'un peuple. La force sociale du coopératisme se retrouve au sein de l'organisation populaire.

9.3.1.2 Les principes-clés

Pour mieux situer les nouvelles modalités de participation des femmes et des jeunes au projet coopératif québécois, nous reprendrons les trois principes-clés déjà mentionnés: la solidarité, la démocratie et l'autogestion.

A La solidarité

La solidarité est un principe d'action coopérative qui se manifeste à la fois chez les individus et chez le groupe coopératif. Une des fonctions importantes de la coopérative est de promouvoir l'appartenance communautaire et l'engagement envers autrui. La solidarité se manifeste par la volonté de chacun de solutionner les problèmes qui concernent la communauté.

B La démocratie

La démocratie est le principe coopératif qui prône la possibilité, pour toute personne, d'accéder aux informations, aux services et aux pouvoirs de la société. La démocratie cherche à favoriser la pleine satisfaction des besoins de l'homme. Dans le monde actuel, il existe parfois une démocratie abstraite et fictive. Au sein des coopératives, nous devrions chercher à instaurer et à pratiquer une démocratie plus authentique et tangible.

C L'autogestion

L'autogestion est le pouvoir que les groupes ou les communautés se donnent pour chercher des solutions à leurs propres problèmes, en ayant accès au contrôle des moyens de production et au processus décisionnel. L'autogestion permet la participation plus égalitaire aux bénéfices résultant d'une action à laquelle les personnes ont apporté leur travail. En somme, l'autogestion permet de travailler et de produire plus humainement et équitablement; elle reflète l'aspiration profonde de l'homme à s'autodéterminer.

Mais quel est l'enjeu pour les femmes et les jeunes face à la pratique des principes soulignés ci-dessus?

9.3.2 L'enjeu pour les femmes et les jeunes

9.3.2.1 L'enjeu pour les femmes

La rencontre des différentes forces politiques et sociales sur la scène québécoise d'aujourd'hui place les femmes devant une alternative majeure: pour accéder à un degré de participation acceptable au sein de la société, leur faut-il prendre le chemin de la libération personnelle ou celui de l'engagement social? Il nous semble que le coopératisme, en favorisant fortement l'engagement social, permettra aussi la libération personnelle et ceci s'applique aussi bien aux hommes qu'aux femmes. Les principes de solidarité, de démocratie et d'autogestion mis en pratique peuvent aider à accroître le niveau d'engagement social et de libération personnelle.

Il est important de comprendre que les coopératrices, comme toutes les autres femmes, en sont arrivées aujourd'hui à un point où il importe de changer les attitudes qui existent dans la société face au travail professionnel, aux obligations familiales, à l'expression de soi et à la participation socio-politique. De nouvelles avenues sont proposées par une gamme de regroupements féminins et sociaux, et le mouvement coopératif ne peut rester indifférent à ce désir de changement.

9.3.2.2 L'enjeu pour les jeunes

Quant aux jeunes, l'enjeu consiste en une question d'acceptation ou de refus des modèles culturels qui prévalent actuellement et pour lesquels la société demande instamment leur assentiment.

L'école joue aujourd'hui un rôle prépondérant dans la socialisation des jeunes. D'une part les anciens modèles culturels ne semblent plus répondre aux aspirations des jeunes, et d'autre part les nouveaux modèles provenant d'une société technologique sont aliénants. Il semble y avoir une absence de valeurs dans les projets de la jeunesse. Nous croyons que le coopératisme peut faciliter l'intégration des jeunes dans un processus évolutif de la société en adoptant lui-même une attitude plus engagée.

9.3.2.3 Une coopération authentique

Selon ses bases doctrinales, le coopératisme prône la libération de la personne. Cependant, dans la pratique coopérative on remarque souvent un manque évident de conscientisation des sociétaires quant à leurs responsabilités sociales. Peut-être le temps est-il venu d'en arriver à une pratique coopérative plus authentique en cherchant l'équilibre entre les deux grandes fonctions, sociale et économique, du coopératisme.

Par sa *fonction sociale*, le coopératisme veut faciliter l'épanouissement total de la personne et son intégration communautaire, l'établissement de l'égalité des droits pour tous et chacun et la participation active de tous les membres au projet collectif. Ainsi le coopératisme contribue-t-il au développement communautaire.

Par sa *fonction économique*, le coopératisme veut faciliter le bien-être matériel de la personne sans diminuer sa dignité. Il doit donc exercer une influence bénéfique sur la vie économique d'une société en participant au développement des secteurs de la production, des finances, de la consommation, de l'économie locale et nationale, etc. Cette contribution est très importante à une époque où l'instauration d'une économie solidaire est de plus en plus nécessaire pour contrecarrer les effets négatifs de l'automatisation et des forces économiques sous-jacentes.

Donc, de par sa nature, le coopératisme répond au concept moderne du développement qui, selon les participantes au cinquième cours du Projet de promotion du coopératisme dans la région des Andes, «...

implique des réarrangements sociaux, politiques et économiques qui contribuent d'une part à établir des liens plus étroits et solides entre les personnes et d'autre part, à faciliter l'accès de ces personnes à un degré suffisant de pouvoir et de participation dans la société[59]». Si ce concept correspond bien à la problématique de développement de l'Amérique latine, nous considérons qu'il est aussi pertinent, jusqu'à un certain point, dans celui des sociétés post-industrielles.

9.3.3 Les valeurs inhérentes à l'action innovatrice

Si nous avons mis en relation la réflexion sur le coopératisme en tant que projet collectif et le rôle joué par les femmes et les jeunes dans ce projet, c'est parce que nous croyons que leur sort est étroitement lié.

La formation coopérative des jeunes peut aider à changer progressivement les conceptions erronées existant dans la société face au rôle et au statut de la femme. En retour, une plus grande implication des femmes, en tant que coopératrices et formatrices, peut aider les jeunes à trouver leur place dans la configuration des nouvelles valeurs et des nouvelles options propres à une société post-industrielle.

À notre avis, le projet coopératif québécois est le lieu privilégié où l'on pourrait encourager des pratiques diverses qui faciliteraient l'adoption et l'intégration des valeurs essentielles à l'épanouissement des individus dans une société moderne. Hommes et femmes, jeunes et adultes, nous pouvons tous contribuer à la diffusion des nouvelles valeurs. Selon l'analyse de Carrisse et Dumazedier sur la condition féminine dans les sociétés post-industrielles, les valeurs qui entrent en jeu dans les actions innovatrices sont d'ordre culturel, scientifique, technique, esthétique et éthique[60]. Nous considérons que le même type de valeurs s'applique à l'innovation coopérative:

1) *Valeurs culturelles* qui permettront l'innovation et la création de tissus collectifs solides.

2) *Valeurs scientifiques* qui encourageront le goût de la découverte et de la recherche en vue de trouver les solutions à des

---

(59) Fundacion Konrad Adenauer. ***Cooperativismo y Desarrollo. Proyecto Fomento del cooperativismo en la Zona Audena (Bolivia, Colombia, Chile, Ecuador, Paraguay), Informe Final***. (Quinto Curso Internacional sobre el papel de las cooperativas en el desarralo de la comunidad. 18-28 junio 1979, Conocoto, Ecuador.

(60) CARRISSE, C. et DUMAZEDIER, J. ***Les Femmes innovatrices: problèmes post-industriels d'une Amérique francophone, le Québec***. Paris: Éditions du Seuil, 1975, p. 127.

problèmes concrets.

3) *Valeurs techniques* qui permettront d'atteindre un certain degré d'efficacité par le travail communautaire, c'est-à-dire les valeurs techniques au service de l'homme.

4) *Valeurs esthétiques* qui aideront à développer le sens d'un milieu physique et culturel favorable à une vie digne et prospère.

5) *Valeurs éthiques* qui aideront à développer une philosophie de la vie, une fibre morale qui nous permettra de relever de gros défis avec un haut degré de responsabilité personnelle et collective.

Grâce à la pratique de ces nouvelles valeurs, l'action coopérative contribuera à devenir ce que Jacques Grand'Maison avait déjà proposé: "une société relationnelle, remettre en cause l'échelle des valeurs de la société techniciste... s'unir par la pointe des enjeux vitaux. Ceci concerne hommes et femmes".

9.3.4 Les nouvelles modalités de participation des femmes et des jeunes au projet coopératif québécois

Conformément aux idées déjà proposées concernant les valeurs d'une société post-industrielle en quête d'un *modus vivendi* plus coopératif, nous considérons que les nouvelles activités auxquelles les femmes et les jeunes pourraient participer plus activement au sein du projet coopératif québécois, concernent plusieurs paliers d'implication.

Si les véritables acteurs de ces activités doivent effectivement être les femmes et les jeunes, la collaboration et l'appui des diverses institutions coopératives seront, par contre, d'une grande valeur. À ce sujet, nous ne ferons que mentionner les nouvelles modalités de participation. Il appartiendra aux personnes intéressées de se prononcer sur la pertinence desdites modalités et de les adapter selon leurs besoins. Ici, notre intention consiste à suggérer quelques recommandations concernant l'amélioration.

9.3.4.1 Les nouvelles modalités de participation des femmes au projet coopératif québécois

	Rôle	Action proposée
1.	Comme membres des coopératives:	Animation du développement communautaire.
2.	Comme employées des coopératives:	Accès à la formation supérieure en vue d'une promotion et d'un traitement salarial adéquats.
3.	Comme dirigeantes des coopératives:	Accès au leadership et participation aux différents comités (conseils).
4.	Comme gestionnaires des coopératives:	Recherche de l'implantation de la qualité de la vie au travail.
5.	Comme éducatrices:	Participation au sein des équipes multidisciplinaires d'enseignement et de recherche sur la coopération.
		Participation active à la formulation et à l'exécution des programmes de formation et d'éducation coopérative pour les jeunes.
6.	Comme citoyennes:	Participation sur le plan de la diffusion des valeurs coopératives grâce à l'organisation de groupements de base et des projets communautaires propres à chaque région.
7.	Comme mères de famille:	Participation à l'élaboration des projets éducatifs et coopératifs dans les écoles.
8.	Comme ambassadrices:	Participation aux colloques et séminaires nationaux sur la coopération.
		Participation aux délégations coopératives à l'étranger et représentation auprès des

	organismes internationaux de la coopération.
9. Comme travailleuses:	Participation à l'organisation des coopératives ouvrières de production et à d'autres formes de travail autogestionnaire.

La pleine participation des coopératrices aux activités mentionnées ci-dessus continuera sans doute à améliorer ce qui se fait déjà dans ce domaine et apportera au projet coopératif québécois des dimensions nouvelles jusqu'à maintenant timidement abordées.

9.3.4.2 Les nouvelles modalités de participation des jeunes au projet coopératif québécois

1. Participation au renouveau des coopératives étudiantes.
2. Organisation de pratiques coopératives informelles dans les écoles et les institutions éducationnelles aux niveaux secondaire, collégial et universitaire.
3. Organisation des Comités de jeunes coopérateurs au sein des diverses coopératives en vue d'amorcer une réflexion sur le projet coopératif conjointement avec les sociétaires plus âgés.
4. Organisation de Conseils régionaux de la jeunesse coopérative et organisation de rencontres interrégionales concernant l'implication des jeunes dans le projet coopératif québécois.
5. Échange entre jeunes coopérateurs du Québec et ceux d'autres régions du Canada et d'autres pays.
6. Organisation de loisirs à caractère coopératif et de voyages vacances-études en collaboration avec les coopérateurs plus âgés.
7. Formation de jeunes dirigeants, coopérateurs à partir de l'école primaire.
8. Organisation de projets d'amélioration communautaire par les jeunes coopérateurs du même quartier en intégrant d'autres jeunes dans le mouvement.
9. Organisation de coopératives culturelles.

Il est bien évident que le déroulement de ces activités pour les jeunes favorisera la compréhension du phénomène coopératif en tant qu'engagement personnel et collectif plutôt qu'en fonction de la rentabilité uniquement.

CONCLUSION

Tout ce qui a été présenté dans ce chapitre contribue à nous démontrer que le coopératisme peut participer à la transformation de l'homme en un être conscient et agissant.

Notre dernière proposition est que le mouvement coopératif québécois pourrait assumer un nouveau rôle en facilitant davantage la formation de "l'homme social". Ceci implique la conception de nouvelles stratégies d'action coopérative orientées surtout en fonction de la formation des jeunes. La relève d'un mouvement social ne peut être aléatoire.

La conjoncture actuelle nous oblige à une implication majeure dans la formation de "l'homme social", c'est-à-dire de la personne capable d'accéder à des degrés plus élevés de conscientisation et de participation au sein des coopératives et dans la société globale. Les femmes et les jeunes peuvent contribuer à l'adoption de ce nouveau rôle, puisqu'ils se situent au carrefour des forces de changement.

Assumer la responsabilité de la formation de "l'homme social" est un défi et signifie une implication profonde dans la recherche des solutions à la grande préoccupation du monde moderne: retrouver sa dignité humaine. Chaque personne doit trouver en elle-même non seulement le sens de sa dignité mais aussi celle qu'elle partage avec ses semblables. La prise de conscience des résultats de ce postulat constitue déjà une force de déplacement; sa mise en application peut constituer la tâche essentielle de tous les coopérateurs.

Chapitre 10

Coopération et primauté du consommateur

par Jacques Boisvert

INTRODUCTION

La notion de *primauté du consommateur* n'est pas chose nouvelle en milieu coopératif. Après la Seconde Guerre mondiale, Charles Gide livrait à ses étudiants cette pensée:

> *«Les coopératistes, eux, ne se contentent pas de dire comme les économistes: tout pour le consommateur, ils disent aussi: tout par le consommateur. C'est lui qui doit gouverner.»**

De plus, Gide mentionnait, entre autres, la proclamation par les capitalistes de la royauté du consommateur dans l'ordre économique régissant les transactions de l'époque, et précisait que le secteur coopératif devait prendre réellement au sérieux cette proclamation. Or, où en est le mouvement coopératif québécois en 1982, en ce qui concerne la primauté du consommateur?

Lors d'une brève conférence au colloque de l'Université coopérative internationale, tenu le 27 août 1980, monsieur Gaston Rioux, président de la Fédération des magasins COOP, proposait onze conditions principales pour un développement coopératif québécois d'ici à l'an 2 000. Parmi

---

* Tirée de:
LAMBERT, P. ***La Doctrine coopérative***. 3e éd. Bruxelles: Les Propagateurs de la coopération, 1964, 373 p.

ces onze conditions, sept portaient de près ou de loin sur la primauté que le mouvement coopératif devrait accorder aux consommateurs:

- *Il faudra imaginer un certain nombre de nouveaux moyens pour* rejoindre les générations montantes *et les femmes en provenance de toutes les régions du Québec.*
- *Plusieurs mouvements* coopératifs étrangers de consommateurs *ont atteint une ampleur et ont vécu des expériences qui mériteraient d'être mieux connues.*
- *Il est nécessaire d'intégrer toutes ces nouvelles techniques qui* facilitent le travail des coopérateurs et des employés *sans que nos entreprises de services perdent nécessairement leur caractère coopératif et* personnalisé.
- *Les coopératives régionales devront acquérir une dimension coopérative qui permettra* une participation réelle de leurs adhérents.
- *Le mouvement devra soigner son image coopérative et faire ressortir davantage ses différences au cours des deux prochaines décennies: type d'entreprise, co-propriété de la part des familles membres, intérêt proconsommateurs, notion qualité des services, santé,* pouvoir d'achat aux consommateurs. *Les coopératives devront fournir un effort important en ce sens.*
- *Notre mouvement devra mettre de l'avant des mesures qui nous permettront de mieux atteindre nos objectifs* (programme de formation des dirigeants, magasin-école, crédit d'impôt, programme d'épargne-coopération, collaboration avec l'Office de la protection du consommateur, etc.).
- *Notre mouvement devra démontrer que les coopératives sont la* propriété des familles membres des différents milieux et qu'elles ne sont pas là pour exploiter le consommateur mais pour servir leurs membres propriétaires.

Comme vous pouvez le constater, la tâche à accomplir au cours des vingt prochaines années afin de privilégier le consommateur québécois est considérable.

Enfin, une autre dimension qu'il ne faut pas négliger en milieu coopératif est l'intégration de la primauté du producteur, du citoyen et du consommateur, comme le précise Lambert dans *la Doctrine coopérative* (1964).

Compte tenu de ce qui précède, nous proposons une approche-marketing qui permettrait de faciliter la mise en place de méthodes d'information, afin d'optimiser la satisfaction des consommateurs membres et de tendre vers l'instauration de la primauté des consommateurs: c'est l'approche "résolution de problèmes".

10.1 LE COOPÉRATISME ET LE MÉTA-MARKETING: À LA RECHERCHE D'UN COOPÉRATEUR CONSOMMATEUR AUX BESOINS IDENTIFIÉS

La chasse aux sorcières est maintenant chose du passé. Le temps où le marketing était synonyme d'exploitation, de capitalisme, d'antisocial et de créateur de besoins est révolu. L'éducation a fait du coopérateur des années 1980 un consommateur averti pour qui la majorité des recherches et des actions-marketing ont pour but avant tout de lui offrir la meilleure solution possible à son problème, la concurrence faisant office d'agent motivant en ce sens.

C'est sous ce climat favorable qu'est apparue la notion de méta-marketing. Ce n'est rien de plus que l'application du marketing aux organismes et institutions dont l'objectif n'est pas le profit mais bien l'amélioration du mieux-être économique et social des membres d'une société. Les principaux utilisateurs du méta-marketing sont des organismes tels que les associations professionnelles, les administrations municipales, les institutions coopératives, les sociétés artistiques, les organismes de santé et les systèmes publics.

En fait, quelle institution coopérative ne cherche pas à obtenir le maximum d'informations sur ses membres actuels et potentiels, sur leurs objectifs, leurs opinions, leurs attitudes, leurs préférences et, préalablement à tous ces renseignements, *leurs besoins*? Peut-on accuser ces institutions d'exploiter leurs membres ou, au contraire, doit-on les gratifier de chercher à connaître les besoins de leurs membres afin de leur proposer des solutions adéquates, compte tenu des possibilités dont elles disposent?

À titre d'exemple, citons un entrefilet paru dans la revue *Entre-Gens*, en septembre 1979:

> *«Placement-Boni... Dépôt à termes... Prêt hypothécaire... Inter-caisses... Des services, la Caisse populaire en a beaucoup!*
>
> - *Doit-on offrir Impôt-service?*

- *Est-ce que Placement-Boni répond à un besoin des membres?*
- *Quel groupe pourrait-on atteindre en offrant le service des obligations?*
- *Quel service permettrait d'atteindre une nouvelle clientèle?*
- *Comment organiser le service immatriculation des véhicules automobiles?*
- *Faudrait-il publiciser les prêts hypothécaires?*
- *Y a-t-il des concurrents sur le territoire de la Caisse populaire qui peuvent nuire au service de dépôt à terme?*

... Il faudrait faire une étude pour que ces services soient profitables.»[1]

Dans une Caisse populaire, les services doivent être gérés. Il ne suffit pas simplement d'offrir un ensemble de services; encore faut-il satisfaire les besoins des membres en leur offrant des services appropriés. D'ailleurs, n'est-ce pas la raison d'être des Caisses populaires? La gestion des services repose sur un processus bien défini: des études doivent précéder l'offre de service, une organisation adéquate doit permettre sa mise en marché, etc.

Le méta-marketing consiste donc en l'application de la technologie du marketing à des organismes gouvernementaux sans but lucratif et autres, dont l'excédent des revenus est distribué aux membres. Le cadre d'intervention du méta-marketing englobe donc, selon les principaux auteurs, les associations où le bénévolat est fondamental. Toutefois, nous croyons opportun d'y inclure les coopératives qui, d'une part, n'ont pas pour objet principal la réalisation de projets et, d'autre part, doivent concurrencer des entreprises à caractère lucratif[2].

Mis à part les objectifs qui sous-tendent la mise en marché des institutions et la commercialisation de leurs produits et de leurs services, les activités-marketing sont sensiblement les mêmes. Ainsi, l'obtention d'informations sur les membres actuels et potentiels, sur leurs besoins, leurs intérêts, leurs opinions, leurs activités, leurs sources d'information, leurs problèmes et leurs façons de les résoudre, leurs désirs, etc. est nécessaire

(1) ***Entre-Gens.*** Sept. 1979, vol. 2, n° 7, p. 10.

(2) À titre d'exemple, notons seulement le cas des Cooprix qui desservent à la fois des membres et des non-membres, et qui font face à une concurrence très forte de la part des autres grandes chaînes d'alimentation.

et doit être constamment mise à jour. C'est précisément dans cette recherche d'informations préalable à la mise en marché et aux activités continues pour bien connaître le processus de solution de problèmes des membres actuels et potentiels que s'inscrit une démarche en vue de satisfaire de façon optimale les besoins du consommateur. C'est là que la primauté du consommateur prend tout son sens et passe du domaine de l'éventuel à la réalité.

Or, pour atteindre effectivement cet objectif de satisfaction et de primauté du consommateur et du membre, il est nécessaire pour toute coopérative d'identifier les besoins de ses membres actuels et potentiels. Certes, la coopérative de consommation de quartier qui compte 30 familles membres connaît personnellement chacun de ses membres actuels, ne recherche peut-être pas de membres additionnels et accorde à chacun de ses membres une primauté. Ainsi les besoins sont bien identifiés puisque la décision de satisfaction est prise par ceux qui désirent satisfaire leurs propres besoins. Toutefois, ce n'est pas le cas des coopératives où les décisions-marketing sont déléguées par les membres à un groupe de gestionnaires, ni des coopératives de production où les acheteurs consommateurs ne sont pas nécessairement des membres. Aucune raison apparente ne nous permet de prétendre que des renseignements sur le comportement du consommateur ont moins de valeur pour les coopératives que pour les entreprises à caractère lucratif.

Évidemment, l'utilisation par l'organisme de l'information sur le processus de résolution de problèmes peut, à l'occasion, être qualifié d'abusive en vue d'exploiter le consommateur. Ce qui est à condamner dans ce cas c'est l'objectif de base de la recherche de l'information et non la recherche de l'information proprement dite. De plus, il ne faut pas oublier que la primauté, dans son sens strict, et tout autant en milieu coopératif qu'en milieu lucratif, englobe trois dimensions fondamentales: consommateur, producteur et citoyen.

L'objectif de la coopération qui, par définition, ne véhicule pas la notion d'exploitation du consommateur par le producteur mais plutôt celle de la satisfaction de l'un par l'autre, doit donc résider dans la recherche, par l'un, d'informations sur l'autre, afin de répondre à ses besoins du mieux possible. La coopérative doit toutefois chercher le juste équilibre entre la primauté du consommateur, celle du producteur et celle du citoyen, c'est-à-dire que le consommateur doit voir ses besoins comblés sans que cela ne fasse du producteur un pourvoyeur défavorisé et du citoyen un "payeur" de subventions "désavantagé" en faveur du producteur. La primauté a tout de même son cadre limitatif et ne doit pas être une source de conflits entre les principaux intervenants dans le système, qu'il soit coopératif ou autre.

Notre propos étant celui de la primauté du consommateur, nous nous concentrons sur celui-ci tout en postulant que la primauté du consommateur ne doit et ne peut être acquise au détriment de celles du producteur et du citoyen. Le méta-marketing dans ce contexte spécifique peut alors s'appliquer, et nous proposons à cette fin la méthode de résolution de problèmes.

10.2 L'APPROCHE "RÉSOLUTION DE PROBLÈMES": UN CADRE ANALYTIQUE FACILITANT LE PASSAGE DU STADE PROTECTIONNISTE AU STADE RÉSOLUTIF

L'approche "résolution de problèmes" est le processus par lequel un individu identifie un problème, recherche des possibilités de solution, évalue ces possibilités et opte pour celle qu'il juge optimale, afin d'établir l'équilibre entre la situation désirée et la situation réelle.

Du point de vue du producteur, c'est-à-dire du fournisseur de solutions visant à la satisfaction du consommateur, la méthode de résolution de problèmes implique dans un premier temps l'identification du besoin du consommateur pour ensuite rechercher la meilleure solution selon les circonstances.

La méthode "résolution de problèmes" permet à tout organisme qui l'utilise de se définir un cadre analytique où le consommateur devient l'élément fondamental du mécanisme de mise en marché d'un produit ou d'un service. L'objet de l'approche n'est pas de promouvoir la surprotection du consommateur mais bien la satisfaction de ses besoins fondamentaux dans la mesure du possible, sans toutefois faire injustice aux producteurs et aux citoyens.

Trop de coopératives ont joué et jouent encore un rôle protectionniste. Fournir aux membres et aux consommateurs en général le maximum d'informations et les meilleurs critères évaluatifs en vue de résoudre un problème de consommation s'inscrit, en partie, dans un cadre décisionnel plutôt que dans un cadre protectionniste. Toutefois, lorsqu'on ne fournit qu'une partie de toute l'information ou lorsque les critères évaluatifs sont volontairement limités, on joue un rôle de protectionniste, on restreint la satisfaction du consommateur et, par ricochet, on provoque la régression, à moyen ou à long terme, du mieux-être de l'organisation, de la société et de ses membres.

La différence entre le succès et l'insuccès dans la mise en marché d'un produit ou d'un service réside très souvent dans la satisfaction engendrée par le produit ou le service. Évidemment, d'autres variables influent sur cette satisfaction ou tout au moins sur la recherche de cette satisfaction par le consommateur. Toutefois, un choix plus ou moins imposé lors d'un achat et qui se traduit par un écart entre l'état désiré et l'état actuel du consommateur, l'amènera à chercher la satisfaction de son besoin ailleurs. Même si une coopérative offre une voie vers la satisfaction des besoins, donne-t-elle à ses membres et à ses consommateurs toute l'information disponible et offre-t-elle la solution optimale aux besoins de ces derniers?

Nous croyons qu'aucune forme d'institution, qu'aucun produit, qu'aucun service ni qu'aucune société ne peuvent se glorifier de satisfaire le mieux possible un besoin particulier pour un ensemble d'individus. Si cela existait, pourquoi retrouverions-nous dans ce monde contemporain plus d'une forme de société, dans une société plus d'une forme d'institution (privée, publique, coopérative, etc.), et au sein de ces institutions plus d'un produit ou plus d'un service, et plus d'une marque pour un même produit? Et par-dessus tout, pourquoi chacun de ces éléments répondrait-il mieux et serait-il consommé au lieu des autres offerts? La réponse réside dans la primauté du consommateur.

C'est le consommateur qui ressent ses besoins, qui recherche l'information, l'analyse, évalue les possibilités selon ses critères, effectue un choix et pose un acte. Ainsi, l'offreur qui sait le mieux répondre aux besoins d'un segment particulier saura obtenir les faveurs de ce segment.

Pourquoi existe-t-il au sein de la collectivité québécoise plusieurs institutions bancaires, coopératives ou capitalistes(3)? plusieurs chaînes d'alimentation(4)? plusieurs marques pour un même produit(5)?...

Une hypothèse de réponse parmi d'autres serait celle d'une satisfaction limitée des consommateurs par une seule institution, un seul produit et une seule marque, c'est-à-dire l'exercice par le consommateur de sa primauté individuelle. Ce que l'ensemble des institutions coopératives doivent rechercher, c'est précisément la meilleure satisfaction possible des besoins des Québécois, et ce, par une meilleure connaissance des at-

---

(3) Coopératives: Le mouvement des Caisses populaires et de crédit Desjardins, les Caisses d'entraide économique, etc.
Entreprises privées: Les banques à charte et la Banque d'épargne.

(4) Provigo, IGA, Métro-Richelieu, Cooprix, etc.

(5) Conserves: Provigo, Aylmer, Lesieur, COOP, etc.

tentes de ces derniers afin d'améliorer constamment l'offre. Cela implique le passage d'un stade protectionniste à un stade résolutif.

Afin d'atteindre cet objectif, nous proposons la méthode de résolution de problèmes à partir de ses diverses composantes, ce qui constitue l'objet de la prochaine section.

10.3 LA RÉSOLUTION DE PROBLÈMES: LES FONDEMENTS DE LA PRIMAUTÉ DU CONSOMMATEUR

Cette troisième partie a pour but, dans un premier temps, de présenter la méthode de résolution de problèmes comme modèle d'analyse du phénomène et, dans un deuxième temps, d'examiner les moyens à mettre en place afin de connaître et de comprendre le processus visant à faire du consommateur le sujet à privilégier dans le processus de mise en marché.

La méthode de résolution de problèmes comprend plusieurs phases que nous allons examiner maintenant une à une: l'identification d'un problème, l'identification du comportement du consommateur face à ce problème, la révision des connaissances actuelles concernant le marché, l'élaboration de propositions concrètes afin de répondre aux besoins identifiés, la recherche de la ou des solutions du problème, les actions à poser afin de solutionner le problème et l'évaluation post-action.

10.3.1 L'IDENTIFICATION D'UN PROBLÈME

Cette première phase dans le processus de résolution de problèmes amène les chercheurs et les décideurs en matière de commercialisation à tenter d'obtenir le maximum d'informations afin de répondre, entre autres, aux questions suivantes: Comment les consommateurs identifient-ils leurs besoins? Comment la structure psychologique individuelle de chaque consommateur influe-t-elle sur l'identification du besoin? De quelles façons les influences de l'environnement affectent-elles la hiérarchie des besoins et l'identification d'une différence entre l'état actuel et l'état désiré, faisant naître le besoin?

Le consommateur devant percevoir un problème avant de chercher à rétablir l'équilibre entre l'état actuel et l'état désiré par l'acquisition d'un bien ou d'un service, l'organisme qui désire lui accorder la primauté doit comprendre le processus d'identification du problème. Or, ce processus est complexe et résulte d'un grand nombre de variables interagissant les unes sur les autres.

La nature du processus, c'est-à-dire une différence intolérable entre la situation réelle et la situation désirée, comprend un nombre important de variables: d'abord les influences internes tels les motifs, les caractéristiques de la personnalité, les attitudes, les valeurs et les critères évaluatifs, auxquels s'ajoutent les influences externes tels la culture, la situation sociale, les groupes de référence, la famille et l'environnement matériel.

De plus, nous devons considérer et distinguer trois types de processus: processus simple, processus peu complexe et processus très complexe. Le type de processus dépend du moment, de l'urgence du besoin, du nombre de facteurs d'influence et de l'intensité des attitudes et des motifs qui sous-tendent le processus[(6)].

Ainsi, dans cette première étape, la grille d'information devrait fournir aux dirigeants de la coopérative les renseignements suivants:

- les aspects distincts du processus d'identification en fonction du (des) produit(s) ou du (des) service(s) que la coopérative offre;
- la pondération relative des divers éléments qui entrent dans le processus d'identification;
- l'identification des facteurs qui régissent l'identification d'un problème et qui agissent soit sur la perception de l'état actuel, soit sur la perception de l'état désiré;
- l'information sur la variation du processus d'identification en fonction de chacun des segments de marchés visés dans le cas où plus d'un segment est visé.

L'identification d'un problème se produit généralement lorsqu'une personne perçoit une différence considérable, voire intolérable, entre une situation désirée et une situation réelle.

En principe, une situation désirée est la résultante d'une quantité de composantes propres au consommateur concerné, tels sa personnalité, ses attitudes, ses valeurs et ses critères d'évaluation. La situation réelle résulte de la perception du consommateur vis-à-vis de l'état actuel des choses et de sa situation. Cette situation est fonction de son expérience passée, de l'information accumulée et de l'environnement immédiat dans

(6) L'objet du présent document n'étant pas d'étaler l'ensemble de la théorie, nous renvoyons le lecteur au volume de Block et Roering, ***Profil du consommateur***, H & W, 1977, chap. 11. On y décrit le processus d'identification d'un problème.

lequel il évolue. Cet état de problème résulte donc d'une différence suffisamment grande entre l'état désiré et l'état actuel. Or, c'est précisément ce déclencheur qu'il est nécessaire de connaître afin de prévoir les besoins du consommateur et les "solutions" éventuelles à offrir sur le marché.

Quel est l'état actuel du secteur coopératif en matière de processus d'identification du problème?

10.3.2 La précision du comportement en matière de recherche d'information

Au départ, il faut bien réaliser que la recherche d'informations n'est pas une condition nécessaire à tous les achats qu'effectue un consommateur. Il est évident que pour la majorité des achats courants le rétablissement de l'équilibre entre l'état actuel et l'état désiré, c'est-à-dire la résolution du problème, peut être envisagé immédiatement, compte tenu des informations déjà accumulées en mémoire lors d'expériences passées.

Or, dans le cadre coopératif moderne où la primauté se veut l'égalité entre le producteur, le consommateur et le citoyen[7], l'offre coopérative se veut une solution valable pour la satisfaction des besoins d'une bonne partie de la population. Il importe donc d'identifier les moyens d'information les plus efficaces pour toucher le marché visé. Lorsqu'un processus de recherche est amorcé en raison d'un déséquilibre entre l'état actuel et l'état désiré, il est dû au fait que la valeur perçue de l'information anticipée est supérieure aux coûts occasionnés pour l'obtention et l'utilisation de ladite information.

La quantité et la qualité de l'information accumulée ont une influence sur la décision de rechercher ou non de l'information additionnelle. Or, la perception de cette quantité et de cette qualité de l'information accumulée est fonction:

- de la fréquence passée de l'achat,
- de l'étendue passée de la recherche,
- de la satisfaction face aux informations accumulées,
- du laps de temps entre les achats,
- du changement dans le nombre et la qualité des solutions,
- de la facilité à se souvenir de l'information déjà accumulée et de la pertinence actuelle de cette information,

---

(7) Dans la plupart des cas, les trois se rapportent au même individu.

- du risque perçu dans l'achat,
- de la confiance en soi du consommateur,
- du délai possible avant d'effectuer l'achat.

En outre, à la connaissance de la pertinence des éléments qui influencent la perception de l'information accumulée, il importe que le décisionnaire — désireux de faire de ses consommateurs potentiels des consommateurs à qui on a véritablement accordé une primauté — identifie et pondère les sources d'information utilisées en fonction du genre d'information recherchée.

10.3.3 Élaboration de propositions concrètes afin de de répondre aux besoins identifiés

À cette étape, le coopérateur consommateur recherchera des propositions, c'est-à-dire des informations sur les offres accessibles qui lui permettraient de rétablir l'équilibre entre sa situation actuelle et la situation souhaitée. L'examen des propositions offertes sur le marché se fera généralement par l'analyse de trois grandes sources d'information: l'information contenue en soi-même, l'information issue des sources non contrôlées par les producteurs, et l'information provenant des sources d'information contrôlées par les producteurs.

Dans le contexte coopératif québécois, peut-on présumer que les sources d'information contrôlées (ex.: publicité) par la coopérative d'écoulement de la production sont aussi fiables et impartiales que les sources d'information qu'elle ne contrôle pas (ex.: amis)? La réponse à cette question vient préciser la notion de primauté.

Les informations accumulées en chacun de nous constituent une source que chacun exploite à sa façon et en fonction du problème identifié au stade initial. L'accessibilité à ces sources est fonction de la capacité de l'individu, de sa connaissance du problème et de la pertinence du produit. Comment les coopératives peuvent-elles aider le consommateur à utiliser au maximum ces informations accumulées? La formation constitue une façon déjà amorcée par le mouvement pour répondre à cette question.

Les sources d'information les plus courantes, non contrôlées par les producteurs — c'est-à-dire indépendantes des commanditaires —, sont de différentes natures: les parents, la famille, les amis, les publications et autres médias à caractère indépendant (la publication *Protégez-vous*, l'émission télévisée *Consommateurs avertis*, etc.), les leaders d'opinion et autres sources du même genre. Dans ce cadre d'information indépendant, quels sont les apports de la coopération, et jusqu'à quel point ces apports sont-ils dénués de partialité?

D'autre part — surtout dans le cas du premier achat d'un certain produit —, après avoir perçu le problème et analysé l'information déjà accumulée auprès de sources non contrôlées, bon nombre de consommateurs peuvent déduire qu'ils n'en savent pas suffisamment pour prendre une décision à ce stade, et décident de chercher de l'information auprès des sources externes contrôlées par les commanditaires. Cette recherche peut s'effectuer soit passivement soit activement, selon l'urgence du besoin.

Ainsi, le consommateur deviendra plus réceptif ou plus intéressé à la partie de l'information qui provient de sources contrôlées par le producteur, tels la publicité, la promotion des ventes, les vendeurs et autres sources d'information. Évidemment, le degré d'implication dans cette recherche d'information additionnelle sera fortement influencé par l'état psychologique, la personnalité, la quantité d'information déjà accumulée et l'environnement socio-culturel du consommateur.

Concernant le preneur de décision en milieu coopératif et l'objectif consistant à satisfaire adéquatement le consommateur, il est essentiel d'effectuer des recherches en vue d'obtenir le maximum de renseignements sur le processus de recherche externe, de manière à identifier les sources d'information les plus utilisées par produit et par segment de la population. Offrir le maximum d'information aux consommateurs afin qu'ils puissent effectuer le choix qui soit le plus apte à satisfaire le besoin initialement identifié, n'est-ce pas là un objectif louable pour toute institution coopérative[8]?

En ce qui a trait au processus d'achat et à ses conséquences, les coopératives peuvent encore faire beaucoup afin de favoriser la primauté du consommateur à ce stade du processus de résolution de problèmes.

---

(8) Selon A.F. Laidlaw: «Dans les années à venir, il sera nécessaire pour les mouvements coopératifs à l'échelle nationale et les grandes entreprises coopératives de diffuser des publications consacrées à la recherche et aux études futuristes.»
LAIDLAW, A.F. ***Les Coopératives en l'an 2000.*** Moscou: Alliance coopérative internationale (ACI), oct. 1980.

ILLUSTRATION 10.1: **Page publicitaire typique concernant l'alimentation**

Une journée par semaine, en particulier, les journaux sont inondés de publicité telle que celle-ci. Cette publicité répond-elle aux besoins des consommateurs? À quels types de consommateurs cette publicité s'adresse-t-elle? Quelle est son utilité comparative?...

10.3.4 Actions posées afin de résoudre le problème

Après le cheminement d'une étape du processus décisionnel à une autre, le consommateur arrive à l'étape de la décision d'achat ou de non-achat. Un grand nombre de variables affectent le résultat du comportement d'achat. Les personnes affectées à la vente, l'accessibilité à des facilités de paiement, le choix des couleurs et des modèles, l'offre en matière de prix-qualité, la rapidité du service, l'assistance à l'installation des équipements: voilà quelques-unes des variables qui influent sur l'équilibre pouvant s'établir entre les besoins du consommateur et l'offre commerciale.

L'approche "résolution de problèmes" permet aux preneurs de décision en matière de marketing d'observer, par exemple, qu'un certain besoin est peut-être satisfait par une telle marque d'un tel produit. Ainsi, le consommateur peut adopter une attitude favorable envers cette marque. Satisfait des informations internes et externes accumulées dans le temps, il peut amorcer un processus d'achat de la marque sélectionnée mais ne pas trouver ladite marque chez son détaillant habituel, ou encore la trouver mais à un prix trop élevé ou avec certaines caractéristiques non désirées, rendant ainsi l'achat moins adapté à son besoin.

Enfin, dans certaines situations, les vendeurs en magasin peuvent donner de l'information additionnelle et ainsi déplacer la décision d'achat vers une autre solution (marque-produit) qui confirme davantage l'équilibre entre l'état actuel et l'état désiré. C'est ainsi qu'un choix arrêté à l'étape présente est fréquemment modifié à l'étape de l'achat. Cette modification peut aller jusqu'à la remise à plus tard de l'achat si le consommateur juge que les solutions offertes sur le marché ne sont pas à la hauteur de l'information accumulée ou que la marque et le produit ne sont pas vendus chez le détaillant sélectionné.

Comment la coopérative offre-t-elle ses produits et ses marques aux consommateurs? Par exemple, une coopérative de théâtre qui se déplacerait de village en village permettrait-elle de résoudre plus efficacement la recherche d'équilibre des consommateurs qui désirent une meilleure solution à leurs besoins culturels, ou la décision de demeurer à un même endroit avec une production plus élaborée serait-elle préférable? Cet exemple illustre l'application du processus à l'étape *actions* en milieu coopératif.

10.3.5 Évaluation post-achat

L'évaluation post-achat, c'est-à-dire l'évaluation de la satisfaction que retire le consommateur après l'achat du produit ou, en d'autres termes, l'appréciation par le consommateur de l'équilibre obtenu à la suite de l'achat entre l'état désiré et l'état post-achat, s'avère le dernier maillon du processus de résolution des problèmes.

Ainsi, il est de notoriété commerciale qu'à la suite d'un achat un consommateur devient très sensible à l'information concernant le produit acheté, afin de s'assurer que son acte d'achat était le plus apte à rétablir l'équilibre entre l'état désiré et l'état actuel. C'est ce que l'on qualifie de "réduction de la dissonance cognitive" que chacun d'entre nous ressent après un achat d'une certaine importance.

Par ailleurs l'achat peut, à l'occasion, amorcer des comportements d'achat subséquents. Par exemple, l'achat de bovins de boucherie par un éleveur l'amènera à acheter de la moulée, des produits vétérinaires et de l'équipement additionnel chez son fournisseur qui peut être une coopérative. De même, l'achat d'une première automobile entraînera l'achat de produits complémentaires auprès d'un fournisseur nouveau.

Enfin, il est important de souligner que ce qui a été présenté ici représente le cas d'une résolution extensive d'un problème. Lorsque l'achat devient plus routinier, habituel ou limité, il est évident que chacune des étapes peut s'avérer moins détaillée, voire complètement absente, compte tenu de l'information déjà accumulée ou de la nécessité du besoin. C'est précisément l'ensemble du processus de résolution de problèmes qui est illustré à la page suivante, où apparaissent les étapes et les principaux éléments qui ont été décrits succinctement dans cette section. Les réactions des consommateurs n'étant pas prévisibles à 100%, il faut retenir qu'ils rechercheront une certaine quantité d'informations qu'ils évalueront, ainsi que les principales solutions retenues. En conséquence, ils choisiront le produit et la marque les plus susceptibles de rétablir l'équilibre entre l'état actuel et l'état désiré, si le produit et telle marque sont effectivement vendus sur le marché. C'est l'exercice du droit de primauté du consommateur.

10.4 APPLICATION DE L'APPROCHE DANS LE CAS D'UN MARKETING INTERCOOPÉRATIF

Afin d'illustrer l'application de l'approche "solution de problèmes" et de démontrer son intégration à une dimension coopérative, nous relatons aux pages suivantes les cas de la mise en marché d'un produit intercoopératif, à partir du stade de l'identification d'un besoin jusqu'au stade de commercialisation intensive du produit intercoopératif.

TABLEAU 10.1: **Grille évaluative du programme de l'entreprise visant à connaître le processus de résolution de problèmes des consommateurs**

	FAIBLE	MOYEN	ÉLEVÉ
Situation-marketing de la coopérative			
Identification des particularités du comportement des consommateurs membres et non-membres (résolution de problèmes)			
Programme d'analyse du comportement réalisé par la coopérative ou le mouvement coopératif			
Approfondissement de la théorie des sciences du comportement			
Connaissance du processus de recherche d'informations du consommateur			
Analyse des propositions de solutions offertes par la coopérative			
Recherche d'offres de la coopérative qui amélioreraient la satisfaction des besoins du consommateur			

FIGURE 10.1: Processus ramifié de résolution de problème chez le consommateur

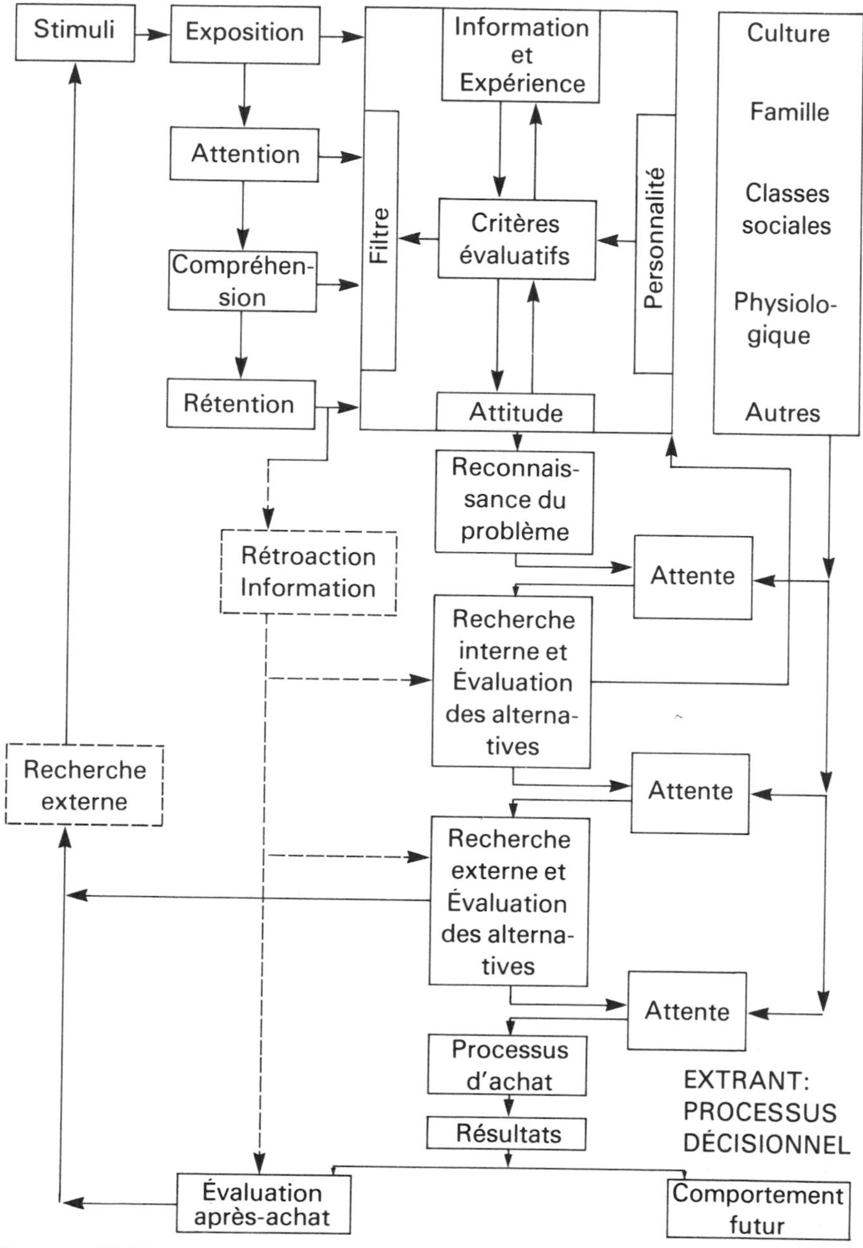

Source: ENGEL, J.F., KOLLAT, O.T. et BLACKWELL, R.D. ***Consumer Behavior.*** © 1968, réédité en 1973 par Rinchart and Winston Inc., et en 1978 par Dryden Press.

10.4.1: Étape 1: l'identification d'un problème

Le CICOM (Comité intercoop marketing), composé de spécialistes de marketing des produits laitiers du Québec, fut créé pour permettre une meilleure identification des besoins des consommateurs québécois et une meilleure utilisation des efforts individuels de marketing.

Après une analyse des différents marchés, des problèmes et des possibilités de chacune des coopératives laitières du Québec, le CICOM s'est penché sur une liste de projets dont l'objet était à la fois d'apporter des solutions à des problèmes identifiés par les consommateurs et de permettre aux producteurs laitiers de vendre leur matière première: le lait. C'est ce qu'il est convenu d'appeler l'analyse des besoins du marché. Après un examen approfondi des différents projets de produit et à la suite d'analyses du marché, c'est-à-dire faites auprès des consommateurs, le CICOM a identifié, entre autres, un besoin du marché: un beurre de qualité supérieure.

Le choix de ce projet spécifique plutôt qu'un autre reposait sur une analyse du marché canadien du beurre, du marché québécois et du marché régional du Québec. Des études appropriées furent également menées afin de connaître la perception des consommateurs québécois en ce qui a trait au problème relié au corps gras utilisé lors de la cuisson et sur les tartines.

De ces analyses de marché, le créneau de marché "beurre distinctif" est apparu comme celui où le besoin du consommateur était le plus évident, c'est-à-dire où l'on observait une demande croissante et encore aucune solution puisqu'un seul producteur offrait un produit répondant à ce besoin.

10.4.2 Étape 2: la précision du comportement en matière de recherche

Par la même occasion, le CICOM procéda dans une étude portant sur le comportement actuel des consommateurs en matière d'achat de beurre et de margarine et en matière d'informations requises avant l'achat.

Ainsi le comité nota, entre autres variables, un fort pourcentage de fidélité exclusive à la seule marque de beurre de qualité distinctive, l'importance des amis et du point de vente comme source d'information, une notion véritable de goût-perçu, l'importance du nom (marque) et de l'emballage en tant que véhicule d'information-produit et la fréquence des achats. Toutefois, le point majeur qui ressortit de cette étude fut l'identification d'un processus d'achat et de captage d'informations se différenciant entre les acheteurs de beurre et les acheteurs de margarine, le tout appuyé sur des usages principaux différents selon le produit. Cela se traduisait par l'existence d'un premier état de déséquilibre causé par la décision d'acheter du beurre ou de la margarine, et d'un deuxième causé par le passage de l'état d'acheteur de beurre conventionnel à celui d'acheteur d'un beurre de qualité distinctive. Ce double écart entre l'état actuel et l'état désiré démontrait clairement un besoin pour une autre possibilité dans l'offre d'un beurre de qualité distinctive et, parallèlement, un besoin d'information sur la nouvelle marque.

10.4.3 Étape 3: élaboration de propositions concrètes afin de répondre aux besoins identifiés

À la suite de cette possibilité permettant de résoudre un problème, relatif au marché du beurre de qualité, le CICOM procéda donc à la troisième étape du processus, soit la conception d'un produit qui répondrait aux besoins des consommateurs et le développement d'une campagne d'information sur le nouveau produit offert sur le marché.

Tout en travaillant à la composition définitive du produit, un positionnement très spécifique fut établi: produit où l'attrait naturel se traduit par la mise en valeur des dimensions goût, qualité et distinction. De ce positionnement précis une stratégie-marketing fut élaborée, c'est-à-dire une proposition concrète sur les composantes-marketing suivantes: produit, prix, distribution et communication. Le produit fut donc conçu de manière à répondre aux besoins relatifs au goût recherché, aux formats recherchés ainsi qu'aux informations requises sur l'emballage. La politique de prix *fut établie en fonction des coûts, des marges habituelles et du prix de la concurrence* de manière à répondre le plus adéquatement possible aux besoins des acheteurs. L'effort de distribution devait maximiser l'utilisation du réseau intercoopératif tout en favorisant la disponibilité du produit pour les consommateurs éventuels. Enfin, la politique de communication fut définie de manière à répondre le plus efficacement possible aux besoins d'information du consommateur, et ce, au moyen d'une stratégie de communication précise.

10.4.4 Étape 4: actions afin de solutionner le problème

La démarche de l'entreprise étant conforme à la démarche du consommateur, nous nous retrouvons à un stade parallèle à celle-ci; l'achat d'un produit pour le consommateur correspond à l'offre du produit pour l'entreprise.

Afin de s'assurer en dernier ressort que le produit répond adéquatement au besoin du consommateur, le CICOM réalisa un test de marché dans la région de Sherbrooke. Une mise en marché identique à celle projetée pour le Québec entier fut donc appliquée dans cette région. L'enquête avait pour but, dans un premier temps, d'apprécier l'efficacité de la communication par le biais du premier achat. L'hypothèse de départ était que si l'information véhiculée par les médias retenus s'avérait efficace, elle devrait se traduire par un premier achat du produit. Dans un deuxième temps, si le produit acheté à la suite de l'information communiquée répondait aux besoins du consommateur, il devrait être racheté.

Les résultats furent probants. En effet, les estimations faites concernant les premiers achats de même que le rachat escompté furent dépassées à un point tel que les détaillants durent augmenter, dans une période d'un mois, l'espace réservé sur les tablettes à la nouvelle marque de beurre intercoopératif. Malgré le succès remporté, le CICOM ne s'arrêta pas là et mena une nouvelle enquête afin de préciser de quelle façon la nouvelle marque avait satisfait le besoin identifié à l'étape 1 du processus de résolution de problèmes.

10.4.5 Étape 5: évaluation post-achat

Conformément au processus de résolution extensive d'un problème, après un premier achat le consommateur évalue la satisfaction qu'il en a retiré. Ainsi, il devenait important pour le CICOM de connaître les aspects de la nouvelle marque qui avaient satisfait pleinement le consommateur et ceux pour lesquels certaines améliorations pouvaient être apportées s'il y avait lieu.

Une enquête téléphonique fut donc réalisée auprès de 600 répondants de la région de Sherbrooke. Les résultats de cette enquête vinrent confirmer que le produit répondait tout autant au besoin physiologique de s'alimenter adéquatement qu'aux autres besoins de sécurité et de prestige.

À la suite de cette enquête qui s'étala sur plus d'un an, le produit fut commercialisé sur l'ensemble du territoire québécois afin d'offrir à un plus grand nombre d'individus une réponse valable à un besoin existant.

En guise de conclusion, mentionnons que dans une économie d'abondance comme la nôtre, des changements adaptés et continus en matière de besoins sont chose courante. Par conséquent, les producteurs réajustent constamment l'offre des biens et services afin de s'adapter à la demande. Cette démarche peut s'avérer désastreuse pour toute institution qui se juge "arrivée", qui se considère détentrice de "la solution" aux besoins des consommateurs, et qui ne perçoit plus la nécessité de chercher toutes les informations concernant l'évolution des besoins dans le temps. Cette institution devient alors centrée sur le produit, reléguant le consommateur au rang d'acheteur, tout en le privant de la primauté qui lui revient au même titre que celle du producteur et du citoyen.

BIBLIOGRAPHIE

BLOCK, C.E. et ROERING, K.J. ***Profil du consommateur***. Montréal: HRW, 1977, 464 p.

BOISVERT, J.-M. "Le consommateurisme". ***Revue pour vendre***. Montréal, 1971.

BOISVERT, J.-M. ***Le Marketing au sein des coopératives***. CEDEC, 1977.

BOISVERT, J.-M. "L'image d'une entreprise coopérative". ***Revue Desjardins***. 1981.

BON, J. "Marketing et consumérisme". ***Marketing Social.*** Vol. 2, n° 4, p. 20-21.

CCQ. ***Les Traits caractéristiques des coopératives.*** 1974.

Conference Board in Canada. ***Handbook of Canadian Consumer Markets***. 1979.

Conférences socio-économiques du Québec. ***L'entreprise coopérative dans le développement économique***. 1980.

ENGEL, J.-F., KOLLAT, O.T. BLACKWELL, R.D. ***Consumer Behavior***. 3e éd. Dryden Press, 1978.

Gouvernement du Québec. ***L'Épargne***. 1980.

IRECUS. ***Bilan socio-coopératif et climat organisationnel***. IRECUS, 1980.

KOTLER, P. ***Marketing for Nonprofit Organization***. Englewood Cliffs: Prentice-Hall, 1975.

LAFLAMME, M. et ROY, A. ***L'Administration et le développement coopératif.*** Montréal: Éditions du Jour, 1978.

LAFRANCE, B. ***Aperçu sur la distribution alimentaire dans la région 04.*** URTR, 1978.

LAIDLAW, A.F. ***Les Coopératives en l'an 2,000.*** Moscou: ACI, oct. 1980.

LAMARCHE, J. ***Coop et Cooprix.*** Montréal: Éditions du Jour, 1971.

LAMBERT, P. ***La Doctrine coopérative***, 3e éd. Bruxelles: Les Propagateurs de la coopération, 1964.

PICARD, J. "Des coopératives, propriété des consommateurs". ***Revue Ensemble***. 24 février 1978, p. 14.

Proceedings. ASAC, 1979 et 1980.

RIOUX, G. "Le développement des coopératives de consommateurs au Québec d'ici l'an 2000, un défi collectif". ***Colloque de l'U.C.I.*** 1980.

"Du client-roi au client-pion". ***Marketing Social.*** Texte de la direction. Vol. 1, n° 4, p. 45-47.

"Le mouvement des Caisses populaires Desjardins et le développement coopératif dans un Québec contemporain". ***Ma Caisse populaire***. 1977, n° 6.

BIBLIOGRAPHIE GÉNÉRALE

ANGERS, F.-A. ***L'Activité coopérative en théorie économique***. Tome II. Montréal: Fides, 1977.

ANGERS, F.-A. ***La Coopération, de la réalité à la théorie économique***. Tome I. Montréal: Fides, 1977.

ARROW, K.J. ***Social Choice and Individual Values***. New York: Wiley, 1951.

ATTALI, J. ***La Parole et l'outil***. Paris: PUF, 1976, p. 34 (Coll. "Économie en liberté").

BASTIEN, R. ***L'Analyse économique de la coopérative: quelques éléments***. Université de Sherbrooke, 1977, miméographié.

BEAUCHAMP, C. "La coopération agricole au Québec, 1938-1953". ***Idéologies au Canada français, 1940-1976*** (sous la direction de F. Dumont, J. Hamelin et J.-P. Montminy). Québec: Presses de l'université Laval, 1981, Tome II, p. 90.

BÉGIN, T. "Une page d'histoire importante qu'il faut connaître et surtout retenir. Un aspect moins connu du Mouvement des Caisses populaires Desjardins: le travail des femmes". ***Ensemble!*** Québec: Conseil de la coopération du Québec, 9 février 1979, vol. 26, n° 3, p. 20.

BÉRUBÉ, C. "L'Association coopérative féminine désire élargir son rôle à l'ensemble des coopératives". ***Ensemble!*** Québec: Conseil de la coopération du Québec, 1er mai 1978, p. 56.

BÉRUBÉ, C., BONEVILLE, J., DEMERS, H., MORIN, L.M. et BOUCHARD, A. ***Rapport du voyage d'études sur les expériences des coopératives de consommateurs françaises et suisses en ce qui concerne l'intégration de la femme dans ces divers organismes coopératifs***. Québec: ACFQ, 1976.

BÉRUBÉ, C., LELIÈVRE-DION, L., GAGNON, M., COMTOIS, N. et GENDRON, V. ***Haïti—Puerto-Rico: Mission coopérative féminine***. Québec: ACFQ, mai 1979.

BIDDLE, W.W. "The "fuzziness" of definition of community development". ***Community Development Journal***. London: Oxford University Press. Avril 1966, n° 2.

BIDDLE, W.W. et BIDDLE, L.J. ***The Community Development Process: the Rediscovery of Local Initiative***. New York: Holt Reinhart and Winston, 1965.

BOISVERT, J.-M. "Le consommateurisme". ***Revue pour vendre***. Montréal, 1971.

BOISVERT, J.-M. "L'image d'une entreprise coopérative". ***Revue Desjardins***. 1981.

BOISVERT, J.-M. ***Le Marketing au sein des coopératives***. CEDEC, 1977.

BOISVERT, M. ***La Correspondance entre le système urbain et la base économique des régions canadiennes***. Conseil économique du Canada, 1978.

BOISVERT, M. ***La Qualité de la vie au travail***. Montréal: les Éditions Agence d'Arc, 1980, 461 p.

BON, J. "Marketing et consumérisme". ***Marketing Social***. Vol. 2, n° 4, p. 20-21.

BOUDEVILLE, J.-R. ***L'Économie régionale: espace opérationnel***. Pub. ISEA, 1958.

BOULDING, E. "Integration into what? Reflections on development planning for women". ***Convergence***. Toronto: International Council for Adult Education, vol. XIII, n°s 1 et 2, 1980, p. 52.

BURNSTEIN, M. et coll. ***Les Canadiens et le travail***. Ottawa: Main-d'oeuvre et Immigration, 1975, 111 p.

CARRISSE, C. et DUMAZEDIER, J. ***Les Femmes innovatrices: problèmes postindustriels d'une Amérique francophone, le Québec***. Paris: Éditions du Seuil, 1975, p. 127.

CCQ. ***Les Traits caractéristiques des coopératives***. 1974.

CHECKLAND, P.B. "Towards a Systems Based Methodology for Real-World Problem Solving". ***Journal of Systems Engineering W 72***. vol. 3, n° 2, p. 100.

CHECKLAND, P.B. "Using a Systems Approach: the structure of a Root Definitions". ***Journal of Applied Systems Analysis***. Nov. 1976, vol. 5, n° 1, p. 77.

COMISION INTERAMERICANA DE MUJERES. ***Plan Regional de Accion para el Decenio de la Mujer in America***. Washington: Organisation des États américains, 1976, p. 6-13.

CONFERENCE BOARD IN CANADA. ***Handbook of Canadians Consumer Markets***. 1979.

CONFÉRENCES SOCIO-ÉCONOMIQUES DU QUÉBEC. ***L'entreprise coopérative dans le développement économique***. 1980.

COSMAO, V. ***Changer le monde***. Centre Lebret, Paris: Cerf, 1979, 189 p.

CÔTÉ, C. et coll. ***L'Animation au Québec***. Montréal: Éditions Albert Saint-Martin, 1978.

CÔTÉ-DESBIOLLES, L. et TURGEON, B. ***Les Attitudes des travailleurs québécois à l'égard de leur emploi***. Centre de recherche et de statistiques sur le marché du travail, gouvernement du Québec, ministère du Travail et de la Main-d'oeuvre, 1979, 145 p.

D'ARAGON, P. et TARRAB, G. (édit.) ***Colloque sur les nouvelles formes d'organisation du travail***. Ottawa: Travail-Canada, 1980, 144 p.

D'ENTRE NOUS et VÉZINA-PARENT, M. "Comment une femme ordinaire devient-elle présidente d'une Fédération des Caisses populaires Desjardins". ***Ensemble!*** Québec: Conseil de la coopération du Québec, 23 janvier 1981, vol. 28, n° 1, p. 8.

DESROCHES, H. ***Apprentissage 2, éducation permanente et créativités solidaires***. Paris: Éditions ouvrières, 1978.

DESROCHES, H. ***Apprentissage en sciences sociales et éducation permanente***. Paris: Éditions ouvrières, 1971.

DESROCHES, H. ***La Pensée coopérative***. Conférence donnée à l'UQAC en septembre 1980; vidéothèque UQAC.

DESROCHES, H. ***Le Projet coopératif***. Paris: Éditions ouvrières, 1976, p. 412.

DESROCHES, M. (édit.) ***La Transformation de l'entreprise et du travail***. Dixième colloque de l'École de relations industrielles. Montréal: université de Montréal, 1979, 102 p.

DION, L. ***Société et politique, la vie des groupes. Tome II: Dynamique de la société libérale***. Québec: P.U.L., 1972, p. 267-416.

DOMENAC, J.-M. "Crise du développement, crise de rationalité". ***Le Mythe du développement*** (sous la direction de C. Castoriadis). Paris: Éditions du Seuil, 1977, p. 22.

DOWNS, A. ***An Economic Theory of Democracy***. New York: Harper and Row, 1957.

DOWNS, A. ***Inside Bureaucracy***. Boston: Little Brown, 1967.

DUMAZEDIER, S. et SAMUEL, N. ***Société éducative et pouvoir culturel***. Paris: Seuil, 1976, p. 156-159.

DUMONT, F. ***Revue Notre-Dame***. Décembre 1975, p. 22.

ENGEL, J.F., KOLLAT, O.T., et BLACKWELL, R.D. ***Consumer Behavior***. Rinchart and Winston, 1968, 1973. Dryden Press, 1978.

ENTRE-GENS. Sept. 1979, vol. 2, nº 7, p. 10.

FAURE, E. et coll. ***Apprendre à être***. Paris: Fayard, 1972, p. 183-187.

FORTIN, G. ***La Fin d'un règne***. Montréal: HMH, 1971.

FORTIN, G. ***La Société de demain: ses impératifs, son organisation***. Annexe 25 du rapport Castonguay-Nepveu, p. 30.

FOURNIER, G. et MORIN, S. ***Des femmes au pouvoir***. Sherbrooke: Les éditions Sherbrooke, 1978, p. 51.

FRÉMONT, A. ***La Région espace vécu***. Paris: PUF, 1976, p. 89 (Coll. SUP, "Le Géographe", nº 19).

FRIEDMAN, J. ***A General Theory of Polarized Development***. Symposium on Growth Center, University of Texas, 1969, non publié.

FRIEDMAN, J. ***Regional Development Policy***. Cambridge: MIT Press, 1966.

FRIEDMAN, J. et A. ***Regional Development and Planning***. Cambridge: MIT Press, 1969.

FUNDACION KONRAD ADENAUER. ***Cooperativismo y Desarolio. Proyecto Fomento del cooperativismo en la Zona Audena (Bolivia, Colombia, Chile, Ecuador, Paraguay), Informe Final***. (Quinto Curso). Internacional sobre el papel de las cooperativas en el desarralo de la comunidad. 18-28 junio 1979, Conocoto, Ecuador.

GAGNON, G. et MARTIN, L. ***Québec 1960-1980. La crise du développement***. Montréal: HMH, 1973.

GALBRAITH, J.K. ***Le capitalisme américain***. Paris: Génin, 1954.

GAYFER, M. "Women speaking and learning for ourselves". ***Convergence***. Toronto: International Council for Adult Education, vol. XIII, nºs 1 et 2, 1980, p. 1-13.

GOULET, D. ***Le Monde du sous-développement: une crise de valeurs***. Allocution présentée au XIe Congrès international du Québec. Québec: université Laval. Centre québécois, des relations internationales, 27-29 septembre 1979.

GOUVERNEMENT DU QUÉBEC. ***L'Épargne***. 1980.

GRAND'MAISON, J. "La femme peut concilier le privé et le public". ***Québécoises du 20e siècle*** (M. Jean). Montréal: Éditions du Jour, 1974, p. 248-259.

GRAND'MAISON, J. ***Des milieux de travail à réinventer***. Montréal: les Presses de l'université de Montréal, 1975, 254 p.

GRAND'MAISON, J. ***Une philosophie de la vie***. Ottawa: Les éditions Leméac, 1977, p. 13-14.

GRAND'MAISON, J. ***Stratégies sociales et nouvelles idéologies***. Montréal: Hurtubise HMH, 1970, 1973, p. 91.

GRAND'MAISON, J. ***Vers un nouveau pouvoir?*** Montréal: Éditions HMH, 1970, p. 58 (Coll. "H").

GRONDIN, N. (conseiller en éducation coopérative) ***Rapport interne***. Fédération des Caisses populaires Desjardins de Québec, division Développement coopératif et communautaire, 1981.

HIGGINS, B., MARTIN, F. et RAYNAULD, A. ***Les orientations du développement économique régional dans la province de Québec***. Ottawa: MEER, 1970.

HIRCHMAN, A.O. ***The Strategy of Economic Development***. New Haven, Connecticut: Yale, 1968.

INTERAMERICAN COMMISSION FOR WOMEN (OAS). ***Report presented to the Twenty-seventh Session of the United Nations Commission on the Status of Women***. New York: OAS, 20 mars-5 avril 1978, p. 25-45.

IRECUS. ***Bilan socio-coopératif et climat organisationnel***. IRECUS, 1980.

ISARD, W. ***Methods of Regional Analysis: an Introduction to Regional Science***. Cambridge: MIT Press, 1960.

IZQUIERDO DUARTE, A. "Ser cooperativista". ***Manual de cooperativismo estudiantil*** (IDICE. Institut de développement et de recherche coopérative de l'Équateur). Équateur: Quito, 1970, p. 110.

IZQUIERDO DUARTE, A. ***Manual de cooperativismo estudiantil***. 2e éd. Équateur: Quito, 1970.

JACQUES, J. "La Qualité de la vie au travail et le manager". ***Qualité de la vie au travail: la scène canadienne***, 1981, vol. 4, n° 2, p. 8-10.

JEAN, M. ***Québécoises du 20e siècle***. Montréal: Éditions du Jour, 1974, p. 248.

JOHNSTON, C., ALEXANDER, M. et ROBIN, J. ***Qualité de la vie au travail: l'idée et son application***. Ottawa: Travail-Canada, 1978, 40 p.

KLAPPHOLZ, K. "Economics and Ethical neutrality". ***The Encyclopedia of Philosophy***. MacMillan and Free Press, 1967.

KOTLER, P. ***Marketing for Nonprofit Organization***. Englewood Cliffs: Prentice-Hall, 1975.

LAFLAMME, M. ***Expérience de démocratie industrielle: vers un nouveau contrat social***. Montréal: Éditions du Jour, 1980.

LAFLAMME, M. et ROY, A. ***L'Administration et le développement coopératif***. Montréal: Éditions du Jour, 1978.

LAFRANCE, B. ***Aperçu sur la distribution alimentaire dans la région 04***. URTR, 1978.

LAGADEC, C. "La coopération: entre idéologie et réalité". ***Le Devoir***. 21 octobre 1981, p. 17.

LAIDLAW, A.F. "Les choix de l'avenir". ***Les Coopératives de l'an 2000***. Document présenté au Congrès de l'Alliance coopérative internationale, Moscou, octobre 1980, partie V, p. 178-192.

LAIDLAW, A.F. "Les grandes thèses du débat et questions vitales". ***Les Coopératives de l'an 2000***. Moscou, Congrès ACI, octobre 1980, partie VI, p. 191.

LAIDLAW, A.F. "Des villages coopératifs dans les villes". ***Les Coopératives de l'an 2000***. Moscou, Congrès ACI, octobre 1980, p. 63.

LAMARCHE, J. ***Alphonse Desjardins, un homme au service des autres***. Montréal: Éd. du Jour, 1977, 173 p.

LAMARCHE, J. ***Coop et Cooprix***. Montréal: Éditions du Jour, 1971.

LAMBERT, P. ***La Doctrine coopérative***. Bruxelles: Les Propagateurs de la coopération, 1964, p. 57 et suivantes, 94.

LAPOINTE, A., PRÉVOST, P. et SIMARD, J.-P. ***Économie régionale du Saguenay—Lac-Saint-Jean***. Chicoutimi: Gaëtan Morin Éditeur, 1981.

LAVERGNE, B. ***Le Problème des nationalisations***. Paris: PUF, 1946.

LAVERGNE, B. ***Les Régies coopératives***. Paris: Alcan, 1927.

LAVOIE, R. "Faire que ma solitude ne soit plus une solitude". ***RND, notre société et le défi de la solitude***. Québec: Revue Notre-Dame, mars 1981, n° 3.

LEBRET, L.-J. ***Dynamique concrète du développement***. Paris: Éditions ouvrières, 1961.

LECLERC, A. ***Les Doctrines coopératives en Europe et au Canada***. IRECUS, 1982, 160 p.

LECLERC, G. ***Éducation permanente et utopie***. Sherbrooke, 1978 (Thèse non publiée).

LEMIEUX, V. ***Les Cheminements de l'influence***. Québec: P.U.L., 1979.

LE PORT, J. ***Les Tendances doctrinales actuelles du coopératisme français***. Paris: Fédération coopérative N° 1, 1960.

LEVESQUE, B. et coll. ***Animation sociale, entreprises communautaires et coopératives***. Montréal: Éditions Albert Saint-Martin, 1979.

LEVINSON, C. ***La Démocratie industrielle***. Paris: Éditions du Seuil, 1976, 304 p.

LEVITT, K. "Métropole et Interland". ***La Capitulation tranquille***. Montréal: Réédition-Québec, 1972, p. 109-136.

LIEPIETZ, A. ***Le Capital et son espace***. Paris: François Maspéro, 1974, p. 121 (Coll. "Économie et Socialisme", n° 34).

LUCIER, P. "La crise des valeurs au Québec". ***Relations***. Mars 1976, p. 70-74.

MÉDARD, J.-F. ***Communauté locale et organisation communautaire aux États-Unis***. Paris: Armand Colin, 1969.

MEISTER, A. ***Où va l'autogestion yougoslave?*** Paris: Anthropos, 1970, 386 p.

MEISTER, A. ***Participation, animation et développement***. Paris: Anthropos, 1969, p. 21-25.

MEISTER, A. ***La Participation dans les associations***. Paris: Éditions ouvrières, 1974, 276 p.

MEISTER, A. ***Vers une sociologie des associations***. Paris: Éditions ouvrières, 1972, 220 p.

MILLS, T. ***Définition de la Qualité de la vie au travail***. Ottawa: Travail-Canada, 1981, 13 p.

MLADENATZ, G. ***Histoire des doctrines coopératives***. Paris: PUF, 1933.

MOISSET, J.-J. ***L'Alcan et la croissance économique au Saguenay—Lac-Saint-Jean (Québec)***. Thèse. Suisse: université de Fribourg, 1972.

MYRDAL, G. ***An American Dilemma***. New York: Harper and Row, 1942 et 1962, Appendix 1, p. 1027.

MYRDAL, G. ***Objectivity in Social Research***. New York: Random House, 1969.

OLSON, M. ***The Logic of Collective Action***. Cambridge (Mass): Harvard U.P., 1965.

OLSON, M. ***Logique de l'action collective***. Paris: P.U.F., 1978, 199 p.

OPDQ. ***Prospective socio-économique du Québec, rapport-synthèse: Sous-système urbain et régional du Québec, 1977***.

PAGE, M. ***La Femme consommatrice***. Rapport miméographié. 1977, p. 1-5.

PARADES DE MARTINEZ, I. "La mujer y sus Nuevas Responsabilidades en el mundo actual". ***Programa Interamericano de Adiestramiento para Mujeres Dirigentes***. Quinto Curso. Ecuador: Quito, Comision Interamericana de Mujeres, 22 janvier - 27 février 1970, p. 193-200 (Washington: Secrétariat général des États américains).

PARSONS, T. ***Societies: Evolutionary and Comparative Perspectives***. Englewood Cliffs: Prentice Hall, 1966.

PELLETIER, G. "Maux dans un nouveau cadre welfariste". ***L'Actualité économique***. Avril-juin 1979.

PERRIN, J.-C. ***Le Développement régional***. Paris: PUF, 1974.

PERROUX, F. ***L'Économie du XXe siècle***. 2e éd. Paris: PUF, 1965, p. 155.

PICHETTE, C. et MAILHOT, J.-C. (coll). ***Analyse microéconomique et coopérative***. Sherbrooke: université de Sherbrooke, Département de sciences économiques, 1972, p. 6-24.

PINEAU, G. ***Éducation ou aliénation permanente?, Repères mythiques et politiques***. Montréal: Coéd. Sciences et Culture et Dunod, 1977, p. 17-24.

PICARD, J. "Des coopératives, propriété des consommateurs". ***Revue Ensemble!*** 24 février 1978, p. 14.

RAYNAUD, A. ***Le Développement économique***. Leçon inaugurale. Univ. de Montréal: Presses de l'université de Montréal, 1967.

RICHARDSON, H.W. ***Regional Growth Theory***. London: MacMillan, 1974.

RIOUX, A. ***L'École et la coopération***. Allocution prononcée à l'occasion de l'inauguration de la Semaine de la Coopération au cégep de Jonquière, le 3 novembre 1981.

RIOUX, G. "Le développement des coopératives de consommateurs au Québec d'ici l'an 2000, un défi collectif". ***Colloque de l'U.C.I.*** 1980.

ROBY, Y. ***Alphonse Desjardins et les Caisses populaires, 1854-1920***. Montréal et Paris: Fides, 1964.

ROSANVALLON, P. et VIVERET, P. ***Pour une nouvelle culture politique***. Paris: Seuil, 1977, 158 p.

ROSS, M.G. et LAPPIN, B.W. ***Community Organization: Theory, Principles and Practice***. 2e éd. New York: Harper and Row Publishers, 1967, p. 40.

ROSTOW, W.-W. ***Les Étapes de la croissance économique***. Paris: Éd. du Seuil, 1969.

ROTHMAN, J. "Three models in community organization practice". ***Strategies of Community Organization, a Book of Readings*** (sous la direction de F.M. Cox). Itasca: Peacock, 1974.

SAINT-MARTIN, J.-G. et DRAGON, G. ***Maître de notre destin par le coopératisme***. Québec: UGEQ, 1965, p. 31.

SAINT-PIERRE, H. ***La Participation pour une véritable prise en charge responsable***. Québec: P.U.L., 1975.

SALLON, M. ***Histoire économique contemporaine***. Paris: Éd. Masson et Cie, 1972.

SANDERSON, G. (édit.) ***S'adapter à un monde en pleine évolution*** (choix de textes sur la QVT). Ottawa: Travail-Canada, 1978, 93 p.

SAVALL, H. ***Enrichir le travail humain dans les entreprises et les organisations***. Paris: Dunod, 1976.

SCHUMACHER, E.F. ***Good Work***. Paris: Seuil, 1980.

SCHWATZ, B. ***L'Éducation demain***. Paris: Aubier-Montaigne, 1973, p. 180-187.

SIMARD, J.-J. "De l'utopie à l'idéologie: planification et pouvoir technocratique". ***Animation sociale, entreprises communautaires et coopératives*** (sous la direction de B. Lévesque). Laval: Éditions coopératives Albert Saint-Martin, 1979, p. 299-317.

SIMARD, M. "Les dirigeants d'entreprise et les nouvelles formes d'organisation du travail". ***Gestion***. Novembre 1980, p. 9-15.

SIPILA, H. "Report: the State of the world's women 1979. United Nations Division for economic and social information"; cité par:
GAYFER, M. "Women speaking and learning for ourselves". ***Convergence***. Toronto: International Council for Adult Education, vol. XIII, n°s 1 et 2, 1980.

TINBERGEN, J. ***Techniques modernes de la politique économique***. Paris: Dunod, 1961.

UNESCO. ***Éducation des adultes, notes d'information***. Unesco, 1977, p. 2.

VAILLANCOURT, C. et FAUCHER, A. ***Alphonse Desjardins***. Lévis: Le Quotidien, 1950.

VÉZINA, J.-P., JOUANDET-BERNADET, R. et FRÉCHETTE, P. ***L'Économie du Québec***. Montréal: HRW, 1975.

VIDIER, R. "La femme et la coopérative". ***Revue des études coopératives***. Institut français de la coopération, 1980, n° 200. (Cet article a été reproduit dans la revue ***Ensemble!*** du 28 novembre 1980, n° 20. p. 4)

WATKINS, M.H. "A Staple Theory of Economic Growth". ***Canadian Journal of Economic and Political Science***. 24 février 1963.

"Association coopérative: les femmes d'Alma sont dynamiques". ***Progrès-Dimanche***. Chicoutimi, 17 mai 1981.

"La coopération au Québec: évolution du projet et de la pratique au XXe siècle". ***Revue C.I.R.I.E.C.*** 1980-81, vol. 13, n° 2.

Dépliant d'information. Québec: Association coopérative féminine du Québec, 1977.

"Du client-roi au client-pion". ***Marketing Social***. Texte de la direction. Vol. 1, n° 4, p. 45-47.

"L'éducation ça vaut le coup!" ***Journal de l'Association d'éducation du Québec***. Semaine de l'éducation, 13-19 avril 1980.

Évaluation de la Semaine de la Coopération. Jonquière: collège de Jonquière, 1er décembre 1980, document photocopié.

"Jeunesse Canada Monde et la formule coopérative". ***Ensemble!*** Québec, vol. 27, n° 19, p. 15.

Liste de femmes occupant des postes de direction dans les Caisses populaires des Cantons-de-l'Est. Sherbrooke: Union régionale de Sherbrooke des Caisses populaires Desjardins, 1978.

"Le mouvement des Caisses populaires Desjardins et le développement coopératif dans un Québec contemporain". ***Ma Caisse populaire***. 1977, n° 6.

"Nouvelles sur la Fondation Girardin-Vaillancourt". ***Ensemble!*** Québec, 1979.

"Nouvelles sur la réunion de coopératives étudiantes à Victoriaville". ***Ensemble!*** Québec: Conseil de la coopération du Québec, 28 novembre 1980, vol. 27, n° 20, p. 4.

"Nouvelles sur le concours de dessins pour enfants patronné par Pêcheurs unis du Québec". ***Ensemble!*** Québec, 14 novembre 1980, vol. 27, n° 19, p. 11.

La Participation des travailleurs aux décisions dans l'entreprise. Genève: Bureau international du travail, 1981, 215 p.

Proceedings. ASAC, 1979 et 1980.

Rapport annuel pour l'exercice finissant le 28 janvier 1977. Québec: Association coopérative féminine du Québec, 1977.

Revue internationale d'action communautaire. École de service social, université de Montréal, divers numéros.

Revue Protée, automne 1980, vol. VIII, n° 3.

Semaine de la Coopération. Dépliants. Collège de Jonquière. 1979, 1980.

"Sommet sur la Coopération — Coopérative étudiantes: lieu de formation par excellence". ***Ensemble!*** Québec: Conseil de la coopération du Québef, 22 février 1980, vol. 27, n° 3.

Troisième rapport au Club de Rome. ***Nord-Sud: du défi au dialogue?*** Propositions pour un nouvel ordre international. Sned, Dunod, Bordas, 1978.